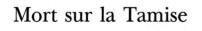

Mort sur la Tamise

Deborah Crombie

Mort
sur la Tamise

ROMAN

*Traduit de l'américain
par Nicole Hibert*

LE GRAND LIVRE DU MOIS

COLLECTION « *SPÉCIAL SUSPENSE* »

© Éditions Albin Michel, 2013
pour la traduction française

Édition originale américaine parue sous le titre :
NO MARK UPON HER
Chez Harper Collins à New York en 2012.
© Deborah Crombie, 2012

À David Thompson (1971-2010)
qui voulait que je termine ce livre.

1

« L'art de la nage en couple est comme tous les arts. Il ne se perfectionne que par une constante pratique afin que chaque mouvement, sans avoir à y réfléchir, soit fluide et correctement exécuté. »

George Pocock,
Notes on the Sculling Stroke
as Performed by Professional Scullers on the Thames River, England

ELLE REGARDA LE CIEL et jura à haute voix. Il était plus tard qu'elle ne le pensait, il faisait déjà sombre. Depuis qu'on était passé à l'heure d'hiver, la nuit tombait d'un coup. Et à l'ouest, un épais mur de nuages annonçait la pluie.

D'un pas pressé, elle traversa le jardin du cottage et ouvrit le portillon qui donnait sur la rive. Des volutes de brume montaient de l'eau. La Tamise avait son odeur du soir, cette odeur si particulière, moite et vivante, primitive. Sa surface gris acier paraissait aussi calme qu'un étang, mais c'était une illusion. Ici le fleuve s'écoulait vers la chaussée en aval de Hambleden Mill, le courant était rapide – un piège redoutable pour les imprudents, les présomptueux.

Becca partit au petit trot vers Henley, en amont. Le pont était déjà éclairé. Elle n'avait plus beaucoup de temps.

– Et merde, murmura-t-elle.

9

Elle était en nage lorsqu'elle atteignit le Leander, le célébrissime club d'aviron niché près du pont, côté Remenham. Il y avait de la lumière dans la salle à manger du premier, mais la cour était déserte, plongée dans la pénombre, et le garage à bateaux fermé à clé. Les athlètes et leurs coachs, pour la dernière fois de la journée, s'entraînaient au gymnase. Ce qui arrangeait Becca.

Son skiff était dehors, sur un mât de stockage, mais elle devait récupérer ses avirons rangés dans le hangar. Elle déverrouilla les portes, actionna l'interrupteur. Immobile, elle contempla les Empacher jaunes et luisants – des bateaux de fabrication allemande, essentiellement des huit de compétition. Les coques étaient retournées et superposées, longues, effilées, d'une telle grâce qu'elle en eut le cœur serré.

Mais elle n'était pas taillée pour le travail d'équipe, elle ne l'avait jamais été, même à l'université, quand elle faisait partie du huit féminin. Le club d'aviron de la fac l'avait recrutée dès sa première année. Tous les clubs allaient à la pêche aux jeunes étudiantes innocentes, mais Becca avait été particulièrement courtisée. Outre sa taille et ses longs membres nécessaires à une rameuse, sans doute avait-on vu en elle quelque chose de spécial : l'éclat de l'obsession au fond de ses yeux.

À présent, aucune équipe n'aurait la stupidité de l'enrôler, elle qui avait pourtant excellé dans sa discipline.

On entendait dans la salle voisine le choc des haltères sur le sol. Pourvu qu'elle ne croise personne, cela lui ferait perdre un temps précieux. Elle se dirigea vivement vers le fond du hangar, prit ses avirons sur le râtelier. Les palettes rectangulaires étaient du même rose que sa casquette, la couleur du Leander Club.

– Becca ?

Surprise, elle se retourna.

– Milo... Je te croyais avec l'équipe.

– J'ai vu la lumière s'allumer dans le hangar.

Milo Jachym était petit et presque chauve – il n'avait plus qu'une bande de chaume gris au-dessus des oreilles.

Ancien barreur, réputé à son époque, il avait été l'entraîneur de Becca.

– Tu sors, dit-il d'un ton sévère. À cette saison, tu ne peux pas continuer comme ça. Les autres sont dedans depuis une heure.

– J'aime bien être toute seule sur l'eau, répondit-elle avec un sourire. Ne t'inquiète pas pour moi, Milo. Tu m'aides à descendre le bateau ?

Il saisit des tréteaux à sangles et la suivit. Becca alla déposer ses avirons près du ponton d'accès, puis revint dans la cour. Son Filippi blanc et bleu était rangé au-dessus de deux doubles sculls. Milo dut se hisser sur la pointe des pieds pour détacher et soulever l'avant du bateau, tandis qu'elle se chargeait de l'arrière.

Ils déposèrent le skiff sur les tréteaux.

– Tu en as parlé à Freddie, dit-elle tout en contrôlant l'équipement.

– Parce que c'était un secret d'État, peut-être ?

– Je vois que tu es toujours le roi du sarcasme, riposta-t-elle, quoique pour Milo, le coach qui utilisait l'ironie comme une machine de guerre, la pique fût bénigne.

– Il était inquiet, à juste titre. Tu ne peux pas continuer comme ça. Non, ajouta-t-il comme elle ouvrait la bouche pour protester, pas si tu veux te qualifier pour les demi-finales, voire gagner.

– Quoi ?

Stupéfaite, elle leva la tête. Il l'observait d'un air pensif.

– Contrairement aux autres, moi je crois que tu peux gagner aux qualifications, peut-être même aux Jeux. Tu étais une des meilleures rameuses que j'aie jamais vues. Ce ne serait pas la première fois qu'une athlète de ton âge ferait son come-back. Mais il ne faut pas te contenter de demi-mesures – ramer après le boulot et le week-end, te taper la muscu et l'ergomètre chez toi. Eh oui, je suis au courant. Tu te figurais pouvoir acheter le silence de certains avec quelques bières ? On est les uns sur les autres, ici.

Il eut un sourire narquois, reprit avec gravité :

– Tu vas devoir te décider, Becca. Si tu veux aller au bout, il te faudra abandonner tout le reste. Ce sera la chose la plus difficile que tu aies accomplie dans ta vie, mais je pense que tu as la gnaque pour réussir.

C'était la première fois qu'on l'encourageait, et ces mots avaient d'autant plus de valeur qu'ils étaient prononcés par Milo.

– Je... j'y réfléchirai, bafouilla-t-elle, la gorge nouée.

Ensemble, ils soulevèrent le bateau au-dessus de leurs têtes et le portèrent jusqu'au ponton d'embarquement où ils le mirent à l'eau.

Elle retira ses chaussures, prit place sur le siège à coulisse tout en saisissant les avirons qu'elle posa en équilibre en travers de la coque.

Le skiff tangua sous son poids. Cela lui rappela, comme toujours, qu'elle était assise sur un morceau de fibre de carbone plus étroit que son corps, à quelques centimètres de l'eau. Seules son adresse et sa détermination empêchaient la fragile embarcation de s'engloutir dans la redoutable gueule du fleuve.

Mais la peur avait du bon. Elle la rendait forte et prudente. Elle glissa les avirons dans les dames de nage qu'elle ferma. La pelle tribord sur le ponton et l'autre à plat sur l'eau, elle enfila les scratchs fixés à la planche de pied et régla les bandes Velcro.

– Je vais t'attendre, proposa Milo. Je t'aiderai à rentrer le bateau.

– Non, je me débrouillerai. J'ai la clé du hangar. Mais je... Merci, Milo.

– Je laisserai la lumière allumée, dit-il alors qu'elle s'écartait du ponton. Rame bien.

Elle ne l'écoutait plus. Le courant l'entraînait vers le milieu du fleuve et, soudain, le monde s'évanouit. Elle adopta une cadence tranquille pour s'échauffer, décontracter ses épaules et ses cuisses. Le vent soufflait vers l'aval et lui caressait le visage. Il serait son allié jusqu'à ce qu'elle vire à hauteur de Temple Island, ensuite elle devrait lutter contre lui et contre le courant.

Elle allongeait la nage, gagnait en puissance. Les arches illuminées du pont de Henley s'estompaient au loin. Elle tournait le dos à la pointe du bateau, à la manière des rameurs, jaugeant le fleuve d'instinct. Et elle remontait aussi le temps. Un instant, elle fut de nouveau la fille qui avait failli décrocher la médaille d'or aux Jeux olympiques. La fille qui avait laissé cette médaille lui échapper.

Plissant le front, Becca revint au présent. Elle se concentra sur ses coups d'aviron. Des gouttes de sueur perlaient sur sa nuque, entre ses seins.

Elle n'était plus cette fille-là. Quatorze ans s'étaient écoulés depuis, dans un autre univers. Elle avait changé, elle n'était reliée à la Rebecca d'avant que par la mémoire de ses muscles, de ses mains fermées sur le manche des avirons. Aujourd'hui elle savait ce que coûtait l'échec.

Et elle savait que Milo avait raison. Elle devrait se décider sans tarder. Se consacrer à la compétition l'obligerait à abandonner son travail pour s'entraîner à plein temps. Elle pouvait donner sa démission. Ou prendre le congé sabbatique que la Met lui offrait.

Et, par conséquent, ne pas régler le problème.

À cette pensée, la colère l'envahit, si violente qu'elle accéléra la cadence. Les portants grinçaient, l'eau ruisselait des palettes au dégagé et lui éclaboussait le visage.

Elle ramait, attentive au bruit des pelles quand elles étaient en appui dans l'eau, puis au silence absolu lorsqu'elles en sortaient et que le bateau s'élançait comme une créature vivante. Le rythme parfait, l'harmonie. Le skiff chantait et elle faisait corps avec lui, prenant son essor comme un oiseau.

La ville de Henley n'était plus qu'un point lumineux. Maintenant Becca voyait vraiment le ciel, rose et or sur l'horizon, ourlé de mauve. Les nuages se dessinaient encore sur ce dôme sombre ; ils semblaient voler à l'unisson avec elle. Des cottages – dont le sien, quelque part –

et des bouquets d'arbres défilaient en fondu enchaîné sur la rive.

Dix coups d'aviron. Elle avait les cuisses en feu.

Et dix de plus. Compter, veiller à sortir impeccablement les pelles de l'eau.

Encore dix. Ses épaules brûlaient.

Et encore dix, de toutes ses forces. Le bateau filait, elle avalait des goulées d'air qui lui cisaillaient la gorge.

Une tache pâle sur sa droite : la folie construite sur Temple Island. Cette langue de terre, qui appartenait jadis à Fawley Court, était aujourd'hui le point de départ de la Henley Royal Regatta. Elle devrait virer tout de suite après, sinon elle n'y verrait plus rien et ramerait à l'aveugle jusqu'au Leander.

Elle ralentit la cadence pour respirer et soulager ses contractures. En dépassant la pointe de l'île, en aval, elle stabilisa le bateau, les pelles à plat sur l'eau.

Sa colère s'était dissipée, cédant la place au calme et à une absolue certitude.

Elle reprendrait la compétition. Elle ne laisserait pas passer sa dernière chance. Si cela impliquait de quitter la Met, eh bien elle partirait, mais on ne la bâillonnerait pas avec une montre en or et autres promesses creuses. Elle veillerait à ce que justice soit faite, quoi qu'il en coûte. Pour elle-même et ses semblables.

Le courant l'entraînait vers l'écluse et le barrage. Des corbeaux freux, perchés dans les arbres de la rive, s'envolèrent en croassant. Elle les regarda tournoyer, manœuvra pour virer. Elle faisait maintenant face à l'aval. Le vent lui mordait la nuque, à chaque coup d'aviron il lui faudrait lutter contre le courant.

À l'aller, elle était restée au milieu du fleuve pour avancer plus facilement, à présent elle se rapprochait de la rive d'Oxfordshire, où le courant était moins brutal, la nage moins pénible. Les athlètes du Leander connaissaient par cœur les moindres coins et recoins de cette berge, les endroits à l'abri du vent. Comme Becca, la plupart d'entre eux auraient pu ramer en dormant.

Mais l'obscurité devenait de plus en plus épaisse à mesure qu'elle s'éloignait des faibles lueurs de la ville, la température baissait, la sueur sur son corps fraîchissait.

Elle avançait, déployant toute la puissance de ses épaules et de ses jambes, comptant mentalement les coups d'aviron – la litanie du rameur –, mesurant sa progression par de fréquents coups d'œil à la berge.

Elle revit la pâle silhouette de la folie, pareille à un gâteau de mariage. Les détails familiers, aux contours flous, du paysage défilaient. Si à l'aller elle avait eu la sensation de remonter le temps, maintenant il semblait suspendu, uniquement régi par les coups d'aviron.

Elle enchaînait les mouvements, de toutes ses forces, elle n'était plus que ce rythme-là.

Ce fut seulement dans l'infime fraction de seconde où le silence se faisait au dégagé, qu'elle entendit un éclaboussement. Le bateau craqua, protesta, quand elle s'arrêta de ramer.

Le bruit était proche. Ce n'était pas un oiseau pêcheur. Peut-être un gros animal qui entrait dans l'eau ?

Elle avait un goût de sel sur les lèvres, son nez coulait à cause du froid et du vent. Tenant les avirons d'une main, elle s'essuya avec sa manche.

Le bateau tangua lorsqu'elle se tourna pour regarder vers l'aval. Elle reprit vivement les poignées à deux mains. Puis elle scruta la berge, mais sous les arbres l'obscurité était impénétrable.

Elle haussa les épaules. Son imagination lui jouait des tours. Mais quand elle tourna les palettes, elle entendit une voix. Une voix étrangement familière qui, lui sembla-t-il, l'appelait par son nom.

2

« Avec le skiff, j'ai trouvé mon instrument... »

Sara Hall,
Drawn to the Rythm

FREDDIE ATTERTON passa sa carte de membre dans le lecteur, à l'entrée du parking du Leander, puis, tambourinant sur le volant, attendant que la barrière automatique se lève. Les essuie-glaces chuintaient sans parvenir, même à pleine vitesse, à essuyer le pare-brise. Il redémarra et alla se ranger sur la place de stationnement la plus proche.

– Foutue pluie, grommela-t-il.

Le parking serait bientôt un véritable marécage. Il aurait de la chance s'il réussissait à ressortir l'Audi de là. Et, par-dessus le marché, le temps d'ouvrir son parapluie pour marcher jusqu'au club, ses chaussures italiennes cousues main et sa veste seraient trempées.

Il coupa le moteur, consulta sa montre – huit heures moins cinq. Il n'avait pas le temps d'attendre la fin du déluge. Pas question d'arriver tout dégoulinant pour découvrir que son investisseur potentiel était déjà là. Ce petit-déjeuner était trop important pour s'y présenter avec l'allure d'un rat noyé – et aux abois.

Il aurait vraiment souhaité avoir quelques renseignements supplémentaires. Malheureusement, Becca ne l'avait pas rappelé dans la soirée. Il avait tenté de la

16

joindre ce matin, mais elle ne décrochait toujours pas son téléphone.

Becca, qui appartenait aux forces de la Met depuis plus de dix ans, connaissait quasiment tous ceux qui, au sein de la police londonienne, avaient un peu de poids. Freddie comptait sur elle pour lui donner des informations sur son éventuel client, un policier qui avait récemment pris sa retraite. Un flic de base n'aurait évidemment pas assez de fric pour investir dans un projet immobilier encore flou. Mais ce type, Angus Craig, avait été directeur adjoint de la police et il habitait un village des environs, tout ce qu'il y avait de plus chic. Freddie l'avait rencontré dans un club du coin, il y avait une semaine de ça. Ils avaient bavardé, Craig avait dit qu'il aimait bien l'idée de mettre de l'argent dans un projet dont il pouvait surveiller l'avancement. Freddie, quant à lui, avait espéré que Becca pourrait lui confirmer que ce Craig était plein aux as.

Dans le cas contraire, il serait dans la mouise. Il avait acheté une propriété du côté de Remenham, une ferme délabrée et ses dépendances, avec l'intention d'en faire des appartements haut de gamme – *la qualité de vie de la campagne, le luxe de la ville, avec vue sur la Tamise*. Mais l'immobilier avait plongé. Freddie était maintenant à court d'argent et ne parvenait pas à faire démarrer son affaire.

Il prit son mobile et vérifia une fois de plus que Becca ne lui avait pas laissé de message. Rien… Son irritation se mua en une vague inquiétude. Becca était têtue comme une mule, mais ils avaient réussi, après leur divorce, à conserver une relation amicale, d'ailleurs assez bizarre.

Au pire, elle l'aurait appelé pour l'envoyer sur les roses.

Peut-être avait-il poussé trop loin le bouchon quand il lui avait reproché de vouloir se consacrer à l'aviron. Qu'elle envisage sérieusement de mettre en péril sa carrière d'inspecteur pour un rêve fumeux – une médaille d'or à laquelle une personne sensée aurait renoncé depuis des lustres –, ça le dépassait. Lui aussi avait failli

17

céder au chant des sirènes de l'aviron ; Dieu savait à quel point il avait eu le goût de la compétition, mais à un moment on comprenait qu'il fallait lâcher et se colleter avec la réalité. Ce qu'il avait fait.

Mais aurait-il abandonné si facilement s'il avait été aussi doué que Becca ? Et quels succès avait-il remportés dans la vraie vie ? Il s'empressa de chasser de son esprit ces désagréables questions. Ça s'arrangerait, comme toujours.

Peut-être devrait-il s'interroger sur ce qu'il avait dit à Becca. Mais d'abord, M. Craig.

Angus Craig lui posa un lapin.

Freddie avait bondi hors de sa voiture tout en ouvrant son parapluie avec la célérité d'un prestidigidateur. Il avait pataugé à travers le parking pour se réfugier dans le hall du Leander. Lily, la responsable de service, était allée lui chercher une serviette puis l'avait conduit à sa table préférée dans la salle à manger du premier.

– L'équipe ne sortira pas ce matin, dit-il.

Une pluie diluvienne s'abattait sur le fleuve. Un temps de chien, même pour les athlètes de Leander, qui se vantaient de leur force d'âme – quoiqu'un membre des Blue d'Oxford ou de Cambridge[1] ait quelques petites choses à dire en ce qui concernait le mauvais temps... et la force d'âme.

Une année, le bateau de Freddie avait bien failli couler pendant la Boat Race[2], du fait de conditions météo similaires. Une expérience pénible, pour parler par euphémisme, et passablement dangereuse.

– Vous attendez quelqu'un ? lui demanda Lily en lui servant son café.

– Oui. Il est en retard, d'ailleurs.

---

1. Le bleu est la couleur des clubs d'aviron d'Oxford et Cambridge. Bleu foncé pour le premier, bleu clair pour le second. *(Toutes les notes sont de la traductrice.)*
2. Célèbre course d'aviron qui, chaque année au printemps, oppose les universités d'Oxford et Cambridge.

– Comme certains de mes collègues. Le chef dit qu'il y a eu un carambolage sur Marlow Road.

– Alors ceci explique cela.

Freddie s'arracha un sourire. Lily était jolie, toute pimpante dans son uniforme du Leander – jupe bleu marine et corsage rose –, ses cheveux châtains tirés en un petit chignon. Quelques années auparavant, il se serait entiché d'elle, mais il avait tiré la leçon de ses erreurs. Il était plus sage, plus las.

– Merci, Lily. Je vais patienter un peu avant de commander.

Il sirota son café, observant distraitement les rares personnes attablées dans la salle. À cette époque de l'année et en début de semaine, la douzaine de chambres que comptait le Leander étaient, pour la plupart, inoccupées. Et la pluie avait sans doute découragé les membres du club qui prenaient habituellement leur petit-déjeuner ici, attirés par la qualité de la cuisine et les prix étonnamment raisonnables.

Mais le chef ne manquait pas de travail, même s'il n'y avait guère foule. Car il avait également pour mission de nourrir les athlètes qui mangeaient dans leurs quartiers. Or les rameurs avaient un appétit d'ogre.

À huit heures et demie, alors qu'il buvait son deuxième café et rêvait de s'en griller une, Freddie composa le numéro d'Angus Craig. Il tomba sur son répondeur.

À neuf heures moins le quart, il commanda son petit-déjeuner rituel, œufs brouillés au saumon fumé. Mais il n'avait plus faim. Il repoussa son assiette, beurra un toast. La pluie s'était arrêtée, on voyait à présent la rive opposée, noyée dans le gris, les boutiques et les toits détrempés. On se serait cru à Venise.

La circulation était probablement rétablie. Angus Craig serait là dans quelques minutes.

Des voix confuses, à la réception, le firent se retourner. Ce n'était malheureusement pas l'homme grand et blond qu'il attendait, mais Milo Jachym, l'entraîneur des filles. Il parlait à Lily. Tout son corps trapu, engoncé

19

dans des vêtements de pluie, dégageait une impression de détermination.

Freddie le rejoignit.

– Salut, Milo. Vous sortez ?

– J'en ai bien envie. Avec un peu de chance, on a une heure devant nous avant la prochaine averse.

À l'ouest, en effet, une éclaircie trouait le ciel pluvieux.

– Autant en profiter, ajouta Milo. Si elles travaillent sur les ergomètres toute la journée, j'ai pas fini de les entendre râler.

– Je les comprends. Quelle plaie, ces ergomètres.

Les rameurs détestaient toutes ces machines qui reproduisaient l'aviron et mesuraient les performances d'un athlète. S'entraîner là-dessus était physiquement épuisant et ne procurait aucun plaisir. Ces engins avaient une seule qualité : ils étaient idiots – nul besoin d'être vigilant, on pouvait s'abîmer dans une sorte de vide mental sans risquer de précipiter le bateau contre un écueil et de se blesser ou pire.

– C'est bien la première fois que j'entends ça, ironisa le coach. Bon, je vais les libérer.

Freddie lui posa la main sur le bras.

– Dis, Milo... tu as discuté avec Becca ? J'espérais que tu la raisonnerais.

– Je lui ai parlé, oui, mais pas de ça. À mon avis, la bataille est perdue d'avance. Tu ferais mieux de capituler. Et puis, pourquoi es-tu si sûr qu'elle ne gagnera pas ?

– Tu crois qu'elle en est capable ? s'étonna Freddie.

– Il n'y a pas une femme dans cette équipe, pas une parmi toutes celles que j'ai vues depuis un an, qui puisse surpasser Becca quand elle est en pleine possession de ses moyens.

– Mais elle a...

– Trente-cinq ans ? Et alors ?

– Ouais, je sais, je sais. Elle me tuerait si elle m'entendait parler comme ça. *Redgrave avait trente-huit ans,* enchaîna Freddie, imitant Becca lorsqu'elle faisait sa pédante, *Pinset avait trente-quatre ans, Williams trente-deux,*

Katherine Grainger von Siver trente-trois... Seulement elles avaient décroché des médailles. Pas Becca.

— Elle n'a pas perdu sa capacité à aller au bout de ses forces. Il n'en faut pas plus, je ne t'apprends rien.

— D'accord... Tu as peut-être raison, auquel cas j'ai intérêt à lui présenter mes excuses. Mais je n'arrive pas à la joindre. Quand lui as-tu parlé ?

— Hier, vers seize heures trente. Elle sortait s'entraîner, elle m'a dit qu'elle rangerait le bateau toute seule à son retour.

Milo fronça les sourcils.

— Maintenant que j'y pense, je ne me rappelle pas avoir vu le skiff, ce matin. Peut-être qu'elle l'a pris chez elle.

— Ça me surprendrait. Elle aurait dû utiliser le ponton des voisins.

C'était néanmoins possible, se dit Freddie. Mais Becca aurait eu à traverser le jardin des voisins, le skiff sur son dos, pour atteindre le cottage où elle n'avait pas de garage à bateau. Pourquoi s'imposer cette corvée alors qu'elle pouvait laisser le Filippi au club ?

À moins qu'elle se soit sentie mal et n'ait pas eu le courage de retourner au Leander ? Cela ne ressemblait pas à Becca. L'inquiétude qui le tenaillait monta d'un cran. Il consulta sa montre et décida qu'Angus Craig pouvait aller au diable.

— Je vais vérifier si son skiff est là.

— Je viens avec toi.

Milo considéra le blazer de Freddie, sa cravate Leander à rayures bleu et rose.

— Tu vas te tremper, mon vieux. Je te prête un anorak, il y en a un à côté du bar.

Mais Freddie s'éloignait déjà. Le hall du premier donnait sur une terrasse pourvue à chaque extrémité d'un escalier. Il emprunta celui de gauche qui menait au fleuve et à la cour. Il ne tarda pas à avoir les cheveux mouillés, même si la pluie s'était muée en bruine.

Le Filippi n'était pas sur son mât de stockage.

21

– Il n'est pas là, dit-il – ce que Milo voyait aussi bien que lui.

– Elle l'a peut-être rentré dans le hangar. Elle a la clé.

Milo mit sa capuche pour se protéger de la pluie et se dirigea vers le hangar, situé sous la salle à manger. Quand il faisait beau et que les équipages s'entraînaient dehors, le large portail restait ouvert.

Ils entrèrent par la petite porte, sur le côté. Milo alluma la lumière. Le hangar avait des allures de caverne, les néons n'en éclairaient pas les angles. Il y flottait une odeur de bois et de vernis, mêlée de sueur et de moisi. On entendait les bruits du gymnase voisin.

En principe, Freddie trouvait cet endroit incroyablement rassurant, mais ce matin son estomac se nouait – il ne voyait sur les tréteaux que les Empacher d'un jaune éclatant, les quatre et les huit de l'équipe. Les avirons aux palettes roses pareilles à des fanions se dressaient sur le râtelier, tout au fond. Pas de coque blanche barrée de la rayure bleue caractéristique des Filippi.

– Bon, il n'est pas là, dit Milo. Voyons si quelqu'un a aperçu Becca.

Il poussa la porte donnant sur la salle d'entraînement.

– Johnson !

Le jeune chef de nage du quatre sans barreur, un athlète prometteur, accourut. En short et maillot de corps, il s'essuyait la figure avec une serviette. Il salua Freddie d'un hochement de tête.

– On sort, Milo ?

– Pas encore. Dis-moi, Steve, tu as vu Becca Meredith ?

– Becca ? répéta Johnson, surpris. Non, pas depuis dimanche, sur l'eau. Une sacrée rameuse. Pourquoi ?

– Elle est sortie hier soir, et son bateau n'est pas là.

– Vous avez essayé de lui téléphoner ? dit Johnson avec une nonchalance exaspérante.

– Bien sûr que je l'ai appelée ! rétorqua sèchement Freddie. Écoute, Milo, je vais voir au cottage.

– Je pense que tu te fais de la bile pour rien. Tu connais Becca, elle est spéciale.

– Personne ne la connaît mieux que moi. Et ce silence ne me plaît pas, Milo. Contacte-moi si tu as des nouvelles.

Freddie revint sur ses pas, au lieu de passer par les locaux réservés à l'équipe. Il contourna la pelouse pour regagner le parking, sans se soucier d'abîmer ses chaussures ou son blazer.

Peut-être s'inquiétait-il à tort, songea-t-il en s'engouffrant dans l'Audi. Il composa de nouveau le numéro de Becca, tomba encore sur le répondeur. Il mit le contact. Becca l'engueulerait comme du poisson pourri s'il la dérangeait, mais tant pis.

Il dut manœuvrer un moment pour extraire l'Audi des profondes ornières creusées dans le gravillon et gorgées d'eau. Il croyait entendre Becca. *Tu ne pourrais pas t'acheter une bagnole plus pratique, pour une fois ?*

Et lui de répondre : *Dans l'immobilier, tu ne vendras jamais rien si ton client pense que tu n'as pas les moyens de t'offrir ce qu'il y a de mieux.*

N'empêche que, certains jours comme aujourd'hui, il aurait tué père et mère pour un 4×4.

Il quitta le parking, puis tourna à gauche sur Remenham Lane et continua tout droit. À l'ouest, les nuages s'amoncelaient de nouveau dans le ciel.

Le cottage en briques rouges, entre la petite route et le fleuve, était entouré d'un jardin échevelé. Naguère, c'était Freddie qui l'entretenait régulièrement quoique sans grand talent. Becca ne s'en occupait pas, tout simplement, si bien qu'il ressemblait à l'enchevêtrement de ronces qui protégeait la Belle au bois dormant.

Le vieux 4×4 Nissan de Becca était dans l'allée. Exceptionnellement, grâce à la pluie, il n'était pas crotté. Becca s'en fichait éperdument, un véhicule ne servait à ses yeux qu'à tracter un skiff. La remorque était rangée sur l'herbe. Le Filippi n'était pas dessus.

À l'instant où Freddie ouvrait sa portière, le tonnerre retentit et l'orage éclata. Il sprinta jusqu'au perron, glissa, s'ébroua.

Aucune lumière ne filtrait à travers l'imposte en verre coloré. La sonnette ne fonctionnait pas – il n'avait jamais réussi à la réparer. Il tapa du poing contre la porte.

– Becca ! Ouvre !

Pas de réponse. Il chercha ses clés, déverrouilla la lourde porte.

– J'entre, Becca !

Il faisait froid dans le cottage silencieux. Le sac de Becca était posé sur la banquette du vestibule, là où elle le laissait toujours quand elle rentrait du travail. Elle y avait aussi jeté une veste grise de tailleur. La polaire jaune qu'elle mettait pour ramer et la casquette rose du Leander n'étaient pas accrochées à la patère.

Il jeta un coup d'œil au salon, passa dans la cuisine. Des lettres que Becca n'avait pas décachetées s'entassaient sur un tabouret, une tasse et une assiette traînaient dans l'évier. Elle avait laissé sur le plan de travail le paquet de croquettes destinées au chat des voisins qu'elle nourrissait parfois.

Inexplicablement, le cottage semblait vide de toute présence humaine. Freddie monta au premier. Dans la chambre, le lit était fait. La jupe assortie à la veste grise gisait sur la courtepointe, ainsi qu'un chemisier blanc et des collants roulés en boule.

Pas une goutte d'eau dans la baignoire. Un léger parfum flottait dans l'air – l'eau de toilette Light Blue de Dolce & Gabanna, une des seules coquetteries de Becca.

Freddie ouvrit la porte de la chambre d'amis, qui était naguère son bureau, et émit un sifflement de surprise en découvrant les haltères et l'ergomètre que Becca y avait installés. Elle s'entraînait donc sérieusement. À fond, même.

Mais où était-elle, bon sang ?

Il redescendit les marches quatre à quatre, saisit un anorak pendu à la patère et sortit. Il tombait des cordes. La pelouse des voisins s'étendait jusqu'au fleuve, peut-être Becca y avait-elle déposé le skiff. Mais non, il n'y avait là que des chaises retournées sur une table de jar-

24

din. Freddie revint en courant au cottage, prit son mobile entre ses doigts gourds.

Becca lui en voudrait de téléphoner à son chef, le commissaire Peter Gaskill, mais il n'avait pas de meilleure idée. Il ne connaissait pas bien Gaskill, Becca ayant été mutée dans son service peu de temps avant le divorce, il ne l'avait rencontré qu'à l'occasion de cérémonies ou de raouts entre policiers.

On lui passa la secrétaire et, un instant après, il eut Gaskill en ligne.

— Navré de vous déranger, Peter. Mais j'essaie de joindre Becca depuis hier, et je suis un peu inquiet. J'ai pensé que peut-être vous aviez eu une urgence...

Il expliqua la situation : le bateau, la voiture garée dans l'allée. Apparemment, Becca avait passé la nuit dehors.

— Nous avions une réunion ce matin, dit Gaskill. Importante. Elle n'y a pas assisté, sans me prévenir. Ça ne lui ressemble pas du tout. Vous êtes sûr qu'elle n'est pas chez elle ?

— Je suis au cottage.

Il y eut un silence à l'autre bout du fil, comme si Gaskill pesait le pour et le contre.

— Si je vous suis bien, Becca est sortie hier soir, à la nuit tombante, pour ramer sur la Tamise. Toute seule, dans un skiff de compétition. Personne ne l'a revue depuis, et son bateau a disparu.

Ce résumé donna la chair de poule à Freddie qui ne songea même pas à répondre que Becca était une rameuse chevronnée.

— C'est ça, murmura-t-il.

— Restez où vous êtes, déclara Gaskill. J'avertis les collègues de Henley.

Deux familles qui ne se connaissaient quasiment pas avaient passé un week-end prolongé dans le presbytère délabré de Compton Grenville, un village proche de Glastonbury dans le comté de Somerset, alors que se déchaînait le déluge et que les eaux montaient. Une scène digne d'un roman d'Agatha Christie, songea l'inspecteur Gemma James.

— Ou d'un film d'horreur, dit-elle à voix haute, s'adressant à son amie, et désormais cousine par alliance, Winnie Montford.

Celle-ci, les bras plongés jusqu'aux coudes dans l'antique évier en pierre, lavait la vaisselle. Winnie, prêtre de l'Église d'Angleterre, était l'épouse de Jack, le cousin de Duncan Kincaid.

Et Gemma était l'épouse du commissaire Duncan Kincaid, ce qui ne cessait de l'émerveiller. Elle était mariée. Pour de bon. Et même trois fois, ainsi que se plaisait à le répéter Duncan pour la taquiner. Elle effleura son alliance, elle aimait ce symbole tangible de leur union.

Ils avaient d'abord travaillé ensemble, lorsque Gemma était un jeune officier de police judiciaire affecté à la brigade criminelle sous les ordres de Duncan. Puis ils avaient noué une relation amoureuse. Gemma avait alors demandé à passer inspecteur – une promotion qui lui avait inspiré des sentiments mitigés, car elle mettait fin à leur collaboration professionnelle. En revanche, ils avaient enfin pu vivre leur histoire au grand jour.

Gemma avait longtemps hésité à s'engager vraiment. Tous deux étaient déjà divorcés ; ils avaient chacun un fils dont la vie avait été suffisamment chamboulée. Et Gemma répugnait à perdre sa liberté.

Mais Duncan était patient et, peu à peu, elle avait compris que leur couple valait tous les sacrifices. Par une belle journée du mois d'août, ils s'étaient mariés dans l'intimité, à Notting Hill, dans le jardin de leur maison[1]. Le mariage civil avait eu lieu quelques semaines plus tard.

On était à présent fin octobre, les enfants étaient en vacances. Winnie et Jack avaient invité Duncan et Gemma, ainsi que leurs familles respectives, à Compton Grenville, afin que Winnie bénisse leur union en bonne et due forme.

---

1. Cf. : *La Loi du sang*, Albin Michel, 2012.

La cérémonie, qui s'était déroulée le samedi après-midi dans l'église où officiait Winnie, avait été conforme au souhait de Gemma : simple, sincère et émouvante. Elle avait scellé leur union d'une autre manière, semblait-il. « Trois fois, ça porte bonheur », disait Duncan. Peut-être était-ce vrai, puisque le hasard leur avait donné un autre enfant, Charlotte Malik qui n'avait pas encore trois ans.

Winnie abandonna la montagne d'assiettes du déjeuner pantagruélique qu'elle avait servi à ses invités avant leur départ. Elle avait de la mousse sur le bout du nez et écarquillait cocassement les yeux.

— Un film d'horreur, tu dis ?

En ce mardi matin, alors qu'il ne restait plus au presbytère que les parents de Duncan, les deux amies avaient enfin réussi à s'isoler un moment pour papoter et commenter les événements du week-end. Gemma avait proposé de faire la vaisselle, mais Winnie avait refusé. La jeune mariée s'était donc installée dans la cuisine accueillante, tout en vert et rouge tomate. Elle profitait de ce répit pour câliner Constance, le bébé de Winnie et Jack.

— J'exagère peut-être un peu..., admit Gemma dont le sourire s'effaça. Mais reconnais que ma sœur est un fléau.

Winnie retira ses gants en caoutchouc et vint s'asseoir à côté de Gemma.

— Donne-moi le bébé. Tu vas me l'énerver, cette petite.

— Pardon...

Penaude, Gemma posa un baiser sur la tête duveteuse de l'enfant avant de la rendre à sa mère.

— Elle est horripilante. Cyn, pas Constance.

— Je comprends qu'elle se soit sentie un peu mal à l'aise, ce week-end. Tes parents et elle ne nous connaissaient pas...

— Mal à l'aise ? coupa Gemma. Tu es trop aimable. Moi je dirais qu'elle s'est comportée comme une harpie. Mais ce n'est pas nouveau. Elle est odieuse depuis que maman est malade.

Leur mère, Vi, souffrait de leucémie ; le diagnostic était tombé au printemps[1].

– Je crois que c'est sa façon de gérer l'angoisse. Je peux comprendre, mais je l'étranglerais volontiers. Et son attitude par rapport à Charlotte est inexcusable.

L'inquiétude crispa le doux visage de Winnie.

– Que s'est-il passé avec Charlotte ?

– Cyn a interdit à ses enfants de jouer avec elle, j'en suis persuadée. Tu n'as pas remarqué ?

– Eh bien, ils m'ont paru un peu... gênés...

– Comment a-t-elle pu ? Charlotte sera leur cousine, nom d'une pipe !

Gemma était tellement en colère que le bébé tressaillit. Elle inspira profondément, pour se calmer, et caressa la joue de Constance.

– Pardon, mon poussin.

Constance avait la carnation de Winnie – une rose anglaise – et les yeux bleu vif de Jack dont elle aurait aussi les cheveux blonds.

Mais Charlotte, avec son teint sombre et ses boucles caramel, était tout aussi adorable. L'idée que quelqu'un pût penser le contraire, ou traiter différemment la fillette à cause de sa couleur de peau, rendait Gemma folle de rage.

– J'ai entendu Cyn qualifier Charlotte de... Non, je ne peux pas répéter ça. Je l'aurais tuée.

– Gemma, on a dû te prévenir que...

– Oh oui, on nous a prévenus. L'assistante sociale n'a rien omis. « Les enfants métis sont quelquefois mal acceptés par la famille des parents adoptifs, blablabla. »

De fait, sa sœur était détestable et ses parents distants avec la fillette. Gemma en était profondément affectée.

– Charlotte en a assez enduré comme ça, soupira-t-elle.

En août, Duncan et elle étaient devenus la famille d'accueil de la petite Charlotte, après avoir bouclé l'enquête sur la disparition de ses parents[2].

---

1. Cf. : *Les Larmes de diamant*, Albin Michel, 2010.
2. Cf. : *La Loi du sang, op. cit.*

– Comment va-t-elle, psychologiquement ? demanda Winnie, berçant Constance qui commençait à gigoter. Ce week-end a été tellement mouvementé que je n'ai même pas eu l'occasion de te poser la question. Ni de te dire que cette enfant est un amour.

Gemma en oublia sa colère.

– Oui, n'est-ce pas ? Mais...

Soudain, elle ne savait plus que faire de ses mains. Avec tendresse et juste une infime pointe d'envie, elle regarda Winnie cajoler sa fille. On entendait dehors les cris joyeux des enfants et les hurlements stridents, reconnaissables entre mille, de Charlotte. J'exagère sans doute, pensa Gemma, après tout ce ne sont que de banals problèmes d'adaptation.

– Mais... ?

– Elle ne dort pas bien, avoua Gemma. Elle a des cauchemars, je crois, et quelquefois quand elle se réveille, elle est inconsolable. Elle appelle son papa et sa maman. Je me sens si... si...

– Impuissante, bien sûr. Pourtant elle s'est beaucoup attachée à toi.

– Un peu trop, j'en ai peur. Un vrai petit pot de colle...

Duncan et elle avaient convenu de prendre à tour de rôle leur congé parental pour donner à Charlotte le temps de trouver sa place dans sa nouvelle famille, avant de passer ses journées à l'école maternelle.

Gemma avait commencé, mais dans une semaine elle retrouverait son poste au commissariat de Notting Hill. Elle culpabilisait d'avoir hâte de travailler, d'être en compagnie d'adultes. Et elle se demandait avec angoisse si elle avait raison ou tort de se remettre au boulot.

– J'espère seulement que Duncan arrivera à se débrouiller.

– Accorde-lui le bénéfice du doute, plaisanta Winnie, montrant le jardin où Duncan et Jack pataugeaient dans les flaques avec les enfants. Regarde, il s'en sort très bien. Il adore Charlotte, ça saute aux yeux. Si vous vous engagez à l'élever, il faut qu'elle ait avec lui un lien aussi fort qu'avec toi.

Winnie la dévisagea gravement.

– Tu es bien sûre de toi, Gemma ? Il y a sans doute d'autres solutions qui lui éviteraient de tomber entre les griffes de sa grand-mère.

Gemma frissonna et s'entoura de ses bras.

– Je ne m'imagine pas sans elle. Et je crois que personne ne pourrait lui donner la sécurité dont elle a besoin. Même si la famille de Charlotte ne nous mettra pas de bâtons dans les roues avant longtemps.

La grand-mère et les oncles de la fillette avaient été arrêtés en août[1]. Ils écoperaient vraisemblablement d'une lourde peine de prison.

– En fait, nous avons l'intention de demander la garde permanente et ensuite d'entamer les démarches pour l'adopter. J'espère que ma famille finira par l'accepter. Et surtout que Duncan pourra prendre son congé sans problème.

Un grand bruit l'interrompit.

– Toby, on se déchausse ! gronda Duncan.

Trop tard. Le fils de Gemma débarqua dans la cuisine. Ses bottes rouges en caoutchouc étaient toutes crottées, il avait les cheveux mouillés et hérissés sur le crâne. Un vrai petit diable, comme à l'accoutumée.

La porte se rouvrit, livrant cette fois passage à Charlotte qui, elle, avait docilement retiré ses bottes et se promenait en chaussettes rayées. Elle se pendit au cou de Gemma, ainsi qu'elle le faisait toujours quand elles avaient été séparées un moment. Mais elle avait un grand sourire, les joues rouges et les yeux étincelants. Gemma ne l'avait jamais vue aussi heureuse.

– C'est moi que z'ai sauté le plus loin, annonça-t-elle.

– Ça, c'est pas vrai ! décréta Toby.

Du haut de ses six ans, il s'estimait très nettement supérieur à Charlotte, et ce dans tous les domaines.

Duncan apparut. Grand, ébouriffé, aussi rouge que les enfants et tout aussi trempé que Toby, quoique plus

---

1. Cf. : *La Loi du sang, op. cit.*

30

propre. Gemma regarda par la fenêtre – il pleuvait à verse.

– Tu es incorrigible, dit Duncan à Toby.

La mine sévère, il désigna les traces de boue sur le sol, puis tendit au garçonnet plusieurs feuilles d'essuie-tout.

– Présente tes excuses à tatie Winnie et nettoie-moi ça.

Abandonnant son rôle de gendarme, il sourit à Gemma – il avait l'air presque aussi espiègle que Toby.

– Mon père veut nous voir tous dehors, sous la pluie. Il fait son chef d'orchestre, et il a enrôlé Jack et Kit. Le connaissant, j'en frémis d'avance ! s'exclama-t-il, roulant des yeux.

Gemma pouffa. Elle avait adoré le père de Duncan dès leur première rencontre[1], mais Hugh Kincaid ne brillait pas par son sens pratique.

– Il dit qu'il a une surprise pour nous, et qu'on va être absolument, totalement, fous de joie. Je crois qu'on ferait mieux d'aller voir ce qu'il nous a pondu.

La pluie tombait par rafales qui giclaient sur les vitres de l'ancien hangar à bateaux comme des décharges de chevrotine.

Kieran Connolly serra les dents et s'efforça d'ignorer ce bruit. Mais quand le tonnerre gronda au-dessus de Henley, il frissonna de la tête aux pieds. Ce n'est que la pluie, se dit-il, ça va aller. Ce n'était rien, et le hangar avait essuyé de plus violentes tempêtes.

Il n'y avait que quelques constructions semblables, coincées entre les cottages d'été, sur les îles qui parsemaient la Tamise entre Henley et l'écluse de Marsh. L'abri en bois, sur une dalle en béton, n'avait pas été conçu pour être habité, pourtant Kieran s'en contentait. Il y avait son atelier, un lit de camp, un poêle à bois, un réchaud, des toilettes et une douche rudimentaires. Il n'avait pas besoin d'autre chose. Finn, en revanche, aurait sans doute préféré habiter sur la rive opposée, où

---

1. Cf. : *Une eau froide comme la pierre*, Albin Michel, 2009.

31

il aurait pu se dépenser à sa guise – au lieu de quoi il devait, pour rejoindre la berge, monter dans le canot que Kieran amarrait à son petit ponton flottant.

Finn aurait bien sûr été capable de traverser à la nage. Un labrador était fait pour nager, mais Kieran avait dressé le sien à ne pas aller dans l'eau sans sa permission. Sinon il n'aurait pas pu le laisser lorsqu'il allait ramer, tous les matins, sous peine de se retrouver sur la Tamise avec un grand chien noir dans son sillage.

Presque tous les matins, rectifia-t-il. Par temps d'orage, il ne sortait pas.

Le tonnerre gronda de nouveau, la bourrasque faisait trembler les murs et les vitres. Kieran sursauta, une douleur lui transperça la main. Il baissa les yeux, vit une tache de sang sur le papier émeri ultra-fin avec lequel il ponçait la coque en fibre de verre du vieux double-scull retourné sur des tréteaux. Il s'était poncé les doigts.

Merde. Ça recommençait, il ne contrôlait plus ses mains.

Finn gémit et pressa sa large truffe contre le genou de son maître. Un autre coup de tonnerre, le hangar vibrait comme un tambour. Ou un tir de barrage.

– Ce n'est que la pluie, mon grand.

Kieran grimaça de dégoût en entendant sa voix chevrotante. Il suait, tremblait comme une feuille – il était sacrément rassurant. Pathétique. Luttant pour maîtriser sa main, il plia le papier émeri et le posa sur l'établi.

Mais ses genoux ne lui obéissaient plus. Il tituba jusqu'au mur, s'y adossa et se laissa glisser au sol. Il avait la sensation que l'air pesait sur lui, écrasait ses poumons. Finn le poussa du museau, les pattes sur ses cuisses. Il entoura le chien de ses bras, sans plus savoir qui, de lui ou de Finn, geignait.

– Pardon, mon grand, pardon. Ça va aller. On va s'en tirer. Ce n'est qu'une averse.

Il y avait une explication rationnelle à sa détresse physique. *Lésion de l'oreille interne provoquée par une explosion. De brusques variations de la pression atmosphérique peuvent affecter l'équilibre.* Une litanie familière, le diagnostic des médecins de l'armée : il souffrait de troubles de l'audition, consécutifs à une sévère commotion cérébrale.

– Si au moins j'étais sourdingue, dit-il à voix haute – un trait d'humour qui lui arracha un gloussement passablement hystérique.

Il étreignit Finn qui lui léchait le menton.

– Ça passera, murmura-t-il pour se rassurer aussi.

Tout tournait à présent, il avait la nausée. C'était également dû à l'oreille interne, lui avaient dit les toubibs. Un léger désagrément, selon eux.

Il se tassa sur lui-même, et Finn en profita pour s'affaler en travers de ses cuisses.

Un léger désagrément qui, joint aux tremblements, aux sueurs froides et à un sommeil agité, les avait conduits à le renvoyer à la vie civile. Tchao, caporal Kieran Connolly, brancardier secouriste, prenez donc votre décoration et votre pension.

C'était justement grâce à cette pension qu'il avait pu acheter le hangar à bateaux.

Adolescent, il faisait partie de l'équipe du Lea et s'entraînait à Henley. Pour un gamin de Tottenham, qui avait atterri au Lea Rowing Club par hasard ou presque, Henley était une sorte de paradis.

À l'époque, il vivait seul avec son père. Sa mère les avait abandonnés alors qu'il était bébé, mais son père n'en parlait jamais. Ils habitaient une rue bordée de maisons identiques et dont la respectabilité ne tenait plus qu'à un fil. Leur logement se trouvait au-dessus de la boutique où son père fabriquait et réparait des meubles. Kieran, blanc et irlandais, donc en minorité dans ce quartier du nord de Londres, avait bien failli devenir un petit voyou.

Il caressa le museau de Finn et ferma les yeux, s'efforçant de rameuter ses souvenirs pour dompter la panique, ainsi que le lui avait enseigné le thérapeute de l'armée.

Il faisait chaud en ce samedi de juin, juste après son quatorzième anniversaire. Il avait volé un vélo, par défi, et pédalé à toute allure jusqu'au chemin qui longeait la rivière Lea. Il avait les jambes en feu, la nuque rôtie par le soleil. C'était là que, pour la première fois, il avait vu des skiffs.

Il s'était arrêté pour les contempler, sans plus songer à la punition dont il écoperait si on le rattrapait. Les bateaux, gracieux comme des libellules, glissaient sur l'eau miroitante – un spectacle qui avait touché au tréfonds de lui une corde sensible qu'il découvrait.

Il était resté là tout l'après-midi, à regarder. Puis, au crépuscule, il était rentré à Tottenham et avait rendu le vélo, indifférent aux railleries de ses copains. Le samedi suivant, il était retourné au bord de la rivière, entraîné par un désir qu'il ne pouvait nommer et qui jusque-là n'avait fait qu'effleurer son imagination.

Il y avait eu un autre samedi, et encore un autre. Il apprit que les rameurs faisaient partie du Lea Rowing Club. Bientôt il sut distinguer les bateaux : skiff, double-scull, pair-oak, quatre et huit. Si le skiff ressemblait à une libellule, le huit était un insecte géant se mouvant sur un rythme qui, pour Kieran, était à la fois familier et complètement mystérieux. Cela lui rappelait les galères romaines des livres d'histoire.

Les rameurs lui parlaient quand ils le voyaient traîner dans les parages. Il était déjà grand, à l'époque. Gauche, efflanqué, les cheveux noirs et la peau blanche même en plein été – rien de très engageant. Mais il était taillé pour l'aviron, ce qu'il ignorait à cette époque. Les autres l'observaient et évaluaient son potentiel.

Après un certain temps, il avait pu donner un coup de main pour charger les bateaux sur les remorques ou les ranger dans le hangar sur des tréteaux pareils à des berceaux. Un après-midi, un type lui jeta un chiffon et montra le skiff qu'il venait de laver. « Tu peux l'essuyer si tu veux, petit. » D'autres fois, on lui tendait une clé plate pour régler les portants, de l'huile pour les glissières des coulisses, du mastic pour les éraflures sur les coques.

En août, il était devenu le factotum du club. Ses copains étaient oubliés, et la rivière avait englouti sa rue lugubre. Il apprit que le type aux épaules de déménageur qui le faisait trimer était un entraîneur. Puis, un jour, le coach l'avait regardé droit dans les yeux et lui avait donné une paire d'avirons. Le monde s'était alors ouvert comme une huître, et Kieran Connolly avait compris qu'il pouvait être autre chose qu'un gamin irlandais pauvre et sans avenir.

Tout cela grâce au Lea et à l'aviron. Le coach l'avait ensuite encouragé à s'engager dans l'armée, où il pourrait pratiquer l'aviron et acquérir une qualification professionnelle. Ce qu'il avait fait. Il s'était formé au secourisme, et avait ramé en équipe de huit et de quatre, avant d'opter pour le skiff – sa vraie passion depuis ce premier samedi au bord de la rivière Lea.

Mais ni lui ni son coach n'imaginaient, en ces temps bénis d'avant le 11 Septembre, que le monde changerait et que Kieran partirait quatre fois en mission en Iraq. Au cours de la dernière, son unité avait été décimée par une bombe artisanale. Il était le seul survivant.

À Tottenham, plus rien ne l'attendait. Son père était mort, emporté par un cancer, la maison avait été vendue pour payer ses dettes. Kieran s'était quand même débrouillé pour garder ses outils de menuisier.

L'idée de retourner au club, de rencontrer quelqu'un qui le connaissait ou qui, pire encore, lui témoignerait de la sollicitude… cela lui était insupportable.

Alors il avait acheté un vieux Land Rover et s'était baladé dans le sud de l'Angleterre, dormant sous la tente. Toujours attiré par l'eau, mais ne sachant que faire, où trouver sa place.

Deux mois après sa démobilisation, un matin de mai, il s'était posté sur le pont de Henley. Il avait observé les rameurs, avec l'impression d'être un fantôme.

Ensuite il avait fait un tour en ville pour acheter des provisions. Dans la vitrine d'une agence immobilière, il avait vu qu'un hangar à bateaux était à vendre.

Quelques semaines plus tard, il y emménageait, s'achetait un skiff d'occasion et recommençait à ramer, ce qui ne lui était pas arrivé depuis des années. Mais c'était comme le vélo, ça ne s'oubliait pas. Il avait eu du mal au début car il n'était pas complètement rétabli. Il s'était acharné et, peu à peu, avait repris des forces.

Un modeste ponton lui permettait d'amarrer le canot à moteur dont il avait fait l'acquisition. Il se servait du ponton flottant pour mettre le skiff à l'eau. Adhérer à un club ou se remettre à la compétition ne le tentait pas. Il ramait pour préserver sa santé mentale, pas pour gagner des trophées.

Mais à Henley, impossible de s'entraîner quotidiennement sur la Tamise sans rencontrer d'autres rameurs. Certains reconnaissaient l'ancien champion qu'il était. D'autres se rappelèrent qu'il était doué pour réparer les bateaux. Résultat, les mois passant, il eut quelques commandes par-ci, par-là.

Cela lui permettait de tuer le temps entre sa sortie du matin et celle du soir. Et quand il n'avait rien de précis à faire, il essayait de construire un skiff de compétition en bois. Après tout, il était fils de menuisier. À ses yeux, les bateaux en bois étaient plus vivants, plus élégants que les coques en fibre de verre. De plus, ce projet était une manière de rendre hommage à son père.

Comme il n'avait personne avec qui discuter, il se parlait à lui-même, mais ce monologue ne le protégeait pas contre les images gravées dans sa mémoire et qui l'empêchaient de dormir.

Enfin un jour, il était allé chercher un bateau abîmé, et avait vu dans le jardin de son client une portée de chiots. Il était reparti avec Finn.

Ce chiot noir, grassouillet et remuant, lui avait donné une raison de se lever le matin. Finn était plus qu'un compagnon, c'était un partenaire. Le lien qui les unissait avait rendu à Kieran ce qu'il croyait avoir définitivement perdu : un job utile.

Tavie y était pour quelque chose, bien sûr, mais sans Finn il n'aurait jamais rencontré Tavie.

Comme s'il avait deviné ce que ruminait son maître, le labrador s'étira voluptueusement, chercha une position plus confortable et reposa sa grosse tête sur les genoux de Kieran.

Celui-ci grimaça, il avait des picotements dans les jambes. Mais il n'avait plus la nausée. L'orage s'éloignait, le vent ne secouait plus le hangar.

– Aïe... tu m'écrases, lève-toi, dit-il en remuant les jambes pour faire circuler le sang.

Son mobile vibra dans sa poche-revolver. Il avait reçu un texto.

– Bouge-toi, mon grand.

Il poussa gentiment Finn, se leva. Le texto émanait de Tavie – ce matin, elle assurait le dispatching. PERSONNE DISPARUE. FEMME ADULTE, RAMEUSE. DERNIÈRE LOCALISATION CONNUE, LEANDER. SE SIGNALER SI DISPONIBLE.

Il sentit son rythme cardiaque s'accélérer. Déjà Finn, qui avait reconnu la notification sonore de SMS, gémissait et trépignait d'impatience. Il adorait travailler.

– Tu as raison, mon grand. On a du boulot, dit Kieran.

Heureusement, son malaise était passé. Mais cette histoire de disparition ne lui plaisait pas. Pas du tout.

Depuis que le Service de Recherche et de Sauvetage de la vallée de la Tamise l'avait enrôlé, dix-huit mois auparavant, il avait participé à d'innombrables battues sur les rives du fleuve. Mais jamais ils n'avaient eu à rechercher une rameuse disparue.

3

« Les humains perdent des cellules de peau morte, que l'on appelle *rafts*. Ils en perdent environ 40 000 par minute. Chacune porte des bactéries et des substances volatiles constituant l'odeur unique, spécifique, d'une personne. C'est cette odeur-là que recherche le chien. »

American Rescue Dog Association,
Search and Rescue Dogs : Training the K-9 Hero

Tavie avait choisi le point de rassemblement : le Leander Club, où on avait vu la disparue pour la dernière fois, et où l'équipe disposerait des commodités indispensables.

Lorsque Kieran arriva, les autres membres de l'équipe se regroupaient déjà à l'extrémité de l'allée. Le 4×4 Toyota noir de Tavie, reconnaissable au blason, sur la portière, du Service de Recherche et de Sauvetage de la vallée de la Tamise, était garé près du porche en ogive, entre deux voitures de la police locale. Tavie – en uniforme noir, sa chevelure blonde brillant comme un fanal – discutait avec les flics. Des cris aigus, secs, s'élevaient de l'arrière du Toyota. Le berger allemand de Tavie, une chienne prénommée Tosh, exprimait haut et fort son impatience.

Tous les autres véhicules transportaient également une cage à chien. Et dès que Kieran coupa le moteur, Finn donna de la voix à l'instar de ses congénères.

– Du calme, mon grand.

Le temps était un facteur essentiel dans la recherche d'une personne disparue, mais il ne fallait pas bâcler les préparatifs. Kieran avait pris une douche avant d'enfiler son uniforme, puis il avait mangé une barre protéinée et donné une bonne ration de croquettes à Finn. La journée risquait d'être longue, ils auraient besoin d'énergie.

Kieran vérifia une dernière fois son matériel et descendit du 4×4. Il repéra un homme grand et mince, en blazer, qui se dirigeait vers Tavie. Il semblait agité.

Le directeur du club, peut-être ? Non... La détresse se lisait sur son visage. À l'évidence, cette affaire le touchait personnellement.

– Kieran, je te présente M. Atterton, dit Tavie. C'est lui qui a signalé la disparition de son ex-femme. Hier soir, elle est allée ramer, et elle n'est pas revenue.

Tavie parlait sur ce ton neutre qu'elle prenait toujours pour rassurer les proches d'une victime.

Kieran, lui, observait Atterton en se demandant pourquoi il avait l'impression de le connaître. L'homme avait dans les trente-cinq ans, il était athlétique, avec de puissantes épaules que dissimulait la coupe élégante de sa veste.

Où ai-je vu ce type ? pensa Kieran, mal à l'aise. Atterton se tourna vers lui.

– Mlle Larssen m'a signalé que vous faisiez de l'aviron, dit-il – l'inflexion distinguée de sa voix indiquait qu'il était issu des classes supérieures et avait fréquenté les meilleures universités. Vous pouvez donc comprendre. S'entraîner à la nuit tombante, ça paraît insensé, j'en suis conscient. Mais Becca n'aurait pas commis d'imprudence. Elle est trop expérimentée.

Kieran sentit son cœur se serrer, comme si l'anxiété diffuse qui le tenaillait se cristallisait soudain.

– Becca ?

– Rebecca Meredith. Ma femme – enfin... mon ex-femme – avait gardé son nom de jeune fille. On la connaissait sous ce nom-là quand elle était championne d'aviron. Et elle a repris l'entraînement. Pour les Jeux olympiques.

— Becca, répéta Kieran, tétanisé.

Tout à coup dans l'univers béait une faille où il allait s'abîmer.

Tavie attendit qu'ils soient en position et seuls pour poser la question :

— Ça va, Kieran ?

Elle avait déployé deux équipes sur chaque rive, chacune comportant deux chiens et leurs maîtres, afin de ratisser la zone entre Henley et l'écluse de Hambleden. Tavie avait réussi à persuader M. Atterton de rester au club, où il leur serait plus utile, au cas où son ex-femme reviendrait ou donnerait de ses nouvelles. Ensuite Kieran et elle avaient repris leurs véhicules respectifs et roulé le long de Remenham Lane pour se rapprocher au maximum du chemin de halage.

Ils s'étaient arrêtés près de la dernière barrière. De là on voyait le fleuve et Temple Island, qui paraissait étrangement soignée par rapport à la berge mal entretenue d'Oxfordshire. Ils emmèneraient les chiens jusqu'à la prairie riveraine, trempée par les averses du matin. Ils partiraient de là et descendraient vers l'aval.

Par chance, le mauvais temps avait découragé les joggeurs, les promeneurs de toutous et autres mamans à poussettes. Maintenant les policiers interdisaient l'accès au sentier pédestre. Cela faciliterait le travail des chiens.

Tavie libéra Tosh et attacha la laisse à son collier. La chienne s'ébroua, s'assit et, frémissante d'excitation, leva la tête vers sa maîtresse. Elle avait hâte de s'y mettre.

Comme un automate, les dents serrées, Kieran sortait le matériel du Land Rover — sac à dos, gourde d'eau, laisse et la balle couinante qui récompensait Finn quand il avait trouvé une piste.

— Tu es sûr que ça ira ? insista-t-elle. Je peux me débrouiller seule si l'orage t'a...

— Je vais bien, dit-il.

Mais l'intonation de sa voix fit taire Finn qui gémissait, pressé de quitter sa cage. Le labrador regarda son maître, les babines retroussées dans une expression perplexe qui, en d'autres circonstances, aurait fait rire Tavie. Elle savait que Kieran traversait parfois des moments difficiles, notamment par temps d'orage. Il ne parlait pas beaucoup de son passé ; quant au présent, elle savait seulement qu'il réparait des bateaux dans le petit hangar de l'île, au-dessus du pont de Henley, et qu'il faisait de l'aviron.

Pourtant, malgré la réserve de Kieran, ils étaient devenus amis. Ils s'étaient rencontrés par hasard dans le parc, elle lui avait proposé de l'aider à dresser Finn, puis de faire partie du Service de Recherche et de Sauvetage. Au début il avait décliné son offre, mais Finn grandissait, et son maître avait admis qu'un labrador avait besoin de travailler. En réalité, Tavie pensait que c'était surtout Kieran qui avait besoin d'une raison de se lever le matin. Il l'avait interrogée sur les missions du SRS, les résultats. Une étincelle brillait de nouveau dans ses yeux.

Avant sa première séance de formation avec le groupe, Tavie avait pourtant hésité, elle voulait le protéger. « Kieran, tu n'ignores pas que le plus souvent, c'est un cadavre qu'on retrouve. Ce ne sera pas un problème pour toi ? » Il avait eu un sourire en coin. « Non, du moment que je ne connais pas la personne. »

– Kieran..., dit-elle en lui posant la main sur le bras. J'ai quelque chose à te demander. Quand tu as entendu le nom de cette femme, tu es devenu blanc comme un linge. Elle fait de l'aviron, toi aussi. Le monde des rameurs, ici à Henley, est tout petit. Est-ce que tu la connais ?

Melody Talbot examina la maison de ville avec son bow-window et plissa le front.

– C'est, euh... très... banlieusard.

Voyant l'expression dépitée de son compagnon, elle s'empressa de rectifier :

– Elle est très jolie, franchement. Mais Putney... ce

n'est pas vraiment le quartier des célibataires. À moins que tu aies des projets dont tu ne m'as pas parlé ?

Doug Cullen rougit jusqu'à la racine de ses cheveux blonds.

– Non, pas du tout. Je voulais juste que ce soit complètement différent de l'appartement d'Euston. D'ici, pour aller au Yard, c'est direct. Et je voulais être près de la Tamise et des clubs d'aviron. Et puis, j'ai fait une sacrée bonne affaire.

Gonflé de fierté, il embrassa la maison du regard.

– Quelques petits travaux, et ce sera parfait.

Un euphémisme, songea Melody, à en juger par les fenêtres et la porte en mauvais état, les traînées humides sur la façade.

– Alors tu l'as achetée ?

– J'ai signé l'acte notarié il y a une heure, répondit-il, pêchant dans sa poche un trousseau de clés qu'il brandit comme un trophée.

Il lui avait téléphoné au commissariat de Notting Hill pour lui proposer de déjeuner à Putney. Elle savait qu'il cherchait un logement, mais avait supposé qu'il se sentait un peu perdu, car Duncan Kincaid, son supérieur hiérarchique, avait pris quelques jours de vacances avant le début officiel de son congé parental.

Mais Doug lui avait annoncé qu'il avait fait le grand saut et qu'il était désormais propriétaire.

– Eh bien, tu ne cesses de me surprendre aujourd'hui, plaisanta-t-elle. Je ne te savais pas bricoleur.

Elle ne le voyait pas non plus en sportif, même s'il avait choisi Putney pour se remettre à l'aviron – qu'il avait abandonné à la fin de ses études. Difficile d'imaginer Doug ramant et transpirant à grosses gouttes. Taper sur un clavier, c'était à peu près la seule activité physique qu'il pratiquait.

– Je sais peindre, comme tout le monde, dit-il, vexé. Pour le reste, il y a des bouquins et Internet...

Il se documenterait, elle n'avait aucun doute sur ce point – quand il s'agissait de mener des recherches, il était aussi doué qu'elle. Mais se renseigner sur les clés à molette était une chose, les manier en était une autre. Encore que, dans ce domaine, elle n'avait pas de leçons à donner. Le bricolage n'était pas non plus son fort.

– Je veux absolument te voir en bleu de travail.

Elle lui sourit et glissa son bras sous le sien, ce qui lui valut un coup d'œil stupéfait.

– Allez, montre-moi la marchandise !

Le vent s'engouffrait dans la paisible rue résidentielle, faisait tourbillonner les feuilles mortes et soulevait les cheveux de Melody. Les maisons bouchaient la vue sur la Tamise, mais elle était là, au nord, assez proche pour qu'on sente son haleine froide et humide, aux odeurs de tourbe.

Elle lâcha le bras de Doug pour remonter le col de son manteau. Il parut soulagé. Arrête de le taquiner, se dit-elle. Le moindre contact physique le mettait terriblement mal à l'aise, elle le savait. En principe, elle n'était pas très démonstrative, mais quand elle était avec lui, un démon malicieux la poussait à l'asticoter.

Au cours des derniers mois, ils avaient noué une relation amicale plutôt bizarre. Ni l'un ni l'autre n'était doué pour se faire des amis. En fait, Doug n'avait sans doute personne d'autre à qui montrer sa nouvelle maison.

Melody avait toujours été méfiante. Plus jeune, elle se demandait souvent si on l'appréciait pour ses qualités ou si on cherchait à lui plaire à cause de son père. Ensuite, lorsqu'elle était entrée dans la police, elle s'était rendue inaccessible de crainte d'être *rejetée* à cause de son père.

Mais Gemma avait découvert le pot aux roses, de même que Doug Cullen, après quoi Melody s'était sentie obligée d'en parler à Duncan Kincaid[1]. Si elle ne travaillait pas directement sous ses ordres, elle le considérait un peu comme son patron, celui à qui elle devait la vérité.

Duncan l'avait écoutée, puis il l'avait longuement dévisagée avant de dire : « Cela ne regarde personne, du

---

1. Cf. : *La Loi du sang, op. cit.*

43

moment que votre famille n'intervient pas dans votre travail. »

Cet aveu avait donné à Melody, pour la première fois de sa vie, la possibilité d'être elle-même. Et cela avait modifié, de manière indéfinissable, sa relation avec Doug Cullen.

Doug qui, pour l'heure, montait les marches du perron.

– En gros j'ai deux pièces en haut, et trois en bas. Plus le jardin.

La porte, malgré le chambranle abîmé, s'agrémentait d'une belle imposte victorienne, dans un camaïeu de vert et de jaune. Le pâle soleil filtrant à travers le vitrail baignait le vestibule dallé de noir et blanc. On se serait cru dans un bois au printemps.

Doug, un brin théâtral, fit une courbette.

– Bienvenue dans mon humble demeure.

À gauche, sous l'escalier menant aux chambres, Melody vit un placard et une porte ouvrant sur une minuscule cuisine. À droite se trouvaient les deux pièces de vie séparées par une cloison en partie abattue pour laisser passer la lumière et donnant sur le jardin.

– Oh, murmura-t-elle. C'est adorable. Petit mais adorable.

Doug piqua un fard, ravi de ce commentaire.

– Je compte transformer une chambre du premier en bureau. Et il me faut changer les placards et les plans de travail de la cuisine. Quant au séjour, il a besoin d'une moquette neuve et d'un bon coup de peinture.

– Tu ne garderas pas ce... magnolia ? demanda-t-elle, taquine.

Les murs avaient la couleur d'un vieil ivoire, plus clair par endroits, là où les précédents propriétaires avaient accroché des tableaux. Il y avait deux cheminées, dans le salon et la salle à manger, anciennes mais condamnées.

– Certainement pas, répondit Doug avec une grimace de dégoût. Et pas question de peindre ces pièces en gris. J'en ai soupé, du gris.

– Tu devrais choisir les teintes de l'imposte. Avec cette lumière, ce serait ravissant.

Elle s'approcha de la porte-fenêtre pour regarder au-dehors. Une volée de marches conduisait à une terrasse ovale aux pavés disjoints. Des parterres mal entretenus bordaient sur trois côtés un bout de pelouse envahie par les mauvaises herbes.

Melody, qui pouvait vivre où elle le souhaitait à condition d'accepter l'aide de son père, éprouva une pointe de jalousie. Son luxueux appartement de Notting Hill était parfait, à ceci près qu'elle ne s'y sentait pas chez elle. Et elle devait se contenter d'un ridicule balcon, or, depuis quelque temps, elle avait une envie folle de tripoter la terre, de faire pousser des choses.

– Si tu veux, je pourrai te donner un coup de main pour le jardin. Au printemps.

– Tu as déjà fait du jardinage ? rétorqua Doug, narquois.

– Je crois que je m'y connais davantage en jardinage que toi en peinture et plomberie. À la campagne, je suivais le jardinier de mes parents comme son ombre. Le compost, les plantes à bulbes, tout ça... ce n'est sûrement pas sorcier. Et toi ? Tu as grandi à St Alban, n'est-ce pas ? La Mecque de la banlieue. Tu devais avoir un jardin.

Il haussa les épaules.

– Bof, j'étais en pension, sauf pendant les vacances. Depuis l'âge de huit ans. Mon père tondait la pelouse le dimanche. Ça le détendait, alors pas question de partager.

Melody savait que Doug était enfant unique, comme elle, le fils d'un avocat issu d'une famille fortunée qui destinait le petit garçon à Eton dès avant sa naissance.

Il lui sembla soudain voir le gamin solitaire et gauche qu'avait été Doug, avec un père qui répugnait à lui donner le plaisir d'apprendre à utiliser une tondeuse. Ses parents à elle – même si son père pouvait être tyrannique, entêté et exaspérant – lui avaient dispensé sans compter leur temps et leur affection.

Elle se détourna, pour qu'il ne lise pas la compassion sur son visage, et passa un doigt sur le manteau de la cheminée, recouvert de poussière.

– Quand tu seras installé, tu pendras la crémaillère.

– Je n'ai pas de table et, pendant un bon moment, je n'aurai sans doute pas grand-chose, à part le lit et le matériel hi-fi que j'ai à Euston.

Plusieurs commentaires vinrent à l'esprit de Melody, mais aucun n'était convenable, ce qui la fit rougir. Pourvu qu'elle ne se mette pas à piquer des fards à tout bout de champ, comme Doug !

– Tu repars de zéro ?

– Absolument. Seulement voilà, je ne sais pas du tout par où commencer.

Il avait l'air un peu déboussolé, comme s'il mesurait tout à coup l'énormité de son entreprise. Puis il remonta ses lunettes sur son nez, braquant sur Melody un regard qui la mettait au défi de le contredire.

– Il paraît que je n'ai aucun sens de l'élégance.

– Hmm...

Melody aurait été tentée d'approuver, tant le costume et la cravate de Doug étaient banals, mais elle s'en garda bien. À l'évidence, il y avait toute une histoire derrière ces mots.

– Qu'est-ce que tu aimes ?

– Je n'en sais rien, c'est ça le problème. Je déteste mon appartement. Il est vide, déprimant. Et je déteste la maison de mes parents. Trop sombre, trop encombrée. Ma mère l'a remplie de bibelots auxquels je n'avais pas le droit de toucher.

– Il doit y avoir un juste milieu.

Melody tourna sur elle-même, observant le séjour. Que choisirait-elle si elle se dépouillait des objets qu'elle tenait de sa mère et qui n'allaient plus dans l'hôtel particulier de ses parents, à Kensington ?

– Tu pourrais acheter quelques bricoles qui te plaisent, sans te demander si elles se marient bien ou pas. Il y a une salle des ventes très chouette à Chelsea, près de la centrale électrique de Lots Road. Vas-y, tâte le terrain.

Seigneur, elle alignait les phrases ambiguës. Elle ne tournait pas rond, aujourd'hui. Mais Doug ne releva pas.

– Ouais, pourquoi pas.

– Tu te débrouilleras très bien, tu verras, dit Melody, en proie à un subit accès de claustrophobie. Tu as fait une sacrée bonne affaire, Doug. J'adore cette maison. Mais là, il faut que je retourne à Notting Hill.

– Mais je t'ai invitée à déjeuner.

– Ah oui…, bredouilla-t-elle. – Arriverait-elle au bout du repas sans lui servir une autre idiotie ? – Et où comptes-tu m'emmener ?

– Un endroit s'impose, maintenant que je connais ton terrible secret, plaisanta-t-il. J'ai réservé au Jolly Gardeners[1] !

Kieran ouvrit la cage et mit sa laisse à Finn.

– Oui, je sais qui c'est.

Il tournait obstinément le dos à Tavie. Depuis qu'elle avait prononcé le nom de la disparue, comme on jette une pierre dans l'eau, avec désinvolture, il craignait que son visage et sa voix ne le trahissent.

Il lui avait fallu un moment pour comprendre. Rebecca. Rebecca Meredith. Pour lui, elle était simplement Becca.

Et il n'avait pas non plus l'habitude de l'appeler par son nom de famille, Meredith, que pourtant il connaissait, comme tous les rameurs. Mais Rebecca Meredith était pour lui une inconnue, une femme qui portait des tailleurs, qui allait à Londres tous les matins travailler dans un commissariat, dans un bureau qu'il n'avait jamais vu. Une femme qui avait été l'épouse de cet homme, Atterton. Pas étonnant que la figure de ce type lui ait donné une impression de déjà-vu. Il l'avait effectivement vu, en plus jeune, sur des photos qui prenaient la poussière dans la bibliothèque de Becca.

_____

1. Littéralement : « Les Joyeux Jardiniers ».

47

Cette Rebecca Meredith n'était pas la femme qui ramait aussi naturellement qu'elle respirait, qui soulevait son skiff en riant, ou qui remontait le drap sur son épaule nue que dorait la lumière de la lampe de chevet.

– Becca, souffla-t-il.

Faites que ce ne soit pas Becca, s'il vous plaît.

Mais elle avait l'habitude de ramer à la tombée de la nuit, il ne le savait que trop. Il espérait seulement qu'il y ait une explication rationnelle à sa disparition. Il ne devait pas laisser son imagination s'emballer, céder à cette dangereuse faiblesse.

Finn se pressa contre lui et lui lécha le menton. Il ne comprenait pas pourquoi son maître hésitait, puisque c'était l'heure de se mettre au travail.

– On y va, mon grand, dit Kieran qui s'écarta pour le laisser sauter à terre.

Les chiens se saluèrent, se reniflèrent en remuant la queue puis, très vite, concentrèrent leur attention sur leurs maîtres. Tavie observait Kieran avec une sollicitude mêlée d'appréhension. Il s'arracha un sourire. Elle ne fut pas dupe.

– Tu as une tête à faire peur.

– J'adore tes compliments, rétorqua-t-il, mais la plaisanterie sonnait faux. Ça va, je t'assure. Bon, au boulot. Qu'est-ce que tu as pour les chiens ? ajouta-t-il, montrant le sac que Tavie avait pris dans son véhicule.

– J'ai fouillé le panier à linge sale, au cottage. Un vrai coffre au trésor : chaussettes ou sous-vêtements. Allez, on y va.

Tavie se dirigea vers la barrière. Tosh avançait en crabe, si impatiente qu'elle marchait sur les pieds de sa maîtresse. Finn, en revanche, était anormalement réservé, il calquait son humeur sur celle de Kieran.

Dans la prairie boueuse qui descendait jusqu'au chemin, ils libérèrent les deux chiens. Tavie enfila des gants et sortit du sac une culotte blanche, pratique, comme celles que portent les rameuses à l'entraînement. Parfaite pour les chiens, et affreusement familière pour Kieran.

Tavie la tendit aux chiens, à deux centimètres de leur truffe.

– Cherche, Tosh. Cherche, Finn, dit-elle de cette voix aiguë, chantante, qui les faisait frémir d'excitation.

Les chiens flairèrent docilement la culotte. Comme toujours, Kieran se représenta l'afflux de molécules odorantes circulant de leurs fosses nasales à leurs neurones olfactifs. Pour la première fois, cette idée lui donna un haut-le-cœur.

La radio grésillait, les équipes, sur les deux rives, signalaient leur position. On entendait au loin un hélicoptère qui fouillerait la zone à l'aide d'une caméra thermique.

– Cherche, Tosh, cherche !

Avant que Kieran ait pu donner le même ordre à Finn, les deux chiens gémirent et se mirent à lui gratter les jambes. Finn se dressa et posa ses pattes avant sur la poitrine de Kieran – sa façon de signaler qu'il avait trouvé la personne recherchée.

– Au pied, Finn, commanda-t-il en le repoussant.

– Mais qu'est-ce qui se passe, Kieran ? demanda Tavie. Tu as touché au sac ?

Elle s'inquiétait à juste titre. Si les affaires de la victime étaient contaminées, elle serait tenue pour responsable.

– Bien sûr que non, je ne m'en suis même pas approché, dit-il – ce n'était qu'un demi-mensonge. Bon, allons-y, on perd du temps.

Il tapa dans ses mains.

– Finn ! Cherche !

Il s'élança vers le fleuve, au pas de gymnastique. Tavie l'imita. Les chiens les précédaient, avançant en zigzag, comme à leur habitude.

Le vent d'amont soufflait, des conditions idéales pour les chiens. Malheureusement, la pluie torrentielle du matin diminuait leurs chances de trouver une piste.

Quand ils atteignirent la berge, ils entendirent le talkie-walkie, la voix de Scott sur l'autre rive, parasitée par la friture :

– ... chiens... marquent... on peut pas...

– Ils sont juste en face, dit Tavie. Tu les aperçois ? Ils devraient être par là.

Kieran stoppa derrière elle, scrutant, au-delà de Temple Island, les arbres sur la rive opposée. Il vit un éclair blanc et brun-roux. L'épagneul springer de Scott émergea des taillis, suivi de près par un golden retriever.

Les chiens manifestèrent leur excitation lorsque Scott et sa coéquipière Sarah apparurent, mais ni l'un ni l'autre ne revinrent vers son conducteur pour lui indiquer qu'il tenait une piste.

Les maîtres s'accroupirent au bord de l'eau. Kieran distingua ce qu'ils dégageaient des roseaux, à l'instant où Sarah disait :

– Un bateau ! On a trouvé un bateau.

Il était renversé, on voyait parfaitement, même à distance, la coque blanche, la fine rayure bleue. Un aviron était encore fixé à la dame de nage.

– C'est un Filippi, marmonna Kieran – que Sarah ne le sache pas l'énervait, inexplicablement. Qu'est-ce que…

– Pas trace de la disparue, enchaîna Scott. Et les chiens n'ont pas l'air de la repérer sur la berge.

– Vérifiez les chaussures ! cria Kieran dans la radio.

Scott tourna la tête vers lui ; à l'évidence, il ne comprenait pas.

– Retournez le bateau ! Vérifiez les Velcro sur les chaussures.

– Kieran, attention à ne pas bousiller des indices, dit Tavie.

Il ne lui prêta pas attention.

– Dépêchez-vous !

Les rameurs glissaient les pieds dans des chaussures fixées à la planche de pied. Il était certes possible de s'en dégager sans défaire les attaches Velcro, elles étaient assez larges pour ça. Mais Kieran espérait malgré tout que Becca avait pu les défaire et donc nager.

Scott se pencha en avant, essaya de retourner le skiff et s'éclaboussa copieusement.

50

– Il faut que tu retires l'aviron, lui dit Kieran. Dévisse la barrette de fermeture.

Scott jura dans sa barbe, s'escrima encore avant de confier à Sarah l'aviron à pelle rose. Il retourna la coque et en examina l'intérieur.

– Les machins en Velcro sont défaits.

– D'accord, ne touche plus à rien ! intervint Tavie. Sarah et toi, vous restez là et vous sécurisez le périmètre. Je demande à l'autre binôme de descendre plus loin, ils ne trouveront rien en amont. Kieran et moi, on continue de ce côté jusqu'à Hambleden.

Scott agita la main, mais Kieran se détournait déjà et, d'un geste, ordonnait à Finn de se remettre au travail. Tosh se précipita, sa robe noir et feu se confondant un instant avec celle du labrador. Puis les deux chiens se séparèrent et se remirent à chercher.

Kieran entendit Tavie parler dans le talkie-walkie, mais le vent étouffait sa voix, et il ne comprit pas ce qu'elle disait. Au pas de course, elle revint à sa hauteur. Le gravillon crissait sous ses bottes.

– Si elle a réussi à se dégager, elle est peut-être coincée quelque part, blessée, dit-il. Ou inconsciente.

Il scruta l'autre rive. Impossible de traverser le fleuve sans revenir vers Henley ou aller jusqu'à Hembleden.

– Si elle est tombée du bateau, Kieran, elle est restée dans l'eau toute la nuit. Une eau glacée, je ne t'apprends rien.

Tavie lui toucha le bras, l'obligeant à ralentir et à la regarder.

– Il ne faut pas que tu participes à cette battue. Arrête. Immédiatement.

Elle ne lui reprochait pas son insubordination, il le lut sur son visage. Elle était inquiète pour lui. Il secoua la tête.

– Je ne peux pas. Je dois voir si... Elle est peut-être blessée...

Le vrombissement de l'hélicoptère se rapprochait. Kieran leva les yeux – l'appareil volait droit sur eux, lentement, inexorablement.

– La caméra thermique n'enregistre rien, cria Tavie pour couvrir le bruit.

Une façon de dire que, si Becca était là, son corps était froid. Trop froid.

– Elle est peut-être en hypothermie, quelque part dans les taillis.

Mais ils étaient à la hauteur du campus méticuleusement entretenu de Greelands College, là-bas en face. Ils atteignaient le chemin de halage. Pas de fourrés, sur aucune des deux rives.

Cette fois, Tavie ne le contredit pas. Elle marchait près de lui, allongeant le pas. Les chiens avançaient à toute allure, mais elle ne leur commanda pas de ralentir. Elle était persuadée qu'ils ne trouveraient rien.

Un tournant, et le moulin apparut – son reflet parfait dans l'eau, comme une peinture sur verre. Des nuages sombres le coiffaient, on eût dit que le ciel était meurtri.

Le courant était plus fort, le fleuve coulait entre les piles de la passerelle en larges nappes couleur de tourbe. Il s'élançait vers la chaussée et l'enjambait dans un tourbillon d'écume. Un des terre-pleins avait accroché du bois flottant – une forme sombre, tordue, comme un corps que l'eau contournait.

Un rugissement emplit la tête de Kieran. Venait-il du dehors ou de son cerveau ? Il n'aurait su le dire.

Les chiens demeuraient sur le chemin, ils faisaient presque du sur-place et remuaient la queue avec frénésie. L'eau tournoyait encore après la chaussée, et se jetait contre des arbres à demi noyés et des broussailles.

Les deux chiens s'approchaient maintenant du bord de l'eau. Tosh flaira le sol puis s'aplatit. Elle avait l'air de laper l'eau, délicatement, on aurait juré qu'elle buvait son thé. Mais Kieran savait bien que sa langue s'imprégnait de molécules odorantes. Finn gémissait et trépignait à côté d'elle.

Tosh recula, aboya. Elle regarda sa maîtresse, attendant un ordre. Tavie s'accroupit et la retint par le harnais. Le courant était encore traître à cet endroit – inutile que la

chienne s'y aventure si ce n'était pas absolument nécessaire.

Tavie mit la main en visière sur ses yeux pour ne pas être
éblouie par la réverbération, et se pencha en avant, dan-
gereusement, pour examiner l'enchevêtrement de troncs
et de broussailles. Kieran la vit se raidir. Il s'agenouilla
près d'elle.

Elle se retourna, le poussa pour l'empêcher de regarder ce qu'elle avait découvert. Trop tard.

Des mèches brunes flottaient dans l'eau comme de la
mousse. Des doigts blancs, que le fleuve ballottait, semblaient appeler au secours.

– Non, murmura-t-il. Non !

Et le rugissement le happa tout entier.

4

« La Tamise coule en majeure partie entre des berges sauvages, selon la saison l'eau est impétueuse et boueuse, ou calme et translucide. Certains jours, elle évoque une matière précieuse, d'un bleu lumineux, métallique et brillant. Parfois, le soir, elle ressemble à un miroir reflétant le ciel dont elle paraît issue. »

Rory Ross & Tim Foster,
Four Men in a Boat :
The Inside Story of the Sydney 2000 Coxless Four

– U NE ASTRA ESTATE, dit Kit. Verte, en plus. Il peut y avoir pire ?

Duncan Kincaid coula un regard vers son fils, assis sur le siège passager, ses longues jambes étendues. Il se mordit la langue pour ne pas énoncer le vieux dicton : « À cheval donné, etc. » À l'âge de Kit, il détestait qu'on lui fasse la leçon. Il se rappelait aussi ce que c'était d'avoir quatorze ans, quand l'opinion des copains était d'une importance capitale.

Kit avait été anormalement silencieux, tandis qu'ils traversaient le Somerset et le Wiltshire. Il se concentrait sur son iPod, indifférent au splendide paysage automnal. Il avait attendu qu'ils soient dans les faubourgs déprimants de Swindon pour enlever ses écouteurs.

– Je te trouve un peu ingrat, dit posément Kincaid. Non ?

– On ne me verra pas sortir de cette bagnole devant le collège, s'entêta Kit. Et pas question que je la conduise.

Kincaid commençait à perdre patience.

– Tu as encore quelques années devant toi avant de conduire, ne mets pas la charrue avant les bœufs.

Mais il était persuadé que ses parents, en lui offrant leur vieille voiture, songeaient précisément à Kit. L'Astra Estate était solide, confortable et absolument fiable – tout ce dont un ado avait horreur.

Son père leur avait fait présent de cette voiture avec l'enthousiasme d'un homme qui vient d'avoir son premier enfant et revêt son habit de père Noël. S'il n'avait pas plu, il l'aurait certainement emmaillotée de rubans.

– Ta mère veut une voiture plus verte, enfin je veux dire : plus écologique, avait gloussé Hugh Kincaid. Note que, sur ce plan-là, il n'y a rien à reprocher à l'Astra. Mais nous avons pensé que vous auriez besoin d'un véhicule plus spacieux, maintenant que vous avez Charlotte.

Il avait raison, Kincaid devait l'admettre. À l'aller, les trois enfants s'étaient entassés à l'arrière de l'Escort de Gemma. Il y avait eu des rouspétances et des larmes. Ils avaient effectivement besoin d'une voiture plus grande, mais Kincaid, accaparé par le travail et la vie de famille, n'avait pas eu le temps de se pencher sur le problème. D'autant que le congé sans solde de Gemma avait grevé leur budget – et cela continuerait quand il prendrait le sien.

Il avait toujours sa vieille MG, même si, ces temps-ci, il s'en servait rarement. Le coût de l'entretien était exorbitant, mais il ne se résignait pas à la vendre pour une misère. Un jour, il avait imprudemment promis de garder la Midget jusqu'à ce que Kit passe le permis. Il ne voulait pas manquer à sa promesse, mais imaginer son fils au volant du bolide l'épouvantait – sans parler de ce que lui coûterait l'assurance.

Son père l'avait tiré d'embarras.

– Je pourrais venir à Londres et ramener la Midget ici, dans le Cheshire. Elle restera dans le garage, je la rataperai. Elle sera comme neuve.

Comme Kincaid haussait les sourcils – son père savait tout juste changer une roue –, celui-ci lui avait fait un clin d'œil.

– Il n'est jamais trop tard pour apprendre.

Gemma avait embrassé Hugh et Rosemary, la mère de Kincaid.

– Vous êtes des amours. Mais vous êtes sûrs que ça ne vous pose pas de problème ? Comment allez-vous rentrer à Nantwich ?

– Ne vous inquiétez pas. Jack nous amènera à la gare. Notre nouvelle voiture est déjà commandée, elle devrait être là à notre retour.

Kincaid observait ses parents. Il lui semblait que, depuis la dernière fois qu'il les avait vus, son père était plus maigre, et sa mère avait davantage de cheveux blancs. Mais ils étaient toujours aussi généreux : ils avaient d'abord accueilli à bras ouverts Kit, le petit-fils dont ils ignoraient l'existence, puis Toby, et à présent Charlotte. Il les aimait pour cela, et regrettait de ne pas le leur dire plus souvent.

Il avait planté un baiser sur la joue de sa mère, donné à son père une virile poignée de main.

– Merci... La voiture est sensationnelle. Et, grâce à ça, nous pourrons vous rendre visite plus souvent.

Toby s'était mis à sauter comme un cabri en vociférant :

– Et les chiens pourront venir aussi, les chiens pourront venir !

Charlotte n'avait pas tardé à l'imiter. Sur le perron, Jack et Winnie, qui tenait la petite Constance, les regardaient en souriant.

Le seul à ne pas partager leur enthousiasme, c'était Kit, les bras croisés, l'air maussade. Il voulait partir avec ses cousins, les enfants de Juliet – la sœur de Duncan –, pour passer le reste des vacances dans le Cheshire. Mais si

Kincaid aimait beaucoup sa nièce, Lally, l'idée de lâcher la bride aux deux adolescents ne lui disait rien qui vaille. Le souvenir des tragiques événements du précédent Noël le faisait encore frémir[1].

Revenant au présent, il regarda Kit qui faisait la tête et s'agitait sur son siège. Était-il perturbé par autre chose que l'Astra et la perspective de reprendre les cours ?

Comme ils avaient deux véhicules à rapatrier à Londres, Gemma avait pris Toby et Charlotte dans l'Escort. Kincaid avait suggéré à Kit de faire le trajet avec lui – cela leur permettrait de passer un moment en tête à tête.

– On pourrait aller à Nantwich pour Noël, dit-il.

Une suggestion inconsidérée, car Gemma souhaiterait sans doute rester à la maison pour le premier Noël de Charlotte avec eux.

– On partirait le lendemain de Noël, s'empressa-t-il de rectifier. On pourrait rester là-bas jusqu'au jour de l'An.

Kit sembla se radoucir un instant, avant de se fermer de nouveau.

– Et si Lally et Sam sont obligés de passer les vacances avec leur père ? Tu sais, il veut les avoir en permanence avec lui...

Kit lui décocha un regard, par-dessous la mèche qui lui tombait sur les yeux.

– ... maintenant que tante Juliet sort avec ce policier.

– Quoi ? rétorqua Kincaid, oubliant le camion qui les dépassait. Juliet fréquente un flic ? Elle ne m'en a pas parlé.

Mais, de fait, sa sœur lui avait paru plus gaie et plus détendue. Elle souriait bêtement quand elle pensait qu'on ne l'observait pas et consultait à tout bout de champ sa messagerie. Mais un flic ?

Soudain, il eut une illumination.

– Ce vieux renard de Ronnie Babcock ! s'exclama-t-il, goguenard.

---

1. Cf. : *Une eau froide comme la pierre, op. cit.*

Ronnie Babcock, qui avait été son meilleur copain de classe, était inspecteur principal de la PJ du Cheshire. L'an passé, à Noël, il avait risqué sa vie pour eux. C'était un dur à cuire, en apparence très différent de Juliet. Le mariage de la carpe et du lapin. Mais Juliet aussi était coriace, à sa façon, et Ronnie était assurément un homme qu'elle pouvait respecter.

– Le père de Lally le déteste, reprit Kit. Il dit que tante Juliet est une...

Il se mordit les lèvres, préférant à l'évidence ne pas répéter mot pour mot ce qu'on lui avait raconté.

– Oncle Caspar dit qu'ils viennent tout juste de signer les papiers du divorce.

Caspar Newcombe, l'ex-beau-frère de Kincaid, avait de bonnes raisons de ne pas apprécier Ronnie Babcock. Ce n'était pas une histoire de jalousie, cela n'avait même aucun rapport avec Juliet, et Kit le savait pertinemment. De plus, vu les démêlés de Caspar Newcombe avec la justice, il était fort peu probable qu'il obtienne la garde de ses enfants.

– Ta tante Juliet est libre de sortir avec qui elle veut, Kit. Et tu sais très bien que Sam et Lally n'étaient pas heureux, quand leur mère et leur père vivaient ensemble.

Kit haussa les épaules.

– Ça s'arrangera, Kit. Les uns et les autres s'adapteront, tu verras, dit Kincaid pour tenter d'apaiser l'anxiété de son fils.

Pour Kit, tout changement était un deuil. Il se projetait sur autrui avec une farouche empathie qui deviendrait dangereuse s'il n'apprenait pas à se fixer des limites émotionnelles.

Kincaid commençait à penser que consacrer plus de temps et d'attention aux deux garçons, et pas seulement à Charlotte, serait une bonne chose.

– Et si, la semaine prochaine après les cours, on faisait un truc spécial ? On pourrait aller au Musée d'histoire naturelle.

– Alors tu vas vraiment rester à la maison ? demanda Kit avec une désinvolture étudiée.

– Un vrai petit père au foyer !

– Tu ne sais même pas ce que Charlotte prend pour son goûter.

– Je finirai bien par le découvrir, non ? Mais je compte sur ton aide.

Kit hocha la tête, flatté. Kincaid allait l'interroger sur les mystérieuses préférences de Charlotte lorsque son mobile sonna. Il lut le nom inscrit sur l'écran, marmonna un juron, et passa en mode mains libres. C'était son supérieur, le commissaire divisionnaire Denis Childs.

– Bonjour, patron. Vous savez que j'ai pris quelques jours de congé, cette semaine.

Childs ne l'ignorait évidemment pas. Il savait même à quel endroit précis se trouvait Kincaid – qui l'écouta exposer le problème en songeant qu'il n'avait plus qu'à capituler. Quand son chef avait besoin d'un service, il déployait toute sa force de persuasion. Résister était vain ; et puis Kincaid savait que Childs ne le dérangerait pas pour une bagatelle.

Il écouta donc attentivement.

– Bien. Je vous tiens au courant.

Il sentit le regard de Kit peser sur lui.

– Je dois faire un crochet par Henley, ce ne sera pas long.

Kit tourna vers la vitre un visage dénué d'expression.

– Gemma ne sera pas contente, articula-t-il.

Et elle ne serait pas la seule, pensa Kincaid.

Le Jolly Gardeners méritait bien son nom. La terrasse aurait pu servir de pépinière et, comme il n'avait pas encore gelé, la plupart des plantes débordant de paniers suspendus étaient en fleurs. Mais la pluie du matin avait trempé tables et chaises, le vent chahutait les paniers, et on ne voyait dehors que quelques fumeurs invétérés blottis à l'abri de l'avant-toit.

Cullen et Melody entrèrent. L'intérieur était aussi pimpant que l'extérieur – murs en brique, parquet ciré, long comptoir qui accrochait la lumière, mobilier disparate mais confortable. Il n'y avait pas de téléviseur en vue, et pour un jour de semaine, les clients étaient nombreux.

Satisfait de son choix, Cullen se dirigea vers une table près des portes-fenêtres donnant sur le jardin et, prudemment, préféra ne pas s'asseoir sur le canapé avachi. Il profita de ce que Melody épluchait le menu, sur un tableau noir au-dessus de la cheminée, pour l'étudier tout son soûl. Maintenant qu'elle avait ôté son manteau, il essayait de définir pourquoi elle lui semblait différente.

Peut-être parce qu'elle avait troqué son strict tailleur habituel contre un pantalon et un cardigan cerise qui mettait en valeur sa chevelure noire et son teint crémeux. Sa coiffure était moins sévère, ou bien l'imaginait-il. Ou alors le vent s'était chargé de la décoiffer.

– C'est alléchant, commenta Melody. En fait, je suis affamée. Je vais prendre un burger et ensuite l'Eton mess[1], s'il me reste un peu de place.

– C'est un dessert d'été.

– Je m'en fiche, c'est au menu, et c'est ça que je veux. Je croyais que tu avais envie de me gâter.

– Tout à fait.

Renonçant à lire le menu, il opta pour le ploughman's[2]. Il alla au bar passer la commande, et rapporta deux demis, avec précaution.

Ils trinquèrent.

– Santé, dit Melody. À ta nouvelle maison.

– Et à ton nouveau boulot. Alors, tes impressions ?

– Gemma me manque. Mais quand j'ai vu l'appel à candidature pour l'unité Sapphire[3], j'ai été tentée. De fait, je suis très contente.

---

1. Dessert ancien, mélange de meringue, de crème, de fraises et de framboises.

2. Littéralement : « déjeuner du laboureur » – fromage, jambon, salade, pickles, pain.

3. Unité de policiers chargés d'enquêter sur les affaires d'agressions sexuelles.

La simple idée de travailler avec des victimes de viol mettait Doug mal à l'aise.

– Ce n'est pas trop dur d'interroger des femmes sur ce qu'elles ont subi ?

– Pas seulement les femmes. Il y a aussi des hommes, même s'ils sont beaucoup moins nombreux et hésitent à porter plainte.

Elle s'interrompit, but une gorgée de bière.

– Bien sûr que c'est dur, mais l'essentiel de mon job consiste à voir si des plaintes récentes et des affaires non élucidées se recoupent. Quand on trouve et que, par exemple, on réussit à épingler un type qui agresse les femmes depuis des années... c'est génial.

On leur servit leurs plats. Melody attaqua son hamburger dégoulinant avec une élégance qui fit regretter à Doug d'avoir choisi le ploughman's. Le cheddar et le stilton étaient délicieux, le pain chaud et croustillant, mais à chaque bouchée il mettait des miettes partout.

Il épousseta sa cravate – sans grand résultat – et surprit une lueur amusée dans les yeux de Melody. Au lieu de se vexer, comme à son habitude, il lui rendit son sourire.

– Eh bien moi, pendant le congé de Duncan, je serai sous les ordres du commissaire Slater...

– Tu ne l'apprécies pas ?

– Il n'apprécie pas Duncan, du coup je ne suis pas non plus dans ses petits papiers. Il est très à cheval sur le règlement.

– Pas toi ? rétorqua Melody, étonnée.

Là, il monta sur ses ergots.

– Non, pas du tout !

Elle reposa sa fourchette et son couteau, le dévisagea.

– Doug, je n'ai jamais vu quelqu'un d'aussi attaché au règlement que toi. Et il n'y a pas de mal à ça. C'est ce qui fait de toi un bon flic, entre autres qualités.

– Tandis que toi, le règlement..., dit-il d'un ton accusateur.

– Je n'ai pas pour habitude d'enfreindre les règles,

61

riposta-t-elle. Et quand ça m'est arrivé, j'ai fait amende honorable. Et tu le sais très bien !

Leur belle complicité s'était évanouie.

– Quant à Duncan, enchaîna-t-elle, il transgresse peut-être certaines règles, de temps à autre, mais jamais les principes fondamentaux.

– Et comment tu sais où est la frontière ? demanda-t-il, désireux de retrouver la bonne entente que sa maladresse avait compromise. Je ne cherche pas la bagarre, je te pose sincèrement la question. Chaque fois que je crois bien faire, je me goure.

Melody planta sa fourchette dans une feuille de laitue. Elle le regarda droit dans les yeux.

– Je ne sais pas où elle est, cette frontière, dit-elle sans son assurance coutumière. Ça dépend sans doute de la situation.

– Mais on doit être capable de fixer un...

La sonnerie de son mobile l'interrompit. Pourquoi ne l'avait-il pas mis en mode silencieux ? Il essaya de ne pas y prêter attention puis se souvint qu'il était de service.

– Tu ferais mieux de répondre, lui conseilla Melody.

– Merde, pesta-t-il en voyant le nom de son correspondant.

– J'ai comme l'impression que tu vas me devoir un Eton mess.

Depuis le coup de fil de Kincaid, Gemma avait passé son temps à ronchonner *in petto* et à tenter de distraire les enfants de plus en plus énervés. Quand Duncan l'avait appelée, elle était sur la M4. Elle avait quelques kilomètres de retard, Toby et Charlotte ayant voulu s'arrêter dans une station-service – dans l'espoir de se faire offrir des friandises, soupçonnait-elle, plutôt que par réel besoin d'aller aux toilettes.

C'est alors que Kincaid avait appelé pour lui expliquer le changement de programme.

– Tu t'es laissé persuader par Denis Childs de te charger d'une affaire ? s'était-elle insurgée en s'efforçant de ne pas hausser le ton. Dis-moi que tu n'as pas fait ça. Pas aujourd'hui. Pas cette semaine.

– Je ne me charge de rien. Je vais simplement voir s'il y a *effectivement* une affaire. Je suis désolé, Gem. Mais tu ne feras pas un si grand détour. Kit n'aura qu'à rentrer à la maison avec toi, et je prendrai le même chemin dès que j'aurai débrouillé la situation.

Il était penaud, raisonnable, persuasif, et d'autant plus horripilant. Mais elle n'avait pas d'autre choix que de le rejoindre, pour ne pas laisser Kit faire le pied de grue sur une scène de crime. Ou plus exactement une potentielle scène de crime.

– Et comment il se serait dépatouillé s'il ne m'avait pas eue sous la main ? bougonna-t-elle. Il aurait déposé Kit sur le bord de la route ?

– Kit est sur le bord de la route, maman ? demanda Toby.

Gemma se rendit compte que, sur la banquette arrière, on ne chahutait plus.

– Ze veux Kit, renchérit Charlotte d'une voix anxieuse. Il est où, Kit ?

– Tu le reverras dans un instant, mon chaton. On passe le prendre et on part en balade.

– On est déjà en balade, objecta Toby, le champion de la logique.

– Une autre balade. Tu verras bien.

– Et papa, alors ? Il reviendra à pied ?

Gemma n'avait jamais incité Toby à appeler Duncan « papa », mais depuis quelque temps il copiait Kit. Son père les avait quittés lorsque Toby était encore au berceau. Il n'avait connu que Duncan. Qu'il le considère comme son père était naturel. Pour Kit, en revanche, cela avait été plus complexe : jusqu'à la mort de sa mère, trois ans auparavant, il n'avait jamais rencontré Duncan.

– Il conduit sa nouvelle voiture.

Toby fut trop heureux de retrouver l'os qu'il avait rongé pendant la première partie du voyage de retour.

– Je veux aller dans la nouvelle voiture ! Pourquoi Kit il a le droit, lui ?

– Tu es mon copilote, j'avais besoin de toi. Et maintenant, ouvre bien les yeux. On cherche la sortie 10.

Toby s'enorgueillissait de savoir lire les chiffres sur les panneaux routiers. Il se radossa à la banquette, ravi, chantonnant et guettant leur sortie. Mais quand Gemma atteignit la bretelle, le silence régnait à l'arrière. Les enfants s'étaient assoupis. « Super », maugréat-elle. Ils se réveilleraient lorsqu'elle s'arrêterait pour prendre Kit, et ensuite ils seraient de mauvais poil jusqu'à Londres.

Ce pauvre Kit... On le privait d'un tête-à-tête avec son père, et on le récupérait sur le bord de la route comme un colis encombrant.

Elle quitta l'autoroute et suivit les indications que lui avait données Kincaid. L'itinéraire n'était pas compliqué. À Wargrave, la route plongeait et virait entre de hautes haies et des enfilades d'arbres au feuillage doré. Sur sa gauche elle entrevit la Tamise, des petits bateaux de couleur vive amarrés le long de la berge, un pub, le St George & Dragon. Elle laissa le village derrière elle avec la sensation de s'enfoncer inexorablement au cœur de la campagne – et elle eut une troublante impression de déjà-vu.

Mais elle n'eut pas le loisir d'approfondir cette idée. La route dévalait une colline et courait vers Henley. Elle aperçut plusieurs voitures de police sur un chemin, à sa droite. Malgré sa curiosité, elle résista à la tentation de s'arrêter : Kincaid lui avait dit de traverser la ville et de prendre Marlow Road.

Elle franchit le pont. Les garde-fous hachaient la vue sur le fleuve qui semblait tressauter ; on se serait cru dans un vieux film. Puis défilèrent des images de Henley – le pub joliment fleuri, l'église et sa tour carrée, les boutiques et les restaurants, l'hôtel de ville massif à califourchon sur la place comme pour affirmer son droit de propriété.

Elle bifurqua à droite et se retrouva sur une autre route étroite, dans un flamboyant paysage d'automne.

Le sentiment que tout cela lui était familier redoubla. Au poteau indiquant la direction de Hembleden, juste après le virage, elle freina brusquement. Les voitures de police étaient là, garées n'importe comment, comme si on les avait ramassées sur le chemin et jetées sur les bas-côtés. Leurs gyrophares bleus, pareils à des feux de détresse, trouaient le ciel gris et bas.

Cette fois, indubitablement, la scène de crime n'était pas loin. L'Astra verte était là, aussi terne qu'une plume de paonne au milieu des bleus et jaunes éclatants des véhicules officiels.

Kit était appuyé contre l'Astra, les mains dans les poches de son anorak. Quand il repéra Gemma, son visage triste s'éclaira.

Baissant sa vitre, elle montra sa carte de réquisition à un policier en uniforme, puis roula sur le bas-côté et s'arrêta le plus près possible de l'Astra. Les enfants, à l'arrière, n'avaient pas bougé un cil. Elle sortit sans bruit et rejoignit Kit, un doigt sur les lèvres.

— Je ne voudrais pas les réveiller, chuchota-t-elle.

Désignant du menton leur nouvelle voiture, elle sourit malicieusement à Kit.

— Elle est un rien hideuse, hein ?

— Un rien ? répéta-t-il d'un air écoeuré – mais ce qui aurait pu passer pour un sourire lissa sa figure.

— Tu surveilles les petits pendant que je parle à ton père.

— Il n'a pas voulu que je le suive, dit Kit, plus résigné que maussade. Il est par là-bas, ajouta-t-il avec un geste en direction d'un sentier entre des maisons de briques rouges. D'ici on ne voit pas le fleuve, mais c'est tout près.

Gemma lui tapota le bras.

— Je fais aussi vite que possible. Si les petits se réveillent, empêche-les de sortir de la voiture.

Elle s'éloigna sur le chemin gravillonné. Soudain, la Tamise apparut, majestueuse et calme. Entre des garde-fous métalliques, une passerelle en béton zigzaguait sur l'eau, traversait la chaussée, jusqu'à l'écluse. Gemma comprit alors pourquoi la route menant à Henley lui avait paru si familière.

Elle était déjà venue ici.

Il y avait eu un cadavre à cet endroit. Une affaire ancienne sur laquelle elle avait enquêté avec Duncan quand ils n'étaient encore que de simples collègues. C'était à ce moment-là que leur relation avait évolué et pris une tournure qui, à l'époque, la terrifiait.

Mais depuis, l'eau avait coulé sous les ponts. C'est le cas de le dire, ironisa Gemma. D'un pas vif, elle s'engagea sur la passerelle en évitant de regarder la chaussée où l'eau bouillonnait.

De part et d'autre de l'écluse, sur le chemin, des policiers empêchaient les badauds d'approcher. Gemma vit deux chiens, un berger allemand et un labrador noir affublés de harnais orange fluo. Leurs conducteurs, un homme et une femme, étaient vêtus de noir. Elle était debout, le berger allemand à ses pieds, mais lui était assis par terre, la tête entre ses mains.

À quelques mètres d'eux, elle repéra Kincaid, reconnaissable entre mille avec ses mains dans les poches, comme Kit, et sa tignasse décoiffée par le vent. Près de lui se tenait un Asiatique, un type petit et attifé d'un manteau chamois qui lui allait mal et empestait le flic à plein nez – il aurait aussi bien pu porter un uniforme.

Deux techniciens en combinaison blanche s'affairaient au bord de l'eau, en dessous de l'écluse, dans les broussailles. Un homme était agenouillé entre eux.

Gemma le reconnut aussitôt. Jean, veste en cuir dépenaillée, cheveux d'un noir de jais hérissés sur le crâne à grand renfort de gel, le tout cadrant mal avec sa sacoche de médecin posée sur le sol : Rachid Kaleem, le légiste qui avait travaillé avec eux sur la disparition des parents de Charlotte.

Kincaid l'aperçut et agita la main, puis dit quelque chose au type en manteau, qui la regarda. Elle devait avoir l'air aussi peu convenable que Rachid. Des mèches folles s'échappaient de sa queue-de-cheval, et elle avait emprunté à Winnie une vieille veste Barbour, pour se protéger de la pluie torrentielle. Mais, à sa décharge, elle n'avait pas prévu de se retrouver sur une scène de crime.

Les deux hommes vinrent à sa rencontre sur le chemin de halage.

– Gemma, je te présente l'inspecteur Singla.

– Bonjour, dit-elle en tendant la main. Gemma James.

Singla lui effleura les doigts, aussi brièvement que l'autorisait la politesse.

– Commissaire, il me semble qu'un civil n'est pas...

– Ma femme, coupa Kincaid d'un ton indiquant que le dénommé Singla lui tapait sur les nerfs, est un inspecteur de la Metropolitan Police. Son opinion m'intéresse.

Kincaid n'avait pas donné d'explications à Gemma. Il s'était borné à dire que Denis Childs voulait son avis sur ce qui pouvait être une mort suspecte.

– Que s'est-il passé ? demanda-t-elle.

Sous-entendu : qui mérite l'intervention d'un commissaire du Yard ? À en juger par la mine de Singla, lui aussi se posait la question.

– Qui est la victime ? ajouta-t-elle.

– L'inspecteur Rebecca Meredith, répondit Kincaid. Brigade criminelle de West London.

Gemma écarquilla les yeux. Un OPJ de la Met. Et une femme, en plus. Voilà qui ne présageait rien de bon.

Tournant la tête vers la silhouette recroquevillée sur le sol, entre Rachid et les techniciens, elle entrevit du tissu jaune fluo, des cheveux bruns tout emmêlés.

– On l'a sortie de l'eau ? Un suicide ?

– Il faudrait pour ça qu'elle ait décidé de sauter d'un bateau d'aviron, répondit Rachid en les rejoignant.

Il sourit à Gemma qui déchiffra le slogan imprimé sur son T-shirt : *Les légistes se fendent la poire.*

– C'était une rameuse ?

– Elle en porte la tenue, en tout cas. Les chiens ont trouvé son skiff coincé le long de la berge, à plus d'un kilomètre en amont. Sans doute là où elle est tombée à la flotte.

– Des traces de traumatismes ? interrogea Kincaid.

– Un choc sur le crâne, violent, mais je ne pourrais pas vous dire si les blessures sont antérieures ou postérieures à la mort tant qu'elle ne sera pas sur la table d'autopsie.

– Je veux l'examiner *in situ* avant qu'on l'emmène, rétorqua Kincaid. Gemma, est-ce que tu...

– Il faut que je m'en aille, l'interrompit-elle – le temps filait à toute allure. J'ai laissé les petits avec Kit, figure-toi.

– Oui, excuse-moi, grimaça-t-il, penaud. Je te téléphonerai.

La prenant par le bras, il l'entraîna à l'écart.

– Chérie, je suis sûr que ça sera vite...

Elle secoua la tête. Les maîtres-chiens venaient vers eux.

– On en discutera plus tard.

Elle tendit une main aux chiens qui la reniflèrent en remuant la queue. La femme blonde et menue, qui aurait évoqué un elfe si elle n'avait pas eu l'air si grave, lui adressa un sourire crispé.

L'homme, grand et brun, était très pâle. Son labrador le contemplait, le front plissé dans une mimique d'anxiété canine.

– On a une équipe qui sécurise le bateau, dit la femme. Au fait, je me présente : Tavie Larssen, Service de Recherche et de Sauvetage de la vallée de la Tamise. Voici Kieran, enchaîna-t-elle, désignant son compagnon qui garda le silence.

Kincaid jeta un coup d'œil au ciel. Les nuages étouffaient la lumière de cette fin d'après-midi.

– Je veux voir où vous l'avez trouvé, ce bateau, avant qu'il fasse trop sombre. Inspecteur Singla, si vous pouviez faire en sorte que...

– Je vous accompagne, intervint le dénommé Kieran, d'une voix qui semblait sur le point de se briser. Moi aussi, je veux voir le bateau.

68

Comme tous se tournaient vers lui, le labrador gémit et lui lécha la main.

– Je fais de l'aviron. Je pourrai vous dire ce qui s'est passé.

5

« Posée comme une couronne sur le Henley Reach, la folie de James Wyatt, pareille à un gâteau de mariage, se dresse sur Temple Island, à quelques encablures de la ligne de départ de la Henley Royal Regatta. »

Rory Ross & Tim Foster,
Four Men in a Boat :
The Inside Story of the Sydney 2000 Coxless Four

GEMMA ÉTAIT ENCORE SUR LE CHEMIN quand elle entendit les sanglots de Charlotte. Elle accéléra le pas, poussée par l'instinct d'une mère dont l'enfant souffre.

Kit était près de l'Escort, il tenait dans ses bras une Charlotte hululante qui lui flanquait des coups de pied. Toby, sur la banquette arrière, affichait une mine outrée.

– Excuse-moi, Gemma ! dit Kit. Tu ne voulais pas qu'ils sortent de la voiture, mais je n'arrivais pas à la calmer.

Il cajola la fillette en la faisant sauter sur sa hanche.

– Tu vois, je t'avais bien dit qu'elle allait revenir. Elle est là, Gemma.

Charlotte se libéra et, tendant les bras, se jeta contre Gemma qui la rattrapa de justesse.

– Eh bien, ma jolie. J'aimerais autant que tu ne te lances pas dans la voltige aérienne, susurra-t-elle à la fillette qui nichait dans son cou sa frimousse barbouillée de larmes.

– T'étais partie...

– Mais oui, et je suis revenue.

Elle écarta Charlotte pour lui planter un baiser sur la joue, mais la petite se blottit de nouveau contre elle.

– Je veux pas rester dans la voiture ! râla Toby par la vitre de l'Escort. Pourquoi elle peut sortir, elle, et pas moi ? Faudrait peut-être que je pleure aussi.

Gemma le menaça de l'index.

– Je ne te le conseille pas ! Et ne t'avise pas de mettre un orteil dehors. On rentre à la maison. Tout de suite.

– Papa aussi ? demanda Kit.

Gemma détestait jouer les messagères, surtout quand les nouvelles n'étaient pas bonnes.

– Non... Il va rester ici un moment, mais il rentrera dès qu'il pourra.

Elle ne mentait pas, certes, mais s'avançait beaucoup, puisqu'il s'agissait d'une mort suspecte. D'autres policiers étaient arrivés en renfort, et Marlow Road était embouteillée. Les automobilistes roulaient au pas, hypnotisés par les gyrophares des voitures de police. Les badauds affluaient sur la petite route qui menait au parking et à Hembleden. Les flics ne chômeraient pas.

– Ça veut dire que tu ne vas pas reprendre le travail ? fit Kit.

En était-il satisfait ou dépité ? Difficile à dire.

– À chaque jour suffit sa peine. On trouvera une solution, d'accord ?

Là, elle espérait vraiment ne pas se tromper. Son chef, Mark Lamb, l'attendait au poste de Notting Hill le lundi suivant. Il tolérerait mal qu'elle argue de problèmes – pourtant fondés – de garde d'enfant.

Charlotte ne pleurnichait plus, en revanche Toby avait passé la moitié de son corps par la vitre et risquait de tomber sur la tête.

– Toby, tu t'assieds comme il faut. Et tu boucles ta ceinture, s'il te plaît.

Elle jeta un dernier regard au fleuve, se demanda ce que Duncan et Rachid allaient découvrir. Elle se sentait exclue et en éprouvait de la frustration. Mais, dans l'immédiat, elle avait d'autres soucis.

– Kit, il faut qu'on lève l'ancre. Tu cours récupérer tes affaires et tu donnes les clés de la voiture à un policier qui les remettra à ton père.

Sans lâcher Charlotte – mieux valait la garder dans ses bras jusqu'au dernier moment –, elle ouvrit le coffre de l'Escort. Kit courut prendre son sac.

À cet instant, une Clio bleu pétard se dégagea de la circulation pour se garer sur le bas-côté où ne restait plus qu'une seule place disponible. La portière côté conducteur s'ouvrit.

– Melody ? s'exclama Gemma. Qu'est-ce que vous faites ici ?

– Salut, patron, dit Melody Talbot avec un grand sourire. Je fais le chauffeur, expliqua-t-elle, tandis que Doug Cullen s'extirpait de la voiture.

Gemma, ravie de voir Melody dont la compagnie lui manquait, se rembrunit.

– Doug... Alors il vous a appelé. En fait, c'est vous qu'il a appelé en premier.

Cullen eut l'air honteux, ce qui était élégant de sa part.

– Oui, juste au cas où ce ne serait pas qu'une simple fausse alerte. Pour que je n'aie pas un train de retard, voyez. Désolé que ça vous ait gâché vos vacances, Gemma.

Elle le fusilla du regard puis, à contrecœur, capitula en soupirant. À la place de Kincaid, elle aurait agi de la même manière. Et Doug n'était pas responsable. Elle pointa le doigt vers le chemin.

– Il est par là, il a besoin de vous. J'espère que vous n'avez pas peur de l'eau.

– Non, pourvu que je ne sois pas dedans, répondit Doug, visiblement soulagé.

Songeant au cadavre recroquevillé qu'on avait tiré de la Tamise, Gemma frissonna et, par inadvertance, serra trop fort Charlotte.

– Aïe ! fit la petite qui se tortilla pour retrouver la

terre ferme. Ze veux voir Melody, décréta-t-elle, en restant néanmoins tout contre la jambe de Gemma.

Charlotte avait ses chouchous, dont Melody faisait partie, mais elle était encore sujette à des crises de timidité. Melody s'accroupit devant elle.

– Bonjour, mon petit lapin. Alors, c'est l'aventure ?

– Ze veux voir le fleuve, déclara Charlotte tout à trac. Kit dit qu'il y en a un. Il est grand ?

Gemma fit les gros yeux à Melody qui, en silence, articula un : oups, pardon.

– On ne peut pas le voir aujourd'hui, mon ange, dit Gemma. Il est tard, et les chiens nous attendent à la maison. Ils sont tristes, sans nous.

Melody ébouriffa les boucles de la fillette.

– Il vous faudra aller voir Doug à Putney, dit-elle en décochant un regard espiègle à Cullen.

Aurais-je manqué un épisode ? pensa Gemma.

– Il vaut mieux que j'y aille, dit-il. Merci de m'avoir amené, Melody.

Sur quoi, agitant la main, il s'éloigna sur le chemin. Gemma dévisagea Melody.

– Mais qu'est-ce que...

– Où il va, Doug ? pépia Charlotte. Ze veux pas qu'il s'en aille, Doug.

– Maman ! geignit Toby. Je veux sortir. Tout le monde est dehors.

Gemma leva les yeux au ciel.

– On y va. L'accident nucléaire nous pend au nez.

Découragée soudain à la perspective de rentrer à la maison avec trois enfants désappointés, elle ajouta :

– Si vous n'avez rien de prévu, venez donc dîner. On commandera une pizza et on papotera.

Melody lui sourit.

– Vendu ! J'apporte le vin.

Kincaid avait pris quelques minutes pour résumer la situation à Cullen, s'entretenir de nouveau avec Rachid et élaborer une stratégie.

73

Quand le maître-chien, Kieran, avait décrété qu'il venait avec eux examiner le bateau d'aviron, Tavie Larssen avait fait remarquer que son devoir lui imposait de les accompagner aussi. Elle était responsable, il lui incombait de libérer les collègues qui surveillaient le skiff.

Mais les voitures des deux maîtres-chiens étaient restées de l'autre côté du fleuve, à mi-chemin entre le Leander et la chaussée. Le crépuscule tombait, ils n'auraient pas le temps de retourner à pied récupérer les véhicules et passer par Henley pour rejoindre l'endroit où l'on avait trouvé le bateau, sur la rive côté Oxfordshire.

Mais l'inspecteur Singla avait eu l'air tellement horrifié, quand on avait suggéré qu'il embarque les chiens et leurs conducteurs, que Kincaid avait sauté sur l'occasion.

— Venez avec moi. J'ai assez de place.

— Merci, répondit Tavie. Il y aura bien quelqu'un pour nous ramener quand on aura terminé.

Laissant Rachid et les techniciens charger le corps dans le fourgon de la morgue, les autres retraversèrent la passerelle en file indienne. Kincaid fermait le cortège, impressionné par l'aisance des chiens qui passaient sans broncher au-dessus de l'eau bouillonnant sur la chaussée.

En voyant l'Astra, Cullen sourcilla.

— Elle est à vous ? Depuis quand ?

— Ça le fait, non ? dit gaiement Kincaid. Un cadeau de mon papa. Très utile, avec ça. Et je vous accorde le privilège de monter à l'avant.

Tavie, en revanche, lança à l'Astra un regard approbateur.

— Parfait. On va mettre les chiens dans le coffre. Au fait, je vous présente Tosh, ajouta-t-elle en caressant la tête du berger allemand. Et lui, c'est Finn. Kieran, s'il te plaît...

— Ah oui.

Il fit approcher son chien qui sauta dans le coffre, imité par Tosh. Mais Kieran paraissait ahuri, et Kincaid avait noté que Tavie lui parlait sur un ton tranchant. Il y avait de la tension entre ces deux-là.

74

– Comme ça, les chiens ne vous souffleront pas sur la nuque, dit Tavie qui prit place à l'arrière avec son coéquipier. Encore que ce n'est pas si loin. Vous connaissez le chemin ?

– Je suppose qu'il faut prendre la direction de Henley.

– Je vais vous guider. Mais... – elle hésita, regarda d'un air dubitatif le costume et l'imperméable de Cullen –... après, il faudra marcher. Et ça fait quand même une trotte.

Kincaid réprima un sourire. Il avait été bien inspiré de s'habiller pour patauger dans la boue avec les enfants.

– Ça ira, ne vous inquiétez pas.

Il fit signe à Singla de les suivre et, quand l'agent qui réglait la circulation leur eut dégagé le passage, tourna à gauche vers Henley.

La route s'éloignait de la Tamise pour traverser le petit village de Greenlands, puis s'enfonçait entre des champs labourés et des prairies piquetées d'arbres. Bientôt, Tavie dit à Kincaid de s'engager sur ce qui ressemblait à une allée menant à une propriété privée. Deux solides véhicules utilitaires et une voiture de police y étaient garés.

– C'est l'accès le plus proche, expliqua-t-elle. On va devoir traverser les prés à pied.

– Merde, grommela Cullen en regardant ses chaussures.

Kieran sortit précipitamment de l'Astra, fit descendre son chien et, à grands pas, se dirigea vers le fleuve. Il jeta aux autres un regard impatient.

– Dépêchons-nous, le jour tombe.

– On ne peut pas rester sur le sentier ? demanda Cullen.

– Non, répondit Tavie. Il faut traverser ce champ, et l'autre là-bas. On pourrait passer par Temple Island, de l'autre côté, mais ce serait encore plus loin, et pas plus sec.

Elle mit la laisse à sa chienne et rejoignit Kieran.

Sitôt que Kincaid sentit l'herbe touffue s'écraser sous ses semelles, il plaignit Cullen et l'inspecteur Singla qui n'était pas mieux armé pour cette expédition. Mais Kieran avait raison, le crépuscule ne tarderait pas. Les haies, au loin, n'étaient plus que des taches floues, gris-vert sur la ligne sombre de l'horizon.

On n'avait pas donné aux chiens l'ordre de chercher, pourtant ils étaient impatients et affairés. Leurs maîtres avançaient à vive allure, les autres traînaient derrière, Singla fermant la marche.

Ils franchirent sur une étroite passerelle un bras mort qui mordait dans les terres, puis traversèrent un deuxième pré. Kincaid avait les pieds mouillés et commençait à transpirer malgré le froid. Ils avaient jusque-là suivi un sentier dans l'herbe, à demi effacé, mais lorsque les chiens atteignirent l'épaisse barrière de végétation aperçue à leur arrivée, ils bifurquèrent vers le fleuve et disparurent dans les taillis.

Kincaid les entendit aboyer, se répondre. Il entendit l'écho de voix, tandis qu'il se frayait un passage entre les branches qui griffaient son anorak. Avec Cullen et Singla à la remorque, il déboucha dans une petite clairière.

Deux policiers étaient là, ainsi qu'un homme et une femme tout en noir. Tosh, le chien de Tavie, saluait un épagneul springer et un golden retriever, tous deux arborant le harnais orange du SRS de la vallée de la Tamise.

Kieran et Finn étaient déjà au bord de l'eau.

– Commissaire, voici Scott et Sarah, dit Tavie. Et leurs chiens, Bumps et Meg. C'est eux qui ont trouvé le bateau.

L'inspecteur Singla s'entretenait à voix basse avec les policiers. Kincaid, lui, observa Kieran qui s'était accroupi sur la berge pour examiner quelque chose. Il avait lâché la laisse de son labrador qui restait pourtant près de lui et le contemplait d'un air qu'on aurait pu qualifier de soucieux.

Kincaid s'approcha de Kieran et se pencha par-dessus son épaule.

– Ce n'est pas un bateau, murmura Kieran d'une voix vibrante. Je le leur ai dit, pourtant. C'est un Filippi. Un skiff de compétition.

Le Filippi, blanc avec un mince filet bleu courant sur la coque, était extraordinairement long et fin – un rai de lumière. De l'eau stagnait encore sous le siège et la planche de pied.

– Autant traiter un pur-sang de canasson ? dit Kincaid.

Kieran opina, son dos se décontracta. Le skiff était attaché au tronc d'un arbuste par une corde passée dans le portant. Un aviron gisait sur le sol.

– On a dû le retourner, dit Scott en s'approchant à son tour. Le bateau. Pour vérifier qu'elle n'était pas... – il s'interrompit, jeta un coup d'œil gêné à Kieran –... qu'il n'y avait personne dessous. Mais on a préféré ne pas le sortir de l'eau avant que la police l'examine.

– Et l'autre aviron ? interrogea Kincaid. Vous ne l'avez pas trouvé ?

Il avait envie d'inspecter le dessous de la coque, mais résista à la tentation. Mieux valait laisser cette tâche aux techniciens de la police scientifique.

– La pelle, corrigea Scott. Votre coéquipier, ajouta-t-il en désignant Cullen, dit que ça s'appelle comme ça : une pelle. Effectivement, on ne l'a pas trouvée. Et j'ai dû enlever celle-là pour retourner ce foutu bateau. Je me suis trempé.

– Un skiff chavire facilement ?

– Ça arrive souvent, intervint Cullen. Vous donnez un coup de pelle dans le vide et...

– Elle, ça ne lui arrivait pas, coupa Kieran, farouche. Pas ici, et pas par temps calme.

Pour la première fois depuis qu'ils étaient sur la berge, il regarda Kincaid.

– Vous ne comprenez pas. C'était une championne. Pas une rameuse du dimanche.

– Donc vous la connaissiez.

Tavie se dandina d'un pied sur l'autre, embarrassée.

– Tout le monde la connaissait, répondit Kieran. Je veux dire, dans le milieu de l'aviron. Elle était... elle aurait pu être l'une des meilleures du monde. Et elle s'entraînait tous les jours ici, sur le Reach.

Kincaid tourna les yeux vers la Tamise dont la surface argentée miroitait. Au loin, des lumières s'allumaient dans le crépuscule, mais l'endroit où ils se tenaient semblait terriblement isolé. Des volutes de brume flottaient sur l'eau comme des spectres.

– Et si elle avait eu un malaise ? suggéra-t-il. Si elle s'était évanouie ? Il n'y avait personne pour lui venir en aide.

– Mort subite du sportif, dit Cullen. Les rameurs en sont parfois victimes.

Kincaid avait oublié qu'à la campagne le jour s'attarde un long moment dans le ciel. Si une lumière mauve coiffait encore la cime des arbres, le sol était quasiment invisible. Ce fut en trébuchant et en pestant que le groupe de policiers rebroussa chemin.

Les membres du SRS, en revanche, avaient le pied agile, à l'instar de leurs chiens, et s'arrêtaient de temps à autre pour les attendre.

Comme les techniciens ne pourraient pas travailler sur la scène avant le lendemain, les policiers s'étaient résignés à sortir le skiff du fleuve. Mais Kieran leur avait fait signe de reculer. Il avait ôté ses bottes, était entré dans l'eau et, tout doucement, comme s'il portait un enfant, avait soulevé la coque pour la poser sur la berge à côté de l'aviron. Il était resté un instant immobile dans la pénombre, à contempler le skiff avec une expression indéchiffrable.

Les policiers avaient bouclé la clairière avec de la rubalise, et tous étaient repartis en file indienne. D'autres flics surveilleraient le périmètre pendant la nuit.

– Je veux parler au coach du Leander, chuchota Kincaid à Cullen quand ils eurent regagné la prairie et qu'il crut distinguer les voitures. C'est la dernière personne à avoir vu la victime, n'est-ce pas ?

– L'ex-mari a signalé la disparition, fit remarquer Singla qui les suivait.

– Je l'interrogerai aussi. Mais d'abord l'entraîneur. Et il nous faut trouver une chambre d'hôtel…

– C'est réglé, dit Cullen d'un ton satisfait. J'ai téléphoné tout à l'heure au Red Lion. C'est juste en face
du Leander.

Kincaid lui lança un regard ; on ne voyait de lui que
ses lunettes.

– Au fait, comment vous vous êtes débrouillé pour arriver si vite ? Vous lévitez ?

– Euh... Melody m'a amené.

– Qu'est-ce que vous fabriquiez avec Melody ? s'étonna
Kincaid.

– Je l'ai invitée à déjeuner. À Putney, répondit Cullen,
sur la défensive. Elle est venue visiter ma maison.

– Ah...

Kincaid n'ignorait pas que Doug souhaitait devenir
propriétaire, mais à sa connaissance Melody et lui se sup-
portaient à peine. Cependant, ce n'était pas le moment
de s'appesantir sur la question.

– Bien, très bien. Alors c'est officiel ? Elle est à vous,
cette maison ?

– Depuis ce matin.

Kincaid lui tapota l'épaule, maladroitement car il se
tordit le pied dans une ornière.

– On arrosera ça.

Il grimaça. Sa cheville lui faisait mal, mais surtout
l'idée de rester à Henley, de laisser Gemma seule avec
les enfants, l'accablait. Ils avaient d'autres projets pour
cette semaine.

Comme s'il lisait dans ses pensées, Cullen dit tout bas :

– Patron, vous allez être en congé. Cette affaire... vous
croyez qu'elle est pour nous ?

Kincaid aurait juré qu'il y avait de l'espoir dans la voix
du jeune homme.

– Vous êtes déjà venu ici, si je comprends bien, dit
Kincaid.

– Mettez-vous dans le cul-de-sac. Le club est sur la gauche.

Les bâtiments se cachaient derrière un haut mur de
brique au-dessus duquel on voyait des pans de crépi enca-

drés de blanc et surmontés de pignons. Les nombreuses fenêtres des étages supérieurs étaient éclairées. Un portail cintré ouvrait sur une cour.

Kincaid effleura les briques au passage.

– La ceinture de chasteté de la douairière édouardienne ?

– Vous parlez du Leander, s'insurgea Cullen, comme si Kincaid avait insulté le Saint des Saints. L'ensemble a été complètement rénové à la fin du XIXe siècle.

Ce qui n'en fait pas un bijou d'architecture, pensa Kincaid, mais il garda son opinion pour lui.

– Alors c'est ici que vous faisiez de l'aviron ?

– Oh, non, répondit Doug, choqué. Je n'ai jamais été membre du club. Mais je participais aux régates, ici, à Henley, quand j'étais à l'école.

À Eton, autrement dit – un fait que Cullen mentionnait rarement devant ses collègues policiers.

– Et ensuite à l'université ?

– Non, je n'étais pas assez bon. Trop grand pour un barreur et trop petit pour avoir la puissance nécessaire à un rameur.

Kincaid poussa la large porte vitrée qu'abritait une marquise. Ils pénétrèrent dans un hall plus élégant que ne le laissait supposer l'extérieur du bâtiment. Au centre trônait une table dont le plateau en verre reposait sur un hippopotame de bronze.

À droite, un bureau très fonctionnel faisait office de réception. Une jeune femme en sortit et les regarda d'un air interrogateur. Elle portait un corsage rose pâle et une jupe bleu marine, ce qui rappela à Kincaid qu'il venait de patauger dans des prés gorgés d'eau et avait passé la matinée à jouer sous la pluie avec les enfants. Il n'avait assurément pas l'allure d'un policier respectable.

– Puis-je vous aider ?

Il passa la main dans ses cheveux, exhiba avec un grand sourire sa carte de réquisition.

– Commissaire Kincaid, Scotland Yard. Et voici l'inspecteur Cullen. Nous sommes là pour...

– Becca ? dit la jeune femme qui, instinctivement, porta la main à sa gorge. Elle va bien ? La police est passée, on a vu aussi les maîtres-chiens, mais personne ne nous a rien dit.

– J'aimerais parler à l'entraîneur qui l'a vue hier soir, quand elle est allée ramer, éluda Kincaid.

La rumeur ne tarderait pas à se propager, mais il voulait informer en priorité ceux qui connaissaient bien Rebecca Meredith.

– Il s'agit de..., dit-elle.

– Jachym. Milo Jachym, intervint Cullen sans avoir à consulter ses notes.

– Je... je crois qu'il est au bar. Je vous y conduis. Au fait, je me présente. Lily Meyberg, je suis l'administratrice du club.

Elle leur donna une vigoureuse poignée de main. Sa paume était calleuse. Une rameuse ? se demanda Kincaid. Peut-être une camarade de la victime ?

Elle se dirigea vers un escalier menant à ce qui paraissait être une mezzanine. Dans une vitrine étaient exposés mugs et tasses à thé ornés de la mascotte du Leander, l'hippopotame rose, ainsi que des casquettes et cravates de la même couleur.

Des photos tapissaient les murs – des groupes d'hommes et de femmes en maillot de rameur. Tous arboraient de rutilantes médailles.

– Redgrave, Pinsent, Williams, Foster, Craknell..., énuméra Cullen avec vénération – pour un peu il se serait prosterné.

Les médaillés d'or, comprit Kincaid, les dieux de l'aviron.

L'escalier débouchait sur un second hall de réception séparant une salle à manger déserte du bar qui devait surplomber la cour. Kincaid y jeta un coup d'œil. Quelques dîneurs y étaient attablés. Ils se figèrent et le regardèrent avec curiosité. Dès qu'il eut tourné le dos, il les entendit chuchoter.

– Par ici, dit Lily.

Elle les précéda dans un couloir qui longeait la salle à manger.

— Il n'y a pas beaucoup de monde, ce soir, fit remarquer Kincaid.

D'appétissantes odeurs flottaient pourtant dans l'air Kincaid se rendit compte qu'il était affamé. Le petit déjeuner à Glastonbury était bien loin, et il avait sauté le déjeuner.

— Le mardi soir, s'il n'y a pas de réception, c'est généralement calme. Mais le chef a quand même l'équipe à nourrir, trois repas par jour. En cuisine, ils ne chôment pas.

— Ça doit leur faire du boulot, commenta Cullen, impressionné.

Lily lui adressa un petit sourire.

— Les athlètes ont un solide coup de fourchette.

Au bout du couloir, deux jeunes hommes qui trimbalaient des sacs de sport ouvraient une porte sur laquelle on lisait : ÉQUIPAGE. À côté d'eux, malgré son mètre quatre-vingts, Kincaid eut l'impression d'être un nain. Eux aussi jetèrent un regard intrigué aux visiteurs qu'ils saluèrent d'un hochement de tête.

— En période d'entraînement, les athlètes ont besoin de six mille calories par jour, expliqua Lily.

À quelle quantité de nourriture correspondent six mille calories ? se demanda Kincaid.

Le couloir formait un T, avec le bar à gauche, l'accès aux cuisines en face, et à droite un second bar, plus intime, aux murs tapissés de souvenirs. Un gigantesque téléviseur à écran plat y occupait une place de choix.

Une petite blonde préparait le café. Comme Lily, elle était vêtue d'un corsage rose et d'une jupe bleu marine : l'uniforme du personnel du Leander, supposa Kincaid.

— Milo ? fit Lily.

La jolie blonde désigna du menton le petit bar.

— Il a appelé les flics, mais il n'arrive pas à savoir...

Lily dut lui faire signe, car elle s'interrompit, bouche bée, en voyant Kincaid et Cullen.

– Je les conduis jusqu'à lui, dit Lily.

Un homme petit et déplumé était assis, seul, devant une tasse de café vide. À leur entrée, il se leva. L'appréhension se peignit sur sa figure creusée de rides.

Kincaid ne laissa pas à Lily le temps de faire les présentations.

– Monsieur Jachym ? Nous souhaiterions vous parler. Nous sommes de la police.

Lily se retira, probablement pour se poster dans les cuisines et écouter leur conversation. La nouvelle allait se répandre comme une traînée de poudre.

– J'ai essayé de…, dit l'entraîneur.

– Oui, je sais. Monsieur Jachym, j'ai cru comprendre que vous êtes la dernière personne à avoir vu Rebecca Meredith.

Jachym déglutit.

– Pour autant que je sache… oui. Je l'ai dit à l'autre policier.

– Vous étiez l'entraîneur de Rebecca Meredith ?

– Pas officiellement. Mais je l'ai été, il y a des années de ça. S'il vous plaît… qu'est-ce qui lui est arrivé ?

– Asseyez-vous, monsieur Jachym.

Le coach, qui n'avait visiblement pas l'habitude de recevoir des ordres, se rassit. Kincaid et Cullen s'installèrent à la table. Sachant qu'il était préférable d'aller droit au but, Duncan déclara :

– On a découvert le corps de Rebecca Meredith cet après-midi, pas loin de la chaussée.

Jachym les dévisagea.

– C'est elle, vous en êtes sûrs ?

– Un membre du SRS l'a reconnue. Mais il nous faudra une identification en bonne et due forme. Connaissez-vous ses proches ?

– Seigneur…

Jachym ébaucha le geste de prendre sa tasse vide, laissa retomber sa main.

– On n'a pas prévenu Freddie ? Il était affolé.

– Freddie ?

– Atterton. L'ex-mari de Becca.

– C'est lui qui a signalé sa disparition, n'est-ce pas ?

– Je... Il est venu me parler ce matin. Il s'inquiétait pour Becca, et je me suis rendu compte que je n'avais pas vu son skiff dans la cour, sur le tréteau. Je... Vous m'expliquez ce qui s'est passé ?

– Les maîtres-chiens ont trouvé son Filippi en dessous de Temple Island, dit Cullen. Il était retourné, et il manquait une pelle.

– Mais... si elle est tombée à l'eau à cet endroit, elle aurait pu nager jusqu'à la berge. Encore qu'elle n'aurait pas volontiers abandonné le bateau...

Milo Jachym secoua la tête et, d'une main impatiente, frotta son menton mal rasé.

– Je suis dans l'aviron depuis assez longtemps pour savoir que n'importe quel rameur peut avoir un accident. Mais je n'aurais jamais pensé que Becca... Freddie avait raison. J'aurais dû l'obliger à laisser tomber.

– Il voulait qu'elle laisse tomber ?

– Oui. C'est moi qui lui ai dit qu'elle s'entraînait, et il était furieux. Il trouvait ça stupide.

– Ça l'était ?

– À mon avis, non. Quand je l'entraînais, à la fin de ses études universitaires, elle avait ce qu'il faut pour décrocher une médaille. Mais c'était un chien fou, à l'époque. Les années l'ont un peu calmée. Hier soir, je lui ai dit que, si elle était sérieuse, elle avait une chance.

– Une chance de quoi ?

Jachym regarda Kincaid comme s'il était débile.

– Je parle des Jeux olympiques, évidemment. L'épreuve de skiff féminin.

Kincaid en resta bouche bée. Nom d'une pipe, pensa-t-il. Quand on lui avait dit que Rebecca Meredith était une « championne », il avait présumé qu'elle participait à l'occasion aux régates locales.

Une potentielle médaillée aux Jeux olympiques, de surcroît officier de police judiciaire...

Pas étonnant que les gros bonnets du Yard aient voulu dépêcher sur les lieux un homme du sérail, en l'occurrence Kincaid. Les médias allaient se régaler.

Et lui n'était pas près de rentrer à la maison.

6

« En skiff, on forge soi-même son succès, on perd ou on gagne à force d'acharnement. On est seul responsable de l'issue de la course. Le plaisir inouï de remporter une course de skiff, quel que soit son niveau, vous pousse à continuer l'entraînement pendant trois années supplémentaires. »

Brad Alan Lewis,
Assault on Lake Casitas

– ATTENDEZ, je ne vous suis plus, dit Kincaid. Rebecca Meredith s'entraînait pour les Jeux olympiques ? Mais elle ne faisait pas partie de l'équipe du Leander.

– Ce n'était pas nécessaire, répondit Milo. Becca était membre du club. Elle pouvait représenter le Leander en compétition. Mais elle n'était même pas obligée de courir sous les couleurs d'un club pour participer aux sélections.

Cullen se creusait les méninges. Soudain, son visage s'éclaira :

– Brad Lewis !

Milo Jachym acquiesça. Kincaid eut l'impression de jouer au ping-pong sans avoir de balle.

– De quoi parlez-vous ?

– De Brad Alan Lewis, dit Cullen. Il a remporté la médaille d'or aux Jeux olympiques de Los Angeles en

1984. Il était totalement extérieur au système et il n'avait quasiment pas de sponsors.

– Becca aussi a...

Un rictus douloureux tordit la bouche de Milo.

– Elle avait le même genre de tempérament, rectifiat-il. Têtue. Obsessionnelle. Elle voulait faire les choses à sa façon et, comme Lewis, elle savait que c'était sa dernière chance.

– Vous avez dit que son ex-mari était furieux en apprenant qu'elle s'entraînait. Pourquoi, si elle était vraiment capable de gagner ?

– Je... Il avait peur pour elle, je suppose. Parce qu'elle s'entraînait tard le soir. Elle n'avait pas le choix.

– À moins de démissionner. Et ça...

Kincaid sentit son mobile vibrer dans sa poche. Ça l'ennuyait d'interrompre la conversation, mais il était obligé de répondre.

Il reconnut aussitôt la voix de l'inspecteur Singla.

– Commissaire, on a un problème au domicile de Rebecca Meredith. Un type menace le gardien de la paix que j'ai posté là-bas. Vous voulez qu'on le cueille ? Il prétend être le mari de la victime.

– Vous êtes un amour.

Gemma étendit ses jambes sous la table de la cuisine et leva son verre. Melody avait apporté un excellent sauvignon blanc, mais aussi une pizza qui empestait l'ail et dégoulinait d'huile d'olive, achetée chez Sugo's, le restaurant italien préféré de Gemma.

– Heureusement que j'ai laissé la voiture chez moi, dit Melody en se resservant une généreuse rasade de vin. Et si je croise des vampires en rentrant, mon haleine les fera déguerpir.

Melody, qui habitait un immeuble de Kensington Park Road, affirmait que le trajet entre son appartement et St John's Gardens était pile ce qu'il fallait après un repas copieux et bien arrosé.

– Vous croyez que l'ail calme aussi les enfants ? Parce

que, si vous voulez mon avis, les enfants sont des créatures vampiriques.

À leur arrivée à la maison, Toby était surexcité, Charlotte pleurnichait et se cramponnait à Gemma. Toby avait refusé de s'asseoir et mangé sa pizza en tourniquant dans la cuisine et en tarabustant les chiens, le chat et Charlotte. Celle-ci n'avait consenti à dîner qu'à condition d'être sur les genoux de Gemma. Kit, en principe d'humeur plus sociable, avait raflé une part de pizza et monté précipitamment l'escalier, son téléphone vissé sur l'oreille.

— Je fais la vaisselle ? proposa Melody. Je suis très douée.

— Vous savez que je ne vous ai jamais vue faire la cuisine ? Mais comme livreuse de pizzas, vous êtes top.

— Je sais cuisiner, protesta Melody avec un sourire malicieux. Euh… fromage, vin, biscuits, euh… c'est à peu près tout. Par contre, je suis la reine de la brosse à vaisselle.

— Laissez, j'aurai vite fait quand les enfants dormiront.

Prévoyant que le coucher ne serait pas une mince affaire, Gemma, qui voulait profiter de sa soirée avec Melody, avait soudoyé les petits avec la promesse d'une vidéo au salon. Elle avait dû convaincre Toby que regarder *Peter Pan* pour la centième fois n'était franchement pas nécessaire, après quoi elle l'avait installé avec Charlotte devant *Le Roi Lion*.

Et maintenant elle l'entendait fredonner. Il chantait faux.

— Il sera un jour la vedette du West End[1], sûr et certain, commenta Melody.

Elles pouffèrent de rire.

— À condition qu'on lui confie un rôle de spadassin, dit Gemma. Mais, si la chance me sourit, il réussira peut-être à endormir Charlotte avant d'endormir son futur public.

---

1. Quartier où se trouvent la plupart des théâtres londoniens.

Elle trouvait Melody étonnamment détendue. Elle avait sorti les chiens pendant que Gemma s'occupait des enfants, et elle avait les joues roses.

– Ce serait bien qu'il endorme Charlotte ?

– Certains soirs, oui. La plupart du temps, en fait. Et même quand elle dort, elle a des cauchemars.

– Elle rêve de ses parents ?

– Parfois. Elle les appelle.

Gemma ne voulut pas avouer, comme elle l'avait fait avec Winnie, à quel point elle se sentait impuissante, pas à la hauteur, quand Charlotte se réveillait en sanglotant : « Maman, papa ! » Depuis quelque temps, elle appelait aussi Gemma, mais celle-ci doutait que ce fût un mieux.

Melody coula un regard vers le salon et, baissant la voix :

– Ça me semble plutôt normal, vu les circonstances. Je ne peux même pas imaginer ce que c'est pour une enfant de perdre ses parents, sa maison, tout ce qui lui est familier...

– Pourtant, dit pensivement Gemma, pendant la journée elle a l'air de bien s'adapter – son angoisse de séparation mise à part. Elle parle de ses parents au présent, comme s'ils s'étaient simplement absentés, mais elle ne demande pas à retourner chez elle.

– Vous l'avez ramenée là-bas ?

– Non, il nous a semblé que ce n'était pas une bonne idée. Mais Louise s'apprête à mettre la maison en vente, et nous voulons que la petite garde certaines choses.

Louise Phillips, l'associée du père de Charlotte, était également son exécutrice testamentaire. Les marchands d'art, y compris Pippa Nightingale qui avait été l'agent de Sandra Gilles[1], convoitaient les collages entreposés dans l'atelier de l'artiste, mais Louise avait décidé de conserver les œuvres et les carnets de Sandra jusqu'à ce que Charlotte soit en âge d'en disposer à sa guise. Ce serait son héritage, et l'argent que rapporterait la vente de la mai-

---

1. Cf. : *La Loi du sang, op. cit.*

son de Fournier Street irait sur un compte pour payer ses études.

— Alors un jour, poursuivit Gemma, pendant que les garçons étaient à l'école, je l'ai emmenée au parc et je lui ai proposé un jeu : fermer les yeux et nommer son objet préféré dans chaque pièce de sa maison d'avant.

— Il n'y a pas un seul objet que je sauverais si mon appartement était en feu, dit tristement Melody. Tandis qu'ici...

Gemma embrassa du regard sa cuisine pimpante, tout en bleu et jaune, son précieux service à thé Clarice Cliff sur l'étagère au-dessus de la cuisinière, et la salle à manger voisine où trônait son piano.

Elle avait aimé cette maison à l'instant où Duncan la lui avait fait visiter. Elle en connaissait par cœur les moindres recoins, les moindres bruits. Et elle avait le sentiment étrange qu'en y accueillant Charlotte, elle s'y enracinait plus profondément encore.

Mais la maison n'était pas à eux, elle appartenait à la sœur de Denis Childs. Un jour ils devraient en partir, une douloureuse perspective qui assombrissait son bonheur de vivre ici.

— Et qu'a choisi Charlotte ? demanda Melody.

Gemma sourit.

— Un vieux coquetier au pied en forme de patte de poulet. Je suppose que Sandra l'a déniché aux puces. Il est hideux, et Charlotte l'adore. Ensuite une méridienne du salon.

Que Charlotte appelait la « chaise en chien » et il avait fallu un moment à Gemma pour comprendre que la fillette faisait allusion à la méridienne recouverte d'un patchwork en chintz. Mais elle aussi aimait ce petit canapé insolite qui résumait si bien, lui semblait-il, la personnalité de Sandra Gilles.

Pour devenir la famille d'accueil de Charlotte, il leur avait d'abord fallu satisfaire aux exigences des services sociaux. Notamment rapatrier Toby dans la chambre de Kit pour que la fillette ait sa propre chambre – celle où ils avaient naguère prévu d'installer le bébé qu'ils avaient perdu.

Ils avaient rapporté de la maison de Fournier Street le lit de Charlotte et, donc, la « chaise en chien ». Charlotte avait choisi la couleur des murs – non pas un rose de petite fille ou un bleu, voire un parme, mais un jaune safran soutenu qui ensoleillait la pièce et mettait en valeur les tons dominants du patchwork de la méridienne. L'enfant avait manifestement hérité du sens artistique de sa mère.

– Dans la chambre de ses parents, elle a voulu les jupons de sa mère, continua Gemma. Mais je lui ai aussi pris les soliflores en verre coloré que Sandra disposait sur la cimaise. Et dans l'atelier, elle a demandé ses crayons coin-coin – qu'elle avait déjà – et la toile accrochée au-dessus de la table de travail. Le cheval rouge.

– Mais ce n'est pas une œuvre de Sandra, il me semble ?

– Effectivement. Il est signé LR, et Lucas Ritchie a un tableau presque identique dans son bureau, au club d'Artillery Lane.

– Ah... le cheval rouge aurait donc été peint par le délicieux M. Ritchie ?

– Peut-être. Un jour il faudra que je lui pose la question.

– Je viendrai avec vous !

Gemma éclata de rire.

– Ce monsieur vous plaît, si je comprends bien.

Lucas Ritchie dirigeait un club privé à Whitechapel, mais il avait fait les Beaux-Arts avec la mère de Charlotte. Il était grand, blond, sacrément séduisant et très à l'aise financièrement.

– Je suis une femme. Je suis libre, et je n'ai pas les yeux dans ma poche.

Pour ponctuer cette déclaration, Melody but une lampée de vin et s'étrangla. Elle essuya ses yeux larmoyants.

– C'est ce que je vois, gloussa Gemma. Ce que je ne saisis pas, en revanche, c'est ce que vous fabriquiez avec Doug Cullen, aujourd'hui.

– Ah…, répondit Melody d'un ton docte. Il m'a invitée à visiter sa nouvelle maison. À Putney. Elle a besoin de quelques réparations. J'ai proposé de lui donner un coup de main pour le jardin.

– Vous avez déjà fait du jardinage ? s'étonna Gemma.

Melody avait grandi dans un hôtel particulier de Kensington, où l'on ne manquait de rien. S'il y avait un jardin, il y avait forcément des jardiniers.

– Non. Ce sera l'aventure.

Gemma la dévisagea, interloquée. Elle imaginait mal Doug Cullen bricolant tandis que Melody patouillerait au jardin.

– Vous devez cruellement manquer de distractions…

– Je n'arrête pas de vous le répéter, patron : sans vous, au boulot, ce n'est pas pareil. Et à propos du boulot…

Melody reposa son verre vide sur la table.

– … j'ai une nouvelle à vous annoncer. Je me suis inscrite au concours d'inspecteur.

– Oh…, murmura Gemma avec un pincement au cœur.

Elle avait pourtant houspillé Melody pour qu'elle passe ce concours. Et elle ne s'attendait pas à ce que la jeune femme reste éternellement au commissariat de Notting Hill. Mais si elle obtenait cette promotion, Melody serait affectée à un autre secteur. Or Gemma mesurait soudain à quel point elle avait hâte de reprendre le travail avec Melody.

Voyant la mine dépitée de sa collaboratrice, elle se ressaisit et sourit.

– Félicitations, Melody. Je suis contente pour vous. Il y a longtemps que vous auriez dû le faire. Et vous le passerez haut la main, cet examen.

– J'ai bien aimé bosser pour Sapphire, dit Melody, soulagée. Avant que vous preniez votre congé, je naviguais dans votre sillage. Je crois que cette nouvelle mission m'a donné un peu d'assurance.

Gemma avait toujours de la peine à admettre que la

fille d'un des plus influents barons de la presse anglaise puisse manquer de confiance en soi. Mais Melody était entrée dans la police contre la volonté de son père, ce qui n'avait pas dû être simple.

– Cette affaire à Henley..., dit Melody. Ça risque de compromettre votre retour la semaine prochaine ?

– On trouvera une solution, j'en suis certaine. Si le dossier n'est pas bouclé d'ici là.

En réalité, Gemma se faisait du souci. Si cette histoire empêchait Duncan de prendre son congé, qui s'occuperait de Charlotte ? Ils ne pouvaient pas compter sur Betty Howard ou sur son fils Wesley pour la garder à plein temps, or Gemma était plus que jamais persuadée que la fillette n'était pas prête pour l'école maternelle – les péripéties de la journée l'avaient amplement démontré.

– Et son ancienne nounou ? suggéra Melody. Vous êtes restée en contact avec elle ?

– Alia ? Elle est venue voir la petite deux ou trois fois. Charlotte était contente, d'ailleurs. Oui, vous avez raison, je devrais l'appeler, au cas où...

– Avec un peu de chance, on conclura à la mort accidentelle, et Kincaid rentrera au bercail.

Gemma n'aurait pas misé là-dessus, elle se souvenait de l'expression de Rachid quand il examinait le corps. Rachid Kaleem était un excellent légiste et il avait du flair. De plus, elle se demandait pourquoi Denis Childs avait tenu à ce que Duncan se penche sur cette affaire. D'autres commissaires – qui, eux, n'étaient pas en vacances – auraient pu représenter le Yard.

– Espérons, marmonna-t-elle sans conviction.

– La morte... vous la connaissiez ?

– Non. Je n'ai pas vu son visage, et son nom ne me dit rien. D'après Duncan, elle était affectée au secteur West London.

– West London ?

Soudain sérieuse, Melody se redressa sur sa chaise.

– Elle est presque de chez nous, alors...

– Dites à votre homme de le retenir, ordonna Kincaid à Singla. J'arrive.

Il raccrocha et expliqua la situation à Milo Jachym.

– Rebecca Meredith s'était remariée ?

– Non, ce doit être Freddie. Ils étaient restés très proches. Je crois que Freddie n'a jamais digéré le divorce. Je... laissez-moi vous accompagner. Ce serait mieux qu'un ami lui annonce la nouvelle.

Kincaid secoua la tête.

– Non, je veux être le premier à lui parler.

– Mais il faudrait que quelqu'un s'occupe de lui, il n'a pas de famille dans la région...

– D'accord, donnez-moi une demi-heure.

Kincaid se leva, darda sur l'entraîneur un regard sévère.

– Et, s'il vous plaît, ne lui téléphonez pas avant que je l'aie vu.

Kincaid descendit Remenham Lane, suivant les indications que lui avait données Milo, pour atteindre le cottage de Rebecca Meredith. La route passait derrière le Leander, parallèlement au fleuve.

Il n'avait pas encore l'habitude de piloter un mastodonte comme l'Astra. Il avait l'impression d'arriver à fond de train dans les virages et, à plusieurs reprises, il freina plus brutalement que nécessaire.

– Vous êtes encore en rodage ? commenta Cullen qui se cramponnait au tableau de bord.

Kincaid lui lança un regard torve.

– Parce que vous vous en sortiriez mieux que moi ?

Cullen eut l'élégance de ne pas répondre. Pourtant, même s'il ne possédait pas de voiture, c'était un as du volant. Quand ils empruntaient un véhicule du Yard, c'était généralement lui qui conduisait. Mais Kincaid refusait de lui confier son nouveau bolide.

Après quelques maisons situées à proximité de la route, les phares de l'Astra balayèrent des champs ; à gauche, par intervalles, s'ouvrait un gouffre noir : la Tamise.

Puis ils virent de nouveau des lumières çà et là. Kincaid ralentit et, bientôt, les cottages apparurent. Deux voitures étaient garées sur le bas-côté – l'une arborait les couleurs de la police de la vallée de la Tamise, bleu et jaune, l'autre était une Audi récente – non loin d'un cottage en brique rouge, au toit mansardé. Le jardinet de devant était fermé par une palissade.

Un policier montait la garde dans le jardin, devant le portillon. Il surveillait un homme assis sur la dernière marche du perron plongé dans l'ombre.

Kincaid sortit sa carte et l'approcha de la torche électrique du policier.

– Scotland Yard. Commissaire Kincaid, inspecteur Cullen.

Le type sur le perron se leva d'un bond et se précipita sur eux, bafouillant :

– Scotland Yard ? Qu'est-ce que vous faites ici ? Pourquoi on ne me dit rien ? Vous avez retrouvé Becca ?

L'accent était distingué, la tenue vestimentaire incongrue. D'après ce que Kincaid pouvait voir dans la faible lumière filtrant à travers l'imposte vitrée de la porte, il portait une vieille veste sur un élégant costume. Sa cravate était desserrée comme s'il avait tiré dessus, mais il n'avait pas déboutonné son col de chemise.

– Monsieur Atterton ?

Celui-ci braqua sur Kincaid des yeux étrécis.

– Comment connaissez-vous mon nom ? Que s'est-il passé ? Pourquoi je ne peux pas entrer chez ma femme ? J'ai la clé de...

Il se tourna vers la porte et, comme le policier le retenait, lui frappa le bras.

– On se calme, monsieur. D'accord ? dit le gardien de la paix, sur ce ton raisonnable et horripilant qui est la défense instinctive d'un policier.

– Non, je ne me calmerai pas ! Je veux...

Atterton regarda Kincaid d'un air soudain implorant.

– ... je veux voir ma femme.

– Monsieur Atterton.

Kincaid se rendit compte qu'il parlait sur le même ton que le gardien de la paix, et s'efforça d'être moins condescendant. De plus, ce n'était pas l'endroit idéal pour annoncer la mauvaise nouvelle.

– Vous dites que vous avez une clé ? Si nous entrions pour discuter ?

Atterton, brusquement, parut hésiter.

– Mais...

Le flic, un petit jeune homme qui aurait eu toutes les peines du monde à maîtriser Atterton et son mètre quatre-vingts, protesta :

– Monsieur, j'ai reçu l'ordre d'interdire l'accès à...

Kincaid lança un coup d'œil à Cullen.

– Doug, s'il vous plaît...

Cullen entraîna le gardien de la paix à l'écart et lui parla à voix basse. Kincaid prit Atterton par le coude. Sa veste, une vieille Barbour en toile cirée, n'était plus imperméable. La manche était mouillée, grasse.

– Alors, monsieur Atterton, où est cette clé ? Vous avez pris la saucée, on dirait.

– Oui, ce matin, quand je cherchais Becca. Je me suis fait tremper et je n'ai pas... Ça n'a pas séché.

Maladroitement, Atterton extirpa la clé de sa poche et la tendit à Kincaid qui déverrouilla la porte et pénétra le premier dans le cottage. Une lampe brûlait dans le petit salon.

– Vous êtes venu ici, aujourd'hui ? demanda Kincaid.

Il faisait froid dans la maison où flottaient des odeurs de café et de savonnette – ou peut-être de parfum. Kincaid actionna l'interrupteur, deux autres lampes s'allumèrent.

– Oui, ce matin. Becca ne répondait pas au téléphone, elle n'était pas non plus au travail, et j'ai pensé que...

Atterton s'interrompit, déglutit.

– Je me suis inquiété.

– Et comme elle restait introuvable, vous avez alerté la police. Vous êtes revenu ici, ensuite ?

– Pour ouvrir la porte aux gens du SRS. La femme blonde et son chien sont entrés, avec un policier. Je voulais participer aux recherches, mais la blonde a dit que je les ralentirais. Alors, je suis retourné au Leander pour attendre. Mais je n'ai revu personne, on ne m'a donné aucune information. Et quand je suis revenu ici, cet âne m'a empêché d'entrer.

Une désobligeante allusion au gardien de la paix, faite avec cette sorte de snobisme machinal qui indisposait Kincaid.

– Vous avez allumé la lumière, ce matin ?

– Non, répondit Atterton, surpris. Elle était allumée quand je suis arrivé. Je n'ai pas...

– Votre ex-femme l'aurait laissée brûler toute la journée ?

– Becca ? J'en doute. Elle est très écolo. Elle me répète sans arrêt que j'épuise la planète, dit Atterton avec un petit sourire qui s'effaça aussitôt. Elle...

Il est séduisant, pensa Kincaid. Le teint clair, les cheveux bruns et épais. Mais pour l'heure ses yeux bleus étaient voilés, ses traits tirés par la fatigue et l'angoisse.

– Attendez, je vous débarrasse de cette veste.

Il aida Atterton à retirer sa vieille Barbour. Son costume aussi était humide. Il avait dû coûter une fortune, mais dans l'immédiat il sentait le mouton mouillé.

– Asseyons-nous.

– Vous n'avez pas l'allure d'un policier, dit Atterton qui resta debout. Encore moins d'un policier de Scotland Yard.

– J'étais en vacances avec ma famille. Monsieur Atterton...

– Qui vous a appelé ? Peter Gaskill ?

– Je ne connais pas de Peter Gaskill.

– Le chef de Becca. Le commissaire Gaskill. Pourquoi il n'est pas venu lui-même ?

Atterton le dévisagea, ses yeux bleus s'assombrirent encore.

97

– Vous êtes de la brigade criminelle, n'est-ce pas ? Voilà pourquoi on vous a envoyé ici. Elle est morte.

Il hocha la tête, comme s'il le savait déjà.

– Becca est morte.

Il chancela. Kincaid le guida vers un fauteuil où il se laissa tomber pesamment.

– Je suis navré, dit Kincaid.

Il s'assit sur une ottomane, tout près d'Atterton, au cas où celui-ci se trouverait mal.

– Les maîtres-chiens ont découvert son corps dans l'après-midi, en contrebas de la chaussée.

– Becca... Mais comment... est-ce qu'elle... le skiff... elle n'aurait pas...

Atterton se tut. Il claquait des dents.

Comme il n'avait pas l'air de vouloir tomber dans les pommes, du moins pas tout de suite, Kincaid changea de place et s'assit sur le canapé en cuir marron, assorti au fauteuil, qui lui rappelaient les vieux Chesterfield de ses parents.

Le décor du salon était plutôt masculin, sans chichis, dans une palette de blancs et de bruns. Les dos des livres dans la bibliothèque et quelques photos encadrées constituaient les seules touches de couleur.

– Le bateau a été arrêté par des broussailles juste en dessous de Temple Island. Nous ne connaissons pas encore les causes de la mort de Rebecca.

Il entendit la porte d'entrée s'ouvrir.

– Cullen, vous pourriez nous préparer quelque chose de chaud à boire, vite fait ?

Cullen disparut dans la cuisine. Freddie Atterton regardait Kincaid.

– Vous en êtes sûr ? Vous êtes sûr que c'était bien Becca ? Ce n'est peut-être pas...

– Un des maîtres-chiens pratique l'aviron. Il l'a reconnue. Mais nous vous demanderons de l'identifier, quand vous vous sentirez d'attaque. À moins qu'il y ait quelqu'un d'autre qui...

– Non, personne. Les parents de Becca sont divorcés, et... la famille n'était pas très unie. La mère vit en Afrique du Sud, Becca n'avait pas vu son père depuis des années. Oh, bon Dieu... je vais devoir annoncer ça à sa mère...

Cullen reparut avec un verre et une bouteille de scotch.

– J'ai mis de l'eau à chauffer, mais en attendant...

Il servit une bonne dose d'alcool à Atterton. Balvenie pur malt, quinze ans d'âge, nota Kincaid. Rebecca Meredith avait bon goût, mais la bouteille était quasiment pleine.

Atterton but une gorgée, le verre cogna contre ses dents.

– C'est mon scotch, dit-il, et il se mit à rire. Becca avait horreur du scotch. Elle le gardait pour moi. Ça tombe bien. Elle aurait trouvé ça désopilant.

Il ravala un sanglot, tout son visage se crispa. Le verre lui échappa des doigts et roula sans bruit sur le sol. Une odeur maltée se répandit dans la pièce comme une vague de chagrin.

– Connard, dit Tavie.

Tosh pencha la tête sur le côté d'un air interrogateur.

Sa maîtresse, qui faisait les cent pas dans son petit salon, ne put s'empêcher de sourire. Elle s'accroupit et caressa la tête de la chienne.

– Je ne parle pas de toi, ma grande. Ni de ton copain, d'ailleurs. Il a été très bien.

Encouragée par sa voix douce, Tosh se leva de sa couverture devant la cheminée et se précipita sur sa corbeille à jouets. À grands coups de museau, elle y pêcha une balle couinante qu'elle rapporta fièrement à sa maîtresse.

– Bon, juste une fois, dit Tavie d'un ton qui manquait cruellement de fermeté.

Elle lança la balle dans la cuisine, Tosh s'élança à sa poursuite. Mais sans doute sentait-elle le désarroi de sa maîtresse car, son butin dans la gueule, elle retourna se coucher près du feu et entreprit de faire couiner la balle.

Cela rappela à Tavie que, cet après-midi, elle avait dû récupérer la balle de Finn dans la poche de Kieran, féliciter et cajoler le labrador. Il y avait pourtant une règle capitale dans le travail de recherche : le maître devait récompenser son chien quand il retrouvait une victime – et qu'elle soit vivante ou morte, exprimer le même enthousiasme. Il fallait montrer aux chiens qu'ils avaient bien fait leur travail, quel que soit le résultat.

Mais Kieran... Eh bien, Kieran était resté planté là, livide et muet.

Il ne s'était pas occupé de son chien.

Et il avait menti. Il connaissait la victime et n'avait rien dit.

– Connard.

Elle était aussi fautive que lui, elle en avait conscience. Elle l'avait cru prêt à assumer toutes les conséquences possibles d'une mission de recherche. Elle avait cru, du haut de sa vertu, qu'en le formant et en l'intégrant dans l'équipe, elle lui donnait un but, la panacée pour lutter contre ses démons. Pire, elle avait cru le connaître. Et elle avait pensé pouvoir lui faire confiance.

Mais, à l'évidence, il lui avait menti depuis le moment où on les avait alertés, ou du moins depuis le briefing au Leander, quand il avait appris le nom de la victime.

Elle se remit à arpenter la pièce, jeta un coup d'œil aux documents soigneusement empilés sur la table. Elle avait fait le point avec l'équipe, rédigé les rapports. Elle ne pouvait rien faire de plus ce soir et, demain, elle était de garde le matin. Elle n'avait plus qu'à réchauffer sa portion de curry de poulet, achetée à côté du poste de police, et se coucher de bonne heure.

Elle n'avait aucune raison de sortir. Il faisait froid, et son salon encombré était aussi agréable que possible. Elle avait acheté cette petite maison proche de la caserne de pompiers après son divorce. Deux pièces à l'étage et deux au rez-de-chaussée. Elle aurait pu considérer cela comme une dégringolade par rapport au train de vie qu'elle menait avec Beatty, mais cela lui avait permis de prendre un nouveau départ. Puis, quand elle avait été affectée à l'équipe d'intervention d'urgence du Service d'incendie et de secours – elle n'avait donc qu'à traverser la rue pour aller travailler –, elle s'était dit que cette maison était un talisman et que, désormais, tout irait bien.

Elle balaya du regard les meubles peints, les tapis noués main, les rideaux blanc et cerise aux fenêtres, le manteau de la cheminée sur lequel elle exposait ses trésors. Elle pensa à la femme dont elle avait fouillé le domicile et qui, comme elle, affrontait quotidiennement le malheur. Pourtant Rebecca Meredith n'avait pas éprouvé le besoin de se protéger contre le stress de son métier en faisant de sa maison un nid douillet.

La Tamise devait être le refuge de Rebecca Meredith. Ou autre chose. Pas la nourriture ni l'alcool, puisqu'elle était une rameuse de haut niveau. Le sexe, peut-être ?

Tavie sentit son visage s'enflammer. C'était la seule chose qu'elle n'avait pas mentionnée dans son rapport : la réaction des chiens, quand elle leur avait donné à flairer la culotte de la disparue. Et Kieran s'était débrouillé pour l'empêcher d'aborder le sujet.

La nuit était tombée lorsqu'ils avaient rejoint leurs voitures après s'être occupés du bateau de Rebecca Meredith. Pendant que Tavie parlait avec le type de Scotland Yard, Kieran était parti avec Scott. Du coup, Tavie avait dû demander à Sarah de la ramener à sa voiture. Kieran n'avait pas assisté au débriefing de l'équipe, dans le parking.

Elle avait préféré que la réunion ait lieu dehors, au risque de devoir répondre aux questions d'éventuels curieux, ou même de l'ex-mari s'il était toujours dans les parages. Elle espérait que Kieran reparaîtrait. Puis elle avait attendu, tandis que les autres rangeaient le matériel et jouaient avec les chiens. Elle s'était retrouvée seule dans le parking. Elle se sentait idiote.

Elle avait essayé de le joindre. La troisième fois, elle n'avait pas laissé de message.

– Qu'il aille au diable, grogna-t-elle, mais l'inquiétude se mêlait maintenant à sa colère.

Le salon lui sembla soudain étouffant. Elle se remit à faire les cent pas. puis s'approcha de la cheminée et éteignit le feu. Tosh s'assit, sa balle dégoulinante de bave dans la gueule. Dès qu'elle vit sa maîtresse se diriger vers le portemanteau, elle se précipita, trépignant de plaisir.

– D'accord, d'accord. Tu peux venir. On va faire une petite promenade.

Et si, par hasard, cette petite promenade les emmenait du côté de Mill Meadows, elle dirait le fond de sa pensée à Kieran. Même s'il était sur l'autre rive de la Tamise et qu'elle devait l'enguirlander avec un porte-voix.

7

« Henley est une pittoresque ville de brasseurs qui fut autrefois un port sur la Tamise, à quelque cinquante kilomètres de Londres... L'aviron moderne y naquit sur le Henley Reach, lorsque se déroula en 1829 la première course entre Oxford et Cambridge, qui devint en 1839 la Henley Regatta, puis la Henley Royal Regatta en l'honneur de Son Altesse royale le prince Albert (SAR le prince consort) qui la parraina en 1851. »

Rory Ross & Tim Foster,
Four Men in a Boat :
The Inside Story of the Sidney 2000 Coxless Four

MILO ÉTAIT VENU comme promis. Il tombait pile-poil, pensa Kincaid. Il voulut donner une poignée de main à Freddie, mais celui-ci était trop choqué pour réagir.

– Je suis navré, Freddie. Vraiment navré. Je n'arrive toujours pas à y croire. Si seulement je...

Kincaid jeta un coup d'œil à l'entraîneur qui se tut.

– Qu'est-ce que je vais devenir ? murmura Freddie.

Il avait le regard vide, et Kincaid eut l'impression qu'il n'avait pas entendu Milo.

Cullen avait essuyé le scotch renversé avec un torchon, puis il leur avait apporté du thé. Il avait pris la précaution de poser la tasse de Freddie sur la table basse. Ça sentait encore l'alcool, mais Milo ne fit pas de commentaire.

– Tu peux compter sur moi, Freddie. Tu le sais. Tout

le monde au club est avec toi. Qu'est-ce que tu prévois pour les obsèques ?

– Je... Oh, bon Dieu, je n'y ai pas réfléchi, gémit Freddie qui paraissait au bord de la nausée. Becca détestait les enterrements. Elle m'a dit une fois, justement après un enterrement particulièrement éprouvant, qu'elle voulait être incinérée. Sans tralala. Mais...

Il regarda Kincaid.

– ... vous allez vouloir garder son... corps.

– Vous devrez attendre pour organiser les obsèques que le coroner ait statué sur les causes de la mort. Dans quelques jours.

– Mais il n'y a pas de doute là-dessus, intervint Milo. La mort de Becca est accidentelle.

Sans répondre, Kincaid se tourna vers Freddie.

– Monsieur Atterton, y a-t-il quelqu'un, à votre connaissance, qui aurait pu vouloir du mal à votre ex-femme ?

– Vouloir du mal à Becca ? Elle n'était pas toujours facile, mais de là à ce que... Non, c'est absurde.

Kincaid jeta un regard circulaire. Le mobilier, quoique spartiate, avait coûté cher. Quant à la maison, elle valait une petite fortune.

– Voyons les choses sous un autre angle, monsieur Atterton. À qui profite la mort de votre femme ?

– Pardon ? bredouilla Freddie Atterton, ahuri.

– Avait-elle fait un testament ?

– Oui, quand nous nous sommes mariés. J'ignore si elle l'a modifié.

– Et si ce n'est pas le cas ?

– Eh bien...

D'une main tremblante, Freddie rejeta en arrière la mèche qui lui tombait sur le front.

– Je suppose que tout me revient.

Tavie descendit les marches du perron, Tosh sautillant à sa suite – pour un berger allemand, elle n'avait aucune dignité. De l'autre côté de West Street, dans l'obscurité, se dressait la silhouette imposante de la tour d'entraînement de la caserne.

La brume qui montait du fleuve au crépuscule s'était dissipée, l'air était froid et pur. On voyait les étoiles dans le ciel, ça sentait le feu de bois.

Tavie aimait l'automne. Elle se dirigea vers la place du marché, Tosh trottinant près d'elle. Être avec sa chienne, tout simplement, lui procurait un plaisir fou. Au travail, Tosh et elle étaient reliées par une sorte de ligne invisible, comme si la chienne était la pointe d'une flèche, et Tavie l'empennage qui en assurait la stabilité.

Mais quand elles se baladaient ainsi, côte à côte, il y avait entre elles une synchronie parfaite, unique. Tavie commença à se détendre, sa mauvaise humeur s'envola.

Après la place, elles traversèrent Duke Street, et Tavie se dit qu'après tout elles iraient jusqu'au fleuve, mais pas plus loin. Elle avait peut-être fait une montagne d'une taupinière, mieux valait attendre le lendemain pour parler à Kieran.

Soudain elle vit le chien attaché à un arbre en pot devant le Magoo's, le bar où se retrouvait le Tout-Henley. Un labrador noir qui surveillait la porte du bar et qui, en les apercevant, remua joyeusement la queue. Finn.

Tavie dut retenir Tosh qui tirait sur sa laisse.

– Salut, mon grand. Qu'est-ce que tu fais ici ?

Elle s'accroupit et lui gratta les oreilles, tandis qu'il lui donnait un grand baiser baveux. Le laisser dans la rue comme ça... Kieran ne tournait pas rond. Attacher un chien bien dressé devant une boutique quand on avait juste une course à faire, d'accord, mais là... Finn avait beaucoup de valeur. N'importe qui aurait pu le voler, faire comme elle, dénouer sa laisse.

Et que fabriquait Kieran au Magoo's ? Elle ne l'avait jamais vu boire – un demi à l'occasion, et encore quand les gars de l'équipe insistaient. En tout cas, elle ne l'avait jamais vu seul dans un bar.

Finn la tirait en gémissant vers la porte. Tenant fermement les deux chiens, Tavie franchit le seuil. Les mercredis soir étaient tranquilles – pas de musiciens ni de DJ ni de tournoi de quizz – mais il y avait quand même du monde dans la longue et étroite salle.

Les têtes se tournèrent vers elle, le niveau sonore baissa d'un cran. Mike, le barman, lui sourit.

– Salut, Tavie. Dites, les chiens ne sont pas autorisés à...

– Je ne reste pas.

Elle avait repéré Kieran, seul à une table contre le mur. Devant lui, un verre presque vide et une grande bouteille de cidre Strongbow. Finn, qui l'avait repéré aussi, poussa un jappement de joie.

Tavie s'approcha.

– Kieran.

Il sursauta, son visage émacié soudain rajeuni par une expression d'étonnement qui céda vite la place au désarroi et à la crainte. Il se leva d'un bond, se cogna contre la table.

– Tavie... mais qu'est-ce que tu fais avec Finn ? Il n'est pas...

– Viens avec moi. Tout de suite.

Elle tourna les talons et marcha droit vers la porte. Finn, frustré, regimba, mais Tavie était forte pour sa taille et accoutumée à maîtriser des grands chiens depuis son enfance dans le Yorkshire. Finn n'eut plus qu'à s'incliner.

L'air froid qui lui cingla la figure ne la calma pas. Quand Kieran la rejoignit en titubant, elle ne lâcha pas le labrador.

– Toi..., cracha-t-elle. Tu ne mérites pas ce chien. Le laisser dans la rue... Qu'est-ce qui t'a pris, Kieran ?

– Je... je comptais rester cinq minutes, pas plus. Je me suis dit que c'était pas un problème de...

– Comme tu t'es dit que ce n'était pas un problème de me mentir, d'oublier de me signaler que tu connaissais cette femme !

Sa fureur parut le dessoûler.

– Tavie... s'il te plaît, bredouilla-t-il en saisissant maladroitement la laisse de son chien. Je me suis tu parce que tu m'aurais empêché de participer aux recherches. Tu comprends, j'avais besoin de savoir si elle allait bien... si je pouvais...

– Tu as compromis les recherches ! Et la chaîne des preuves, ajouta-t-elle, baissant la voix. Cette culotte... c'est toi que les chiens désignaient. Tu... tu étais...

Elle ne put achever sa phrase. Si les chiens avaient flairé l'odeur de Kieran sur les sous-vêtements de la victime, cela signifiait forcément qu'il les avait touchés et que, donc, il avait couché avec cette femme. Elle refusait de penser à ça. Elle en avait la nausée.

Pourquoi s'était-elle imaginé qu'il menait une vie de moine, seul dans son hangar, à réparer ses bateaux, à se soigner et attendre que... – Seigneur, avait-elle cru qu'il l'attendait, elle ? Alors que, pendant tout ce temps, il...

Quelle idiote.

– Inutile de revenir à la caserne.

Elle en avait assez dit, mais ne put s'empêcher d'enfoncer le clou :

– Tu as fait suffisamment de dégâts. Je dois réfléchir à ce que je vais écrire dans mon rapport.

Il secoua la tête, les épaules voûtées.

– Aucune importance. Je m'en fiche. Je suis incapable de sauver qui que ce soit, murmura-t-il.

Ils avaient tous quitté le domicile de Rebecca Meredith, laissant là un policier pour surveiller la maison jusqu'à l'arrivée, le lendemain matin, des techniciens de la scientifique qui passeraient tout au crible.

De retour à Henley, Kincaid déposa Cullen – qui était venu directement de Putney sans même emporter une brosse à dents – devant le Boots de Bell Street, et se rendit à l'hôtel situé entre le fleuve et l'église.

Le Red Lion Hotel se dressait en face du Leander

Club. Ces deux institutions avaient l'air de sentinelles postées de part et d'autre de la Tamise, mais des deux, c'était le vieil hôtel en brique rouge, couvert de glycine, qui pouvait prétendre à l'authenticité architecturale. Kincaid songea néanmoins qu'il préférait l'hippopotame rose du Leander au tapageur lion rouge qui se balançait au-dessus du porche de l'hôtel.

Il avait été tenté de rentrer à la maison – à peine une heure de route une fois les bouchons résorbés. Mais Gemma lui avait dit, au téléphone, que Melody lui tenait compagnie, qu'elles passaient une soirée entre filles et qu'elle se débrouillerait parfaitement sans lui. « Depuis que je suis en congé, je gère trois enfants toute seule », avait-elle ajouté avec un brin d'âpreté. « Une nuit de plus ou de moins... Fais ce que tu as à faire pour boucler cette affaire. »

Gemma avait raison, bien entendu. Plus vite il réglerait les choses le lendemain matin, plus vite il serait à Londres.

Il lui faudrait d'abord contacter le notaire de Becca Meredith, revoir Freddie Atterton et interroger le personnel et les athlètes du Leander. À ce moment-là, il aurait peut-être le résultat des investigations de la scientifique sur le bateau et le cottage, et les conclusions de Rachid.

Il inspecta le contenu de son sac : jean, pull, paire de chaussures correctes pour remplacer ses baskets boueuses. Ce n'était pas précisément une tenue vestimentaire de commissaire, surtout s'il devait s'adresser aux journalistes. Doug, au moins, porterait un costume.

Soudain, il se rappela qu'il avait, lui aussi, un costume : celui qu'il portait le samedi, quand il s'était marié... pour la troisième fois.

Cullen arriva pile à cet instant, chargé d'un gros sac Boots.

– Qu'est-ce qui vous amuse tant ? ronchonna-t-il.

– Rien, répondit Kincaid avec un grand sourire. J'étais en train de me dire que cette glycine doit être magnifique au printemps. Elle est très vieille.

– Je n'en sais rien, je ne m'y connais pas en plantes. Mais l'hôtel date du XIVe siècle. Charles Ier d'Angleterre y a dormi.

– Voilà qui n'est pas de bon augure. Espérons que nous ne finirons pas comme lui, la tête sur le billot. Et que la cuisine et les chambres se sont améliorées depuis cinq cents ans. Je suis affamé.

Il était dix-neuf heures, et le dernier repas n'était plus qu'un lointain souvenir.

– J'ai toujours eu envie de dormir ici, dit Cullen, ravi, quand ils entrèrent dans l'hôtel.

Le hall desservait à droite un petit bar confortable, à gauche une salle à manger plus solennelle avec ses tables couvertes de nappes blanches empesées. Le parquet ciré de la réception luisait, les meubles anciens étaient d'un goût exquis.

– Je demandais toujours à mes parents de descendre ici quand j'étais au collège et que je participais à une course, à Henley, dit Cullen. Mais ils ne l'ont jamais fait.

– Ils ne venaient pas vous voir quand vous aviez une compétition ? s'étonna Kincaid.

– Pas que je me souvienne, répondit Doug avec une nonchalance étudiée – Kincaid comprit qu'il avait touché un point sensible. Mon père était trop occupé, et comme je n'avais pas beaucoup de chances de gagner...

Il haussa les épaules.

– En fait, je voulais surtout boire un verre au bar. Autant demander la lune.

– Boire un coup au bar, c'est dans nos cordes. Pour la lune, en revanche, je ne suis pas sûr qu'on puisse arranger ça.

Après s'être installés dans leurs chambres – Kincaid avait un grand lit à colonnes qu'il aurait préféré partager avec Gemma –, ils évitèrent la salle à manger pour se réfugier dans une pièce attenante au bar et qui portait bien son nom : le Snug[1] Bar. Les lambris étaient en bois sombre, les fauteuils en cuir noir, une lumière feutrée éclairait des bibliothèques et des peintures à l'huile représentant des messieurs perruqués. Un feu crépitait dans la cheminée.

– Le rêve de tout bon Anglais, murmura Kincaid en s'asseyant à une table basse près du feu.

La salle à manger du Leander, avec ses chaises à dos canné, lui avait donné la même impression. Ces lieux semblaient être les derniers vestiges de l'empire colonial. Des générations de privilégiés avaient marqué de leur empreinte cette riche cité des bords de la Tamise. Pareille atmosphère aurait hérissé le libéral Hugh Kincaid.

Mais son fils, lui, n'allait pas bouder le steak et la tourte aux champignons – le dîner idéal de tout bon Anglais – ni la bouteille de whisky repérée derrière le bar.

Ils commandèrent deux verres.

– À votre santé, mon vieux, dit Kincaid. Je bois aux plaisirs longtemps espérés. Et aux tribulations des propriétaires fonciers.

Cullen but une gorgée. Le sang colora ses joues.

– Excellent, bredouilla-t-il en essuyant ses yeux larmoyants. Un peu fort, peut-être.

– Ça se sirote. Avec une larmichette d'eau. Rappelez-vous vos leçons de dégustation de whisky.

Kincaid ferma les yeux pour mieux savourer le scotch où se mêlaient des saveurs de miel et de bruyère. Il se remémora leur voyage en Écosse. Était-ce vraiment la dernière fois que Gemma et lui étaient partis seuls, sans les enfants ?

Il faudrait remédier à ça. Puisqu'il avait épousé Gemma trois fois, il devrait au moins lui offrir une lune de miel. Peut-être l'amener ici, au Red Lion, dès qu'elle aurait repris son travail et qu'ils pourraient s'organiser pour faire garder les gamins.

---

1. « Douillet ».

On leur apporta leurs plats qu'ils dévorèrent en silence, avec la concentration de ceux qui meurent de faim. Quand ils eurent nettoyé leurs assiettes, Kincaid termina son café et signa la note.

– Je vous souhaite une bonne nuit dans votre lit à colonnes, dit-il à Doug. Rêvez bien de Charles Ier, mais avant de dormir, voyez ce que vous pouvez dénicher sur Freddie Atterton.

Cullen n'avait pas pris son portable, mais il était débrouillard. Kincaid, pour sa part, regrettait déjà son repas un peu trop copieux et son second whisky. Il avait besoin de marcher.

Il laissa Doug dans le hall, sortit de l'hôtel et hésita un instant sur la direction à suivre. Si les souvenirs que Doug avait de Henley semblaient idylliques, ceux que Kincaid gardait de ses précédentes visites étaient beaucoup plus mitigés.

Il songea à la femme dont on avait découvert le corps dans le fleuve, à son gilet de sauvetage jaune fluo qui ne l'avait pas sauvée. Avait-elle aimé vivre ici ?

La mort avait gommé sur le visage de Rebecca Meredith tout ce qui faisait sa personnalité. Il n'avait qu'une vague idée d'elle, fondée sur les rares photos vues à son domicile et sur l'émotion de ceux qui l'avaient connue.

Qu'était-il arrivé à cette femme, la veille, sur la Tamise ?

Il traversa la rue et emprunta le pont, où il s'arrêta pour regarder en bas. La Tamise paraissait insondable, d'un noir d'encre. Jamais il ne s'y aventurerait seul, au crépuscule, à bord d'une fragile embarcation.

De l'autre côté du pont, une lumière s'éteignit dans les bâtiments du Leander. Comment la disparition d'une des leurs était-elle ressentie par les athlètes ? Comment réagissaient-ils face à la preuve de leur propre mortalité ?

Demain, il parlerait à tous ces gens – camarades, coéquipiers, entraîneurs. Il lui faudrait également s'entretenir avec le supérieur hiérarchique de Becca et ses collègues de la Met.

111

Une perspective qui l'accablait d'avance. La douleur des proches d'une victime l'affectait énormément. Jamais, en vingt ans de métier, il ne s'était aguerri. Il avait toujours détesté être le messager de la mort.

Mais, comme toujours, sa curiosité prit le dessus. Il voulait savoir qui avait été Rebecca Meredith, connaître ses amis, ses amours, ses ennemis. Il voulait savoir comment elle était morte. Et si quelqu'un était responsable, il voulait que justice soit faite. Voilà pourquoi il restait un policier dans l'âme.

Il revint sur ses pas, attendit que le feu passe au rouge pour traverser. Le pub Angel on the Bridge lui faisait de l'œil, là-bas, mais ça ne lui disait rien. Il était plutôt tenté par une promenade le long de Thames Side.

La galerie y était-elle toujours ? Peut-être exposait-elle une œuvre de Julia Swann[1] ? Et un peu plus loin, il y avait l'appartement de Julia, où il avait passé une nuit. Y vivait-elle encore ?

Il secoua la tête. Non... mieux valait ne pas savoir. Il était désormais un homme marié – plutôt trois fois qu'une – et il avait tourné la page sans le moindre regret.

De toute façon, il était temps de téléphoner au patron.

Il se dirigeait vers l'hôtel, quand quelque chose attira son attention. Un homme qui descendait Hart Street et tournait au coin de la rue.

Un type grand, à la démarche quelque peu chancelante, flanqué d'un chien. Quoiqu'il ait troqué son uniforme noir contre un jean et un blouson, Kincaid le reconnut : le maître-chien du SRS, celui qui avait absolument tenu à les accompagner jusqu'au bateau. Kieran Connolly.

Il avait eu un comportement plutôt étrange, d'ailleurs. À réinterroger, nota Kincaid.

Il n'avait pas envie de monter tout de suite dans sa chambre. Il s'assit sous le porche, sur un banc, et appela

---

1. Cf. : *Ne réveillez pas les morts*, Le Livre de Poche, 1995.

Childs à son domicile. Il lui résuma les événements de la journée.

Quand il lui eut relaté son entretien avec Atterton, Childs demeura un instant silencieux, comme à son habitude, avant de déclarer :

– Si c'était l'ex-mari, cela nous arrangerait.

– Comment ça ?

– Eh bien, vous voyez ce que je veux dire. Drame domestique, aucun rapport avec nous. Emballez, c'est pesé.

Kincaid dut admettre qu'il était intrigué par la relation d'Atterton avec son ex-femme. Ils étaient étonnamment proches pour des divorcés. Pourtant le chagrin de Freddie Atterton, comme celui de Milo Jachym, était bien réel.

Certes, il avait vu des assassins pleurer leur victime, des meurtriers mimer l'émotion avec le brio du plus génial des comédiens. Les choses étaient toujours beaucoup plus complexes qu'elles n'y paraissaient.

Mais là… il flairait dans cette histoire des courants souterrains qui, pour l'instant, lui échappaient complètement.

– Pourquoi devrions-nous penser que cette mort a un rapport avec nous ?

– Duncan, vous savez ce qui se passe quand un officier de police meurt dans des conditions suspectes, s'impatienta Childs – ce qui ne lui ressemblait pas. Dès demain matin, nos amis journalistes camperont sur notre paillasson. La vie de l'inspecteur Meredith, sa carrière, seront examinées au microscope.

Childs s'interrompit. Kincaid le vit mentalement joindre les doigts tel un bouddha – une posture qui lui était familière.

– Alors s'il s'avérait que sa mort est un regrettable accident, ce serait mieux pour tout le monde. Rappelez-moi dans la matinée.

Là-dessus, le commissaire divisionnaire Childs raccrocha.

Sans avoir répondu à la question de Kincaid.

Il resta immobile, les yeux rivés sur son téléphone, à se repasser la conversation dans sa tête. Il avait certainement mal interprété les propos de Childs. Car il aurait juré que son supérieur hiérarchique lui suggérait de truquer les résultats d'une enquête.

8

« C'est une course d'aviron annuelle qui se déroule sur une distance de quatre miles et trois cent soixante-quatorze verges entre Putney et Mortlake, sur la Tamise, et oppose deux des universités les plus prestigieuses du monde, Oxford et Cambridge. Les compétiteurs s'entraînent deux fois par jour, six jours par semaine, et luttent avec acharnement pour les couleurs de leur université. Tout le reste devient pour eux secondaire. Ils ne le font pas pour l'argent, mais pour l'honneur et la victoire. Il n'y a pas de deuxième place, puisque le deuxième est le dernier. On appelle cette course, simplement, la Boat Race. »

David & James Livingstone,
Blood over Water

LE TÉLÉPHONE qui sonnait obstinément fit émerger Freddie. Il voulut museler l'appareil, mais son cerveau et son corps n'étaient plus connectés. Ce fut seulement quand le bruit cessa qu'il put ouvrir un œil. Il était couché sur le dos, mais ce qu'il voyait n'était pas le plafond de sa chambre.

Il plissa les paupières, essayant d'analyser cette image. Plafond voûté. Murs blancs. Poutres noires. Ah oui. Le salon.

Affolé maintenant, il leva la tête. La douleur lui vrilla le crâne, mais il put constater qu'il avait toujours sur lui sa chemise et son pantalon. En revanche, il était déchaussé et – il tâta son col – n'avait plus sa cravate. Son mobile était sur la table basse, à côté d'une bouteille de whisky Balvenie, vide. Et il y avait deux verres. Un vague souvenir lui revint. Milo. Il avait bu un coup avec Milo. Mais qu'est-ce que...

Le téléphone se remit à sonner, comme s'il l'avait déclenché par ses réflexions.

– La ferme, gémit-il.

Il tendit le bras pour saisir le combiné. Ce geste lui chavira l'estomac. Et cette fois les souvenirs rappliquèrent.

Becca. Oh, Seigneur. Les pièces du puzzle s'assemblaient dans son esprit embrumé. Milo l'avait ramené ici et l'avait fait boire. En revenant du cottage, ils avaient acheté cette bouteille de Balvenie. Parce que le type de Scotland Yard lui avait dit qu'il ne pouvait pas prendre celle de Becca. Parce qu'elle ne lui appartenait pas, cette bouteille. Parce que c'était peut-être une pièce à conviction. Parce que Becca était morte.

Freddie se redressa et tangua jusqu'à la salle de bains où il tomba à genoux, le front sur la lunette fraîche des toilettes. Il vomit tripes et boyaux. Puis il s'assit par terre, répertoriant ce qu'il avait devant les yeux, comme si cela pouvait bloquer toute autre pensée. Le plancher gris. Les murs gris. La cabine de douche en verre. La porcelaine blanche. La baignoire surélevée habillée de métal riveté noir. Et là-haut, le lustre en cristal.

Lorsqu'il avait acheté cet appartement après le divorce, il avait fait appel à une décoratrice d'intérieur londonienne. Dans l'espoir, probablement, d'impressionner Becca avec son nouveau mode de vie.

Mais quand elle était venue visiter l'endroit et qu'elle avait vu ce lustre, elle avait décoché à Freddie son fameux regard signifiant qu'elle le soupçonnait de perdre complètement les pédales.

– C'est le style éclectique, s'était-il justifié.

– Elle était jolie ? avait-elle répliqué.

Voilà que le téléphone sonnait de nouveau. Il l'avait laissé au salon. Et si on l'appelait pour lui dire qu'il s'agissait d'un malentendu, que le cadavre, finalement, n'était pas celui de Becca ? Et d'ailleurs, d'où sortait ce type, ce rameur, qui l'avait identifiée ?

Il se releva tant bien que mal. Mais il n'alla pas assez vite, le téléphone se tut. Jetant un coup d'œil à la longue liste d'appels en absence – des numéros qu'il ne connaissait pas –, il s'aperçut qu'il avait un message.

Une journaliste du *London Chronicle* qui demandait s'il accepterait de leur parler de son ex-femme.

Freddie se laissa tomber sur le canapé. C'était donc vrai. Ce devait être vrai, forcément.

Et aujourd'hui, il allait devoir...

La sonnerie retentit de nouveau, la vibration du téléphone dans sa main fut comme une décharge électrique. Si c'était encore la journaliste, il lui dirait d'aller se faire foutre.

Mais quand il lut le nom sur l'écran, il fut tellement soulagé qu'il faillit fondre en larmes.

— Ross ? bredouilla-t-il.

— Oh, mon vieux, merde alors... Chris a appris la nouvelle au boulot. Elle m'a demandé de te dire... Je voulais te dire que... on est tellement désolés. Je peux faire quelque chose ?

Freddie regarda les deux avirons bleu foncé, la couleur d'Oxford, disposés en croix sur le mur. Ross Abbott et lui avaient couru ensemble, deux fois. Ils étaient amis depuis l'école, quand ils n'étaient que des gamins boutonneux. La voix de Ross était comme une bouée de sauvetage.

— Il faut que je... je dois aller à la morgue aujourd'hui. Pour l'identifier. Tu veux bien m'accompagner, Ross ?

Kincaid avait mal dormi dans son luxueux lit à baldaquin. Il n'avait pas dormi seul depuis des mois, et la respiration régulière de Gemma, la chaleur de son corps contre le sien lui manquaient. Même si, ces deux derniers mois, Charlotte se glissait entre eux aux petites heures de la nuit. Mais cela aussi lui manquait.

Charlotte se nichait contre Gemma et posait la tête sur l'épaule de Kincaid. Ses cheveux le chatouillaient. Quand elle était de nouveau dans les bras de Morphée, il la ramenait dans son lit. À contrecœur. Avec Kit, il avait loupé cette étape de l'enfance. Toby, quant à lui, qui débordait d'énergie pendant la journée, dormait toujours comme si on avait débranché la prise.

Quand la lumière du jour filtra par l'interstice des lourdes tentures, il se leva, se doucha et revêtit son costume de mariage – heureusement qu'il n'avait pas opté pour le queue-de-pie, il aurait l'air d'un vrai couillon aujourd'hui, pour mener l'enquête.

Pressé de s'atteler au travail, il appela Cullen, brisant ainsi son rêve de petit-déjeuner pantagruélique dans la salle à manger de l'hôtel.

– Il y a un café sympa – un Maison Blanc, je crois – sur le chemin du poste de police. On y prendra du café et des viennoiseries, et vous me ferez le bilan de vos recherches en marchant.

Le soleil était voilé, l'air embaumait presque. Kincaid regarda les nuages qui couraient dans le ciel.

– Ce temps ne me dit rien qui vaille. Mais c'est mieux pour les gars de la scientifique, ils seront plus à l'aise pour examiner le bateau à la loupe. Alors, qu'avez-vous trouvé sur M. Atterton ? demanda-t-il en se dirigeant d'un bon pas vers la place du marché.

Cullen remonta ses lunettes sur son nez, noua les mains derrière son dos et, d'une voix de conférencier :

– Frederick Thomas Atterton, on lui a donné le prénom de son père, Thomas, un banquier respecté de la City. Il a grandi à Sonning-on-Thames, un village proche de Reading. Une campagne à la Kenneth Grahame[1], d'après Melody.

– Melody ?

– J'ai dû l'appeler à la rescousse, je n'avais que

_____

1. Auteur du *Vent dans les saules*, classique de la littérature enfantine.

118

mon téléphone. Bref, Atterton a fréquenté la Bedford School puis l'Oriel College à Oxford, où il a décroché un diplôme en biologie avec des notes médiocres. Il se défendait mieux en aviron, il a disputé deux fois la Boat Race, mais son équipe n'a jamais gagné. Il a rencontré Rebecca Meredith à Oxford où elle étudiait le droit criminel. Elle aussi faisait de l'aviron universitaire.

– Elle a donc gardé son nom de jeune fille, fit remarquer Kincaid.

Ils étaient arrivés au Maison Blanc où les accueillirent des arômes de café et de pain chaud. Ils jetèrent un œil aux muffins et aux pâtisseries, puis Kincaid commanda un cappuccino et un croissant aux amandes – ce qu'il commandait toujours au Maison Blanc de Holland Park Road, quand il n'avait pas eu le temps de prendre son petit-déjeuner.

Était-il venu jusqu'ici parce qu'il avait la nostalgie de la maison ?

– C'est complètement con, marmonna-t-il.

Cullen et la caissière le regardèrent avec stupéfaction.

– Ne faites pas attention à moi, dit-il à la jeune femme en lui donnant l'appoint et une livre supplémentaire pour la boîte à pourboire.

Elle le gratifia d'un sourire radieux.

– Bonne journée, monsieur !

– Quelle honte, grommela Cullen en sortant du café.

– Vous n'êtes qu'un jaloux. Où en étions-nous ? Le nom de jeune fille...

– Oui, c'est sous ce nom qu'on la connaissait en tant que rameuse. Je présume qu'elle n'a pas voulu en changer. Moi, à sa place, je crois que j'aurais préféré me faire oublier...

– Pourquoi ?

– Un an après sa sortie de l'université, elle était le grand espoir du skiff féminin pour les Jeux olympiques. Mais à Noël, au mépris des consignes de son coach, elle est partie skier. Elle a fait une chute et s'est fracturé le poignet. Une méchante blessure qui l'a empêchée de s'entraîner. Elle a été virée de l'équipe.

– Et son entraîneur...

– Milo Jachym, répondit Doug la bouche pleine de muffin.

– J'en déduis que Jachym et elle avaient une relation houleuse.

– Plutôt, oui.

– Et on peut penser qu'il lui en voulait de faire son come-back alors qu'il préparait sa propre équipe féminine pour les Jeux.

– On peut le penser.

– Quand a-t-elle épousé Atterton ?

– L'année suivante, au moment où elle est entrée à la Met.

– Et ils ont divorcé... ?

– Trois ans après. C'est elle qui a demandé le divorce, et il ne s'y est pas opposé. Il a même été généreux – il lui a laissé le cottage et la moitié de ses biens. À mon avis, il n'avait pas prévu la dégringolade de l'immobilier.

– Ah...

Kincaid observa le poste de police, tout proche maintenant. La bâtisse, située en face d'un kebab et d'une compagnie de taxis, ne payait guère de mine. Pas de reporters à l'affût dans les environs. Pas encore.

– Une générosité d'homme qui se sent coupable. Et qui peut-être regrette sa largesse. La situation financière de ce monsieur ?

– Il a du mal à garder la tête hors de l'eau, si j'en crois certains informateurs de la City que j'ai contactés ce matin.

– On voit où en sont les gars de la scientifique et ensuite on appelle le notaire.

Freddie Atterton leur avait donné les coordonnées avant de quitter le cottage, la veille.

– J'ai déjà appelé cette dame qui est à son étude de bonne heure le matin. Elle s'est montrée très obligeante. Si Rebecca Meredith n'a pas fait de nouveau testament, tout revient à Freddie, qui est aussi l'exécuteur testamentaire.

Kincaid haussa les sourcils. Gemma lui manquait, mais Doug Cullen était d'une efficacité redoutable.

– C'est pratique.

– Très pratique. Elle m'a dit aussi qu'il y avait sans doute une assurance vie, et elle m'a donné le nom du courtier de Becca. Je lui ai laissé un message.

– Tout se sait dans cette petite ville, commenta Kincaid.

Le commissaire divisionnaire Childs serait content. Il semblait en effet que Freddie Atterton avait d'excellentes raisons de tuer sa femme.

Ils trouvèrent l'inspecteur Singla et deux autres policiers dans la petite salle qu'on avait mise à leur disposition. Singla y avait installé un tableau blanc et un panneau en liège pour les photos de la scientifique. Sur la table s'entassaient déjà des dossiers.

Malgré l'heure matinale, Singla, dont le costume était encore plus fripé que la veille, était sur les dents. Les deux autres, un jeune homme et une jeune femme, marchaient sur des œufs, de crainte de s'attirer les foudres de leur supérieur. Le jeune flic était au téléphone. Il répondait, crut comprendre Kincaid, aux questions d'un journaliste.

– Commissaire, dit Singla d'un ton réprobateur, comme s'ils étaient en retard en classe. On a le rapport préliminaire concernant le bateau. Les techniciens ont trouvé une trace de peinture rose sous la coque, provenant de la pelle d'un aviron du Leander. Mais l'aviron encore fixé au bateau n'est pas endommagé. Il y a aussi sur la coque en fibre de verre une craquelure en étoile autour de la trace de peinture. Peut-être le point d'impact.

– Elle aurait pu faire ça toute seule ? demanda Kincaid à Cullen.

Celui-ci fronça les sourcils.

– Je ne vois pas comment. Quoique… si elle a chaviré et que la pelle est partie à la baille…

Il s'approcha du panneau en liège et étudia les photos, comme si le corps arrêté par les broussailles, en dessous de la chaussée, avait quelque chose à lui dire.

– Si le courant l'entraînait, elle aurait pu se servir de la pelle pour se raccrocher au bateau… C'est la première règle qu'apprennent les rameurs : ne jamais quitter le bateau. Une coque flotte, sauf si elle est sérieusement détériorée.

– On a localisé l'aviron qui manque ?

– Pas encore. Il peut être n'importe où.

– Rien d'autre ? Des traces de lutte sur la berge ?

– Non, répondit Singla d'un air peiné – il semblait prendre ce piteux résultat comme un échec personnel.

Kincaid se retourna vers Cullen.

– Il faut un coup violent pour esquinter une coque en fibre de verre ?

– De nos jours, les coques sont renforcées avec du kevlar. Mais elles restent fragiles, on les abîme souvent. Quand j'étais au lycée, j'ai heurté une butée de pont. C'était une vieille embarcation d'entraînement, mais le coach était furax.

– Vous êtes rentré dans un pont ? ironisa Kincaid.

– Au cas où vous ne l'auriez pas remarqué, le rameur regarde vers l'arrière, rétorqua Cullen, vexé. Il y en a qui prennent la mauvaise manie de regarder sans arrêt par-dessus leur épaule, ce qui les ralentit. Les autres orientent le bateau dans la bonne direction et disent une petite prière.

– Je suppose que vous faisiez partie du second groupe.

– Si on connaît bien le parcours, ce qui était probablement le cas de Becca Meredith, on a des points de repère sur les berges.

– Et au cottage ? demanda Kincaid à Singla. On a trouvé quelque chose ?

– Rien d'extraordinaire. J'ai envoyé son ordinateur au labo. La liste des appels reçus sur sa ligne téléphonique correspond à ce que nous a dit l'ex-mari. Il lui a laissé un message à l'heure où Milo Jachym l'a vue mettre son bateau à l'eau, et d'autres messages dans la soirée et la matinée du lendemain.

— Il pouvait l'appeler de n'importe où. Peut-être pour vérifier qu'elle était bien sortie. Et le portable de la victime, où était-il ?

— Dans son sac, qu'on nous a apporté, répondit Singla, montrant, sur la table, une poche en plastique réservée aux pièces à conviction. Mais on ne connaît pas le mot de passe de sa boîte vocale.

— M. Atterton nous renseignera peut-être. En attendant...

Kincaid s'assit pour examiner le téléphone. Un modèle sophistiqué, convenant parfaitement à un cadre de la police. Mais elle avait choisi comme fond d'écran une image fournie par l'opérateur.

Intrigué, il jeta un œil à l'album photo. Vide.

— Bizarre. Elle n'a pas pris une seule photo. Et elle n'utilisait pas non plus le calendrier.

Il fit défiler rapidement les mails et les SMS. Tous d'ordre professionnel, hormis un texto que lui avait envoyé Freddie Atterton le soir où elle avait disparu. *Appelle-moi !! J'ai discuté avec Milo.* Il y avait aussi deux messages vocaux, mais il ne put y accéder.

Le répertoire comportait peu de contacts – il n'en fut pas surpris. Doug se chargerait de les éplucher, mais pour l'heure il constata avec satisfaction qu'elle avait enregistré son propre numéro de mobile, qu'il s'empressa de composer.

Sonnerie standard, comme le fond d'écran.

Tout cela brossait de Rebecca Meredith un portrait intriguant.

— Elle n'avait pas un autre téléphone mobile ? demanda-t-il à Singla.

— On ne l'a pas trouvé, en tout cas.

Kincaid inspecta le contenu du sac.

— Un stylo à bille assez cher. Noir. Pas de stylo-plume qui fuit, pas de fantaisies de ce genre. Un portefeuille en cuir noir. Et dans le portefeuille, le permis de conduire, quarante livres en billets, de la monnaie, une carte de débit, une carte de crédit, une carte de fidélité Selfridges.

Il revint au permis de conduire, étudia la photo. Rebecca Meredith avait le visage allongé, les traits fins. Elle était plutôt jolie, mais sur cette photo elle avait l'air sévère, comme si on l'avait mise au défi de ne pas sourire et qu'elle était déterminée à gagner.

– Une carte de transport. Un paquet de mouchoirs en papier...

Il ouvrit une petite trousse de maquillage, continua son énumération :

– Poudrier. Rouge à lèvres. Baume pour les lèvres. Tube d'aspirine. Tampons. Et c'est tout, dit-il en secouant la poche en plastique. Pas de chewing-gums ou de bonbons. Pas de numéros de téléphone griffonnés sur des bouts de papier. Pas de prospectus de chaînes de pizzas, ni d'échantillons de parfum, en dépannage avant un rendez-vous.

– Uniquement des objets pratiques ou essentiels, renchérit Doug. Et absolument rien de vraiment personnel.

– Monsieur, dit Singla, je ne vois pas en quoi ce que cette femme avait ou non dans son sac est si important, et...

– Réfléchissez un instant, coupa Kincaid. Vous êtes marié, inspecteur Singla ?

– Oui, mais je...

– Savez-vous ce que votre épouse a dans son sac ?

Kincaid songea à celui de Gemma – une petite valise, plutôt, où elle fourrait les livres préférés de Charlotte, des biscuits, ainsi que Bob, l'éléphant vert en peluche dont la fillette refusait de se séparer. Comment allait-il faire, lui, pour trimbaler cet attirail et garder un semblant de virilité ?

Singla leva les yeux au ciel d'un air horrifié.

– Si elle pouvait, elle y caserait toute la maison. Qu'est-ce qu'elle a dans son sac ? Les bulletins de notes des enfants, des listes de courses, des tickets de caisse, des biscuits. Des sachets de thé, au cas où elle irait dans un pub où on ne servirait pas le thé qu'elle aime. Un parapluie pliant, parce qu'on ne sait jamais quand il va pleuvoir. Et un bouquin, toujours – c'est une mordue de lecture, ma femme.

Kincaid hocha la tête.

– Quel genre de biscuits ?

– Des HobNobs[1].

– Et de quelle couleur est son parapluie ?

– Euh... rose à pois jaunes. Elle dit que, quand il pleut, il faut des couleurs gaies. Pour compenser.

– Le thé ?

– Du Chai. Et, au café, elle réclame toujours du lait chaud. J'en suis gêné, mais apparemment il n'y a que moi que ça dérange.

Kincaid lui sourit.

– Vous voyez ? Maintenant j'en sais long sur votre épouse, dit-il – et il n'ajouta pas que cela lui rendait Singla beaucoup plus sympathique. Je parierais qu'elle est intelligente, peut-être un peu dodue, de nature optimiste et enjouée. Une femme qui sait ce qu'elle veut et, en général, l'obtient.

– Ça, vous pouvez le dire ! Vous l'avez bien décrite. Mais quel rapport entre ma femme, ou le sac de ma femme, et Rebecca Meredith ?

La jeune policière, qui les avait écoutés attentivement, prit la parole :

– Ce n'est pas le sac de votre épouse qui compte, monsieur. C'est Rebecca Meredith. Et moi je dirais que cette femme avait quelque chose à cacher.

---

1. Gâteaux secs aux flocons d'avoine.

9

« L'aviron est une discipline d'individualistes. »

Brad Alan Lewis,
Assault on Lake Casitas

L A POLICIÈRE avait des cheveux bruns et brillants, des yeux marron. Grande, dégingandée, elle avait la grâce d'un poulain tout en pattes. Rebecca Meredith avait peut-être la même allure, il y a dix ans, pensa Kincaid.

— Comment vous appelez-vous ? lui demanda-t-il.

— Imogen Bell, monsieur.

— Feriez-vous de l'aviron, par le plus grand des hasards ?

— Non, monsieur. Mais je suis sortie avec des rameurs. Des prétentiards, pour la plupart. Ils croient que, parce qu'ils savent faire avancer un bateau, ils sont le sel de la terre et...

Captant le regard noir que lui lançait Singla, elle s'interrompit.

— Je... excusez-moi, monsieur.

— Ne vous excusez pas. Les avis autorisés m'intéressent, dit-il, ce qui fit naître un sourire sur le visage de la jeune femme – qu'elle se hâta d'effacer pour ne pas déplaire à son chef. Connaissiez-vous l'inspecteur Meredith, mademoiselle Bell ?

— Je savais qui c'était, monsieur. Mais je ne lui avais jamais causé. Je la croisais quelquefois dans la rue. Je...

eh bien, je l'admirais, c'était un modèle pour moi. Elle avait l'air de savoir se défendre, voyez ?

Elle jeta un coup d'œil prudent à Singla qui répondait au téléphone. Le collègue de Bell, un jeune type rondouillard affublé d'un costume qui le boudinait, regarda ses chaussures, abandonnant Bell à son destin.

Si ces deux jeunes gens devaient constituer son équipe, Kincaid voulait se faire une idée de leur personnalité.

– Vous connaissez Freddie Atterton, son ex-mari ?

– Pas vraiment, non. Mais il a... euh... une certaine réputation.

– C'est-à-dire ?

– Il passe pour un coureur de jupons, monsieur. Et il aime aller dans les bars et les clubs – les endroits chic, voyez, Loch Fyne, Hôtel du Vin... encore que je n'ai pas entendu dire qu'il picolait.

– Vous êtes très bien informée.

Le collègue rondouillard eut un petit sourire suffisant.

– Parce qu'elle connaît tous les barmen, persifla-t-il. Y compris ceux du club de strip-tease.

Elle lui décocha un regard méprisant.

– On est dans une petite ville. Les barmen sont d'excellents informateurs. Ils savent tout ce qui se passe, et si les gens mijotent un coup fourré, ils sont les premiers avertis.

Imogen Bell plaisait de plus en plus à Kincaid.

– Il y a un club de strip-tease à Henley ? dit Cullen, comme si cette idée lui paraissait totalement saugrenue.

– Oui, sur le parking, répondit Bell, dédaigneuse. Et il n'y a pas de quoi fouetter un chat. En gros, c'est un night-club avec quelques filles qui font de la pole dance. C'est là que tout le monde va après la fermeture des pubs.

– Le club est aussi à côté de la maison de retraite, objecta son collègue. Et il a causé un tas de problèmes à la municipalité.

Kincaid le dévisagea.

– Pardonnez-moi, je n'ai pas saisi votre nom.

– Bean. Laurence Bean, monsieur.

– Bean et Bell ? gloussa Kincaid – ce qui n'allait pas le rendre sympathique aux yeux du jeune gardien de la paix. Ou Bell et Bean ? On croirait un numéro de music-hall.

– C'est moi qui chante, plaisanta Bell. Lui, il danse.

– Va te faire voir, Bell, tu...

Bean se tut. L'inspecteur Singla, qui avait raccroché, semblait de mauvais poil.

– Je vous rappelle que nous avons une enquête à mener, ronchonna-t-il. Et pour l'instant on n'avance pas d'un millimètre. L'équipe chargée du porte-à-porte a fait chou blanc. Pareil pour les gars qui se sont occupés des pénichettes amarrées entre Henley et Greenlands.

– Ça n'a rien d'étonnant, dit Kincaid.

À ce moment, son mobile vibra. C'était le légiste.

– Rachid ? Alors, vos conclusions ?

– Je n'ai pas encore de certitude, dit Rachid Kaleem avec cet accent d'Oxford qui tranchait sur ses allures de voyou – un accent qui était une coquetterie compréhensible chez un homme élevé à Bethnal Green, dans une HLM peuplée de Bangladais. Mais ça ne me plaît pas. Les blessures à la tête semblent avoir été infligées avant la mort. Et la victime était bien vivante quand elle a bu la tasse – ses poumons sont remplis d'eau. L'eau de la Tamise, je le précise avant que vous me posiez la question. On ne l'a pas noyée dans sa baignoire.

Kincaid regarda Cullen.

– Donc pas de syndrome de mort subite du sportif ?

– Non. D'ailleurs, la plupart des athlètes décédés de cette façon souffraient de lésions cardiaques qui n'avaient pas été détectées. Rebecca Meredith, elle, avait une santé de fer.

Kincaid connaissait suffisamment Kaleem pour savoir qu'il y avait autre chose.

– Les blessures à la tête et la noyade pourraient résulter d'un chavirage accidentel. Qu'est-ce que vous me cachez ?

– Des traces de peinture rose sous les ongles. Elle a les ongles courts, bien soignés. Qu'elle ait bricolé et oublié de se nettoyer me paraît improbable. J'ai noté des abrasions sur les jointures des doigts, et des particules de peinture incrustées dans la peau. Je suppose que le bateau n'était pas peint en rose corail bien voyant. J'ai envoyé des échantillons au labo, ils trouveront peut-être d'où ça vient.

– Je crois que je le sais. Votre description correspond au rose Leander.

Quand il eut raccroché, Kincaid résuma à l'équipe les conclusions de Kaleem.

– Doug, vous faites de l'aviron. Elle avait de la peinture rose sous les ongles et des écorchures sur les doigts. Une idée de scénario ?

– Eh bien…, bredouilla Cullen qui avait pâli. Quelqu'un aurait pu retourner le bateau. En prenant la rameuse par surprise, c'est faisable. Et quand elle a essayé de redresser le skiff, on a enfoncé la coque dans l'eau avec l'aviron.

– Quand elle s'est débattue, ses ongles ont raclé la palette rose. Et on l'a frappée avec l'aviron, sur les doigts.

– Pourquoi elle ne se serait pas tout simplement noyée après être tombée du bateau ? demanda Bell.

– Si elle a reçu un coup à la tête, elle était peut-être dans le cirage. Et quand elle a coulé, elle a avalé de l'eau.

– Ce ne sont que des conjectures, commissaire, objecta Singla.

– À ce stade, inspecteur, nous en sommes réduits aux conjectures, rétorqua Kincaid, la mine sombre. Je crois bien que nous avons un meurtre sur les bras.

Il appela Denis Childs pour l'informer des derniers développements. Il y eut un silence à l'autre bout du fil, puis un soupir.

– Nous n'avons pas le choix, je présume. Mais je veux que vous dirigiez l'enquête. J'arrangerai ça avec les autorités de la vallée de la Tamise. Il vous faudra des effectifs supplémentaires. Que pensez-vous de l'équipe de Henley ?

– Ça ira pour l'instant.

– Avez-vous pu relier l'ex-mari au crime ?

– Non, monsieur, répondit Kincaid d'un ton plus guindé qu'à l'accoutumée. N'oublions pas que, depuis quatorze ans, la vie de Rebecca Meredith ne se limitait pas à son ex-mari et à l'aviron. Elle était inspecteur de police. Une excellente professionnelle, par conséquent. Je vais de ce pas m'entretenir avec ses collègues.

Kincaid, concentré sur les voitures qui s'inséraient sur la M4 en direction de Londres, sentait les regards intrigués que lui lançait Cullen.

– Arrêtez de me lorgner, dit-il quand l'Astra fut sur la voie rapide.

– Qu'est-ce qui se passe avec le patron ? Je vous ai trouvé un peu... hmm... désagréable.

– Il est obsédé par Freddie Atterton. J'estime qu'il va trop vite en besogne, voilà tout.

– Il vous a fait le coup des statistiques ?

– Pas encore, mais ça viendra.

Tous savaient que la plupart des meurtres étaient commis par une personne proche de la victime. Kincaid s'étonnait que Childs, qui paraissait tellement résolu à incriminer Freddie Atterton, n'ait pas encore dégainé cet argument.

– Ce qu'on a appris ce matin laisse à penser que le meurtrier est un rameur – ou du moins que l'aviron ne lui est pas étranger, dit Cullen. De plus, il connaissait les habitudes de Meredith. Ce qui est le cas de Freddie Atterton.

– Possible.

Cullen avait raison, Kincaid était bien obligé de l'admettre. Pourtant il refusait de considérer Atterton comme leur suspect numéro un. Par pur entêtement ? Peut-être. Il n'aimait pas qu'on lui force la main. De plus, se forger une opinion dès le début d'une enquête était dangereux. Il ne laisserait personne influer sur son travail.

À leur entrée, le silence se fit dans la salle des inspecteurs du commissariat de West London. Le planton les avait annoncés et, comme toujours dans les commissariats, la nouvelle s'était répandue par l'opération du Saint-Esprit. À n'en pas douter, chaque policier de cet étage savait qui ils étaient et pour quelle raison ils débarquaient.

Le bureau du commissaire se trouvait au fond de la salle, isolé par une paroi de verre. Kincaid frappa à la porte.

Peter Gaskill les accueillit avec une poignée de main ferme.

– Commissaire. Inspecteur. Asseyez-vous.

Il était grand, l'allure patricienne dans son superbe blazer bleu marine. Au Leander, il n'aurait pas détonné.

– Une regrettable affaire, dit-il en se rasseyant dans son fauteuil directorial – assis il paraissait encore plus grand que debout. Avait-il réglé la hauteur du siège de sorte à intimider ses interlocuteurs ? – Perdre un officier est toujours regrettable, mais un meurtre... C'est affreux. Il n'y a vraiment aucun doute ?

– Je crois comprendre que le commissaire divisionnaire Childs vous a téléphoné ?

– Oui, il y a un instant. Il a toute confiance en vous, commissaire.

Kincaid se hérissa. D'abord Peter Gaskill leur faisait le coup de la froideur, et maintenant il se montrait condescendant. Pour qui se prenait-il ?

Pas question cependant de trahir son agacement. Il sourit à Gaskill.

– J'y suis sensible, commissaire – pas question non plus de lui donner du « monsieur », après tout ils avaient le même grade. Que pourriez-vous nous dire sur l'inspecteur Meredith, je vous prie ?

– L'inspecteur Meredith était un policier exemplaire. Très respecté dans ce service.

– Mais était-elle aimée ?

– Aimée ? répéta Gaskill qui, pour la première fois, eut l'air dérouté. Est-ce vraiment pertinent, commissaire ? Les cadres de la police n'ont que faire d'être aimés.

Ce fut au tour de Kincaid de le prendre de haut.

– Dans une affaire d'homicide, oui, la question est pertinente. Je ne vous apprends rien, commissaire. Je veux savoir comment Rebecca Meredith s'entendait avec ses collègues. Y avait-il des conflits ou des rivalités ?

Gaskill le regardait fixement.

– Vous n'insinuez tout de même pas que la mort de Meredith a un rapport quelconque avec son travail ici.

– Je n'en sais rien. À ce stade, je sais seulement que quelqu'un a fait chavirer l'embarcation et tenu la tête de Rebecca Meredith sous l'eau jusqu'à ce qu'elle se noie.

Gaskill prit une inspiration, mais garda le silence. Kincaid, qui tournait le dos à la cloison vitrée, sentait les yeux des inspecteurs, dans la salle, lui vriller les omoplates.

Cullen remonta ses lunettes sur son nez ; Gaskill cessa de dévisager Kincaid et détourna le regard, dissipant ainsi la tension qui régnait dans la pièce.

– C'est terrible, commissaire. Affreux, vraiment. Si vous avez raison, il faut que justice soit faite.

Voilà qu'il recommence, pensa Kincaid. Ce mépris sous les formules d'usage. Ce *si vous avez raison*...

– Sur quoi travaillait-elle qui aurait pu pousser quelqu'un à lui vouloir du mal ? interrogea Cullen.

Il arrivait parfois qu'un officier de police soit la cible d'une vengeance. Il ne fallait pas négliger cette hypothèse.

– Une bande d'ados de HLM qui jouent du couteau, répondit Gaskill, dédaigneux. Ces gamins ne savent pas où se trouve Henley, encore moins comment s'y rendre et faire chavirer un bateau d'aviron.

Mais on ne se débarrassait pas si facilement de Cullen.

– À propos d'aviron... depuis le passage à l'heure d'hiver, elle quittait son poste très tôt pour aller s'entraîner. Ça lui posait des problèmes ?

– Becca m'avait garanti que ça ne l'empêcherait pas d'assumer sa charge de travail.

Kincaid et Cullen échangèrent un regard. Gaskill avait, par inadvertance, appelé la victime par son diminutif.

– Et ses collègues ? demanda Kincaid. Ça ne les déran-geait pas ?

– Il faudra leur poser la question, commissaire. Je pré-sume qu'elle s'était entendue avec eux.

– Vraiment ?

Kincaid se carra plus confortablement dans son fau-teuil, lissa le pli de son pantalon.

– Saviez-vous que l'inspecteur Meredith envisageait de s'entraîner à plein temps pour les Jeux ?

Kincaid vit passer sur le visage de son interlocuteur une expression d'hésitation, vite gommée. Une fraction de seconde, ce type avait failli mentir. Pourquoi ?

Gaskill remit en place les documents pourtant soigneu-sement rangés sur son bureau.

– Elle m'en avait parlé, oui, mais je ne pense pas qu'elle avait pris une décision définitive. Nous l'aurions tous soutenue, même si nous n'aurions pas aimé la perdre. Je veux dire temporairement, bien sûr.

Gaskill toussota, signifiant ainsi que l'entretien était terminé.

– Et maintenant, si cela ne vous ennuie pas, commis-saire, j'ai un déjeuner. Quant aux coéquipiers de l'ins-pecteur Meredith, l'inspecteur Patterson est à l'extérieur, mais l'officier Bisik vous attend.

Kincaid préféra s'incliner. Il voulait en savoir plus avant de pousser le commissaire Gaskill dans ses retran-chements. Il se leva et tendit la main à Gaskill qui fut bien obligé de la lui serrer.

– Merci de nous avoir consacré un peu de votre temps.

– Vous me tiendrez informé ?

– Naturellement.

– Vous trouverez Bisik dans la salle, sur la droite.

Sur quoi Gaskill hocha la tête et se concentra de nou-veau sur les documents posés devant lui. Il devait les connaître par cœur.

– Enfoiré, murmura Cullen quand ils furent sortis du bureau.

– Un doux euphémisme.

Kincaid fouilla la salle des yeux. Un jeune homme s'approchait d'eux. Il leur serra la main.

– Bryan Bisik. Il paraît que... Est-ce qu'elle est morte ?

Il était trapu, avec des cheveux noirs, coupés en brosse, qui accentuaient la pâleur de son teint. Son évident désarroi contrastait avec le calme froid de Gaskill.

– Oui, je suis navré, répondit Kincaid.

– Oh, bon sang. Je n'arrive pas à y croire. Elle était...

Bisik les entraîna dans le couloir, plus tranquille.

– Qu'est-ce qui s'est passé ? Vous pouvez me le dire ? Radio-moquette fonctionne à plein régime.

– On a déclaré sa disparition après son entraînement du lundi soir. Son corps a été retrouvé hier. L'enquête est ouverte.

– Oh, d'accord, bredouilla Bisik qui semblait perdu. Je ne vois pas comment quelqu'un aurait pu... Elle n'était pas toujours commode, mais avec elle au moins on savait sur quel pied danser.

Le coup d'œil vers le bureau du commissaire était éloquent.

– Tout allait bien, ici ?

– C'est-à-dire que... il y avait peut-être un peu de mauvaise humeur, parce qu'elle partait de bonne heure s'entraîner, vous comprenez. Elle était sans arrêt sur notre dos à cause des horaires, alors Kelly et moi on trouvait qu'elle était une vraie...

Il s'interrompit, les yeux écarquillés.

– Mais qu'est-ce que je raconte ? Je ne la critique pas, je...

– Ce n'est rien, le rassura Kincaid. Le choc. Et nous savons tous que les morts ne deviennent pas subitement des saints. Savez-vous si l'inspecteur Meredith avait des problèmes dans sa vie personnelle ?

– Ça non ! Je savais qu'elle avait divorcé il y a un ou deux ans, mais jamais je ne me serais risqué sur ce terrain, je tiens à ma peau.

– Elle n'était pas du genre bavard ?

– Un sphinx, et encore le mot est faible. Elle... Oh, ça me reprend. Je parle à tort et à travers, hein ?

– Ne vous inquiétez pas, c'est normal. Tenez, voici ma carte. Si vous vous souvenez d'un détail qui pourrait nous être utile… Encore une fois, je suis désolé.

Kincaid s'éloigna puis, avec une nonchalance étudiée, se retourna.

– L'inspecteur Meredith s'entendait bien avec le commissaire ?

Le visage de Bisik se ferma.

– Ce n'est pas à moi de le dire.

Pour un garçon de sa corpulence, il regagna la grande salle avec une surprenante vélocité.

Quand ils quittèrent le commissariat, Kincaid remarqua une femme sur le trottoir d'en face. Elle tirait sur une cigarette qu'elle cachait sous sa main – un geste masculin. Dès qu'elle les vit, elle écrasa le mégot sous sa chaussure à talon et traversa la rue.

Elle était blonde, élancée, mais n'avait pas la minceur d'une athlète comme Rebecca Meredith. Son ventre tendait sa jupe grise, et sa veste tombait mal.

Kincaid vit, comme elle s'approchait, que ses courts cheveux blonds étaient plus sombres à la racine. Elle était plus âgée qu'elle ne le paraissait de loin.

– C'est vous, les types du Yard. Moi, je suis Kelly Patterson, la coéquipière de Becca.

Elle avait le nez rouge et ses yeux bleus étaient gonflés. Elle semblait avoir pleuré.

– Kincaid. Et voici l'inspecteur Cullen.

– Bryan dit que, pour Becca, c'est officiel. Meurtre.

– Les nouvelles vont vite.

Elle eut un petit sourire.

– Bryan est le roi du texto. On l'appelle Doigts de fée. Elle… Les lèvres de Patterson se crispèrent : Ça rendait Becca cinglée. Et elle disait que j'étais pire que lui. Elle menaçait de flanquer nos téléphones à la poubelle.

– Mais elle ne l'a pas fait.

– Non. Mais, quand elle était bien énervée, elle était capable d'aller jusque-là. Écoutez…

Patterson darda sur Kincaid ses yeux d'un bleu délavé, puis regarda Cullen comme pour s'assurer qu'il était attentif.

– On n'est pas censé critiquer les morts, *et caetera*, mais je vais vous le dire quand même. Becca pouvait être une vraie garce. Mais elle était honnête. Quand elle vous balançait une remarque, ou qu'elle vous demandait de faire ceci ou cela, elle avait généralement une bonne raison. Écoutez..., répéta-t-elle en jetant un coup d'œil aux fenêtres du commissariat. Si on vous le demande, je ne vous ai rien dit. J'ai à la maison un gosse de quatre ans, et un autre de six. Je ne veux pas d'embêtements. Seulement, Becca mérite mieux que ça. Et si Son Altesse, là-haut, ne vous a pas parlé d'Angus Craig, c'est qu'il ment.

Kincaid avait voulu en savoir plus, mais Kelly Patterson avait secoué la tête et, comme son coéquipier, s'était éclipsée.

– Angus Craig ? dit Cullen quand ils furent dans l'Astra. Le directeur adjoint de la police ?

– Si ma mémoire est bonne, il est retraité depuis quelques mois.

– Vous le connaissez ?

– Pas personnellement, mais je l'ai croisé à l'occasion de cérémonies ou de stages de formation continue où il était intervenant. Un type débordant d'amabilité. Un peu trop jovial. Plutôt prétentieux. Mais quel rapport entre lui et Rebecca Meredith ? Je ne vois pas.

Cullen avait déjà sorti son téléphone et lancé une recherche. Soudain, il se figea.

– Merde, dit-il. Angus Craig vit à Hambleden.

10

« Chaque année un équipage de la Boat Race, voire
toute l'équipe initiale, se forgeait un style particulier,
une identité, différents d'une année sur l'autre, parfois
en tant que collectif, parfois en tant que groupe dominé
par une ou deux fortes personnalités... »

Daniel Topolski,
Boat Race : The Oxford Revival

L E VISAGE que découvrait le drap blanc, sur le chariot
de la morgue, ne ressemblait pas du tout à Becca.

Bien sûr, les traits étaient les siens – le nez semé de fines
taches de rousseur dues aux journées d'entraînement en
plein soleil, les sourcils noirs et droits, le minuscule grain
de beauté près de l'oreille droite, le menton carré.

Mais Freddie n'avait jamais vu le visage de Becca aussi
figé. Elle était toujours en mouvement – même dans son
sommeil, ses lèvres et ses paupières frémissaient, elle fron-
çait les sourcils comme si elle était en train de débrouiller
un problème compliqué ou de se repasser le film d'une
séance d'entraînement.

On avait pris la peine de la peigner, ses cheveux ondu-
laient autour de sa figure – vivante, jamais elle ne l'aurait
supporté. Freddie crispa le poing pour s'empêcher de lis-
ser sa chevelure ou de toucher ses cils noirs qui, dans la
lumière crue du néon, dessinaient une ombre sur ses joues.

– C'est elle, dit-il à l'employé de la morgue. C'est Becca.

– Il s'agit bien de Rebecca Meredith, monsieur ?

Le jeune homme avait un anneau dans la narine. Freddie ne parvenait pas à en détacher son regard. Il tourna la tête.

– Oui, c'est elle.

– Mes condoléances, monsieur, dit l'employé comme s'il répétait sa leçon. Pouvez-vous signer là, s'il vous plaît ?

Tel un facteur qui livre un colis, il lui tendit un document.

Et ce fut terminé.

Freddie regagna le parking de l'hôpital ; la température extérieure lui parut douce comparée à l'atmosphère de la morgue. Ross Abbott l'attendait, il avait laissé tourner le moteur de sa BMW blanche flambant neuve, claironnant ainsi à la ronde qu'il n'avait pas à se soucier du prix de l'essence. Cela aurait exaspéré Becca, mais pour l'heure Freddie se fichait bien que son ami soit un m'as-tu-vu. Il s'affala avec soulagement sur le siège en cuir.

– Ça va, mon vieux ?

Freddie hocha péniblement la tête. Ross Abbott était venu le chercher chez lui juste après le déjeuner et l'avait conduit à Reading. Freddie lui avait demandé d'attendre dehors – il ne voulait pas craquer devant témoins, mais finalement il avait éprouvé un étrange détachement, comme si tout cela arrivait à quelqu'un d'autre.

– Où veux-tu aller, maintenant ? lui demanda Ross.

– Boire un verre.

– À Henley ? Au Magoo's ?

– Non, c'est trop tôt. Ça n'ouvre qu'à seize heures.

Le bar de Hart Street était trop bruyant, et Freddie connaissait trop d'habitués qui passaient là après le boulot – il n'avait aucune envie qu'on lui pose des questions ou qu'on lui présente des condoléances.

– Hôtel du Vin, ça te va ? Tu pourras rentrer chez toi à pied, plaisanta Ross.

– Oui, d'accord.

L'hôtel qui, avec le Malthouse, occupait les bâtiments de l'ancienne brasserie Brackspear, était juste en face de chez lui. Le bar y était tranquille. Les clients du coin n'y viendraient qu'en fin de journée, à cette heure-ci, il n'y aurait que des hommes d'affaires.

Tout en roulant, Ross se lança dans une description détaillée des qualités de sa voiture. C'était quelque peu déplacé, mais Freddie fut reconnaissant à son ami : au moins, il n'avait pas à parler.

Dans le bar de l'hôtel, comme il l'espérait, le calme régnait. Des hommes en polo et veston sport étaient installés sur les banquettes en cuir. Ils avaient déballé des dossiers, ils discutaient et ne leur prêtèrent pas attention.

– Un Hendrick's, dit Ross à la serveuse, la gratifiant du sourire qu'il essayait naguère sur toutes les filles de la fac. Double, avec de la glace et une rondelle de concombre.

Freddie faillit lui rappeler qu'il conduisait, puis songea qu'à une époque il n'aurait pas hésité à prendre le volant après avoir ingurgité un double gin. De toute façon, ça ne le regardait pas.

– Pareil pour moi, dit-il.

Ross tendit sa carte de crédit à la jeune femme qui s'éloigna. Elle revint un instant plus tard, murmura :

– Je suis désolée, monsieur, mais votre carte est refusée.

– Foutue banque, grommela Ross qui rougit de colère – il avait toujours été soupe au lait. Quelle bande de bons à rien.

Gêné pour son ami, Freddie chercha son portefeuille.

– Laisse-moi régler la note, c'est le moins que je puisse...

– Non, non, coupa Ross qui tendait déjà une autre carte de crédit à la serveuse. Ce n'est qu'un problème informatique, je suppose.

Cette fois, effectivement, tout se passa bien. La serveuse

leur apporta leurs consommations avec un sourire froid. Ross leva son verre.

– Je te dirais bien « À la tienne », mon vieux, mais ce serait malvenu.

– Alors buvons.

La première gorgée de gin fut comme une coulée de lave, et avec l'odeur du concombre revinrent des souvenirs de régates d'été, de Pimm's sirotés dans les tribunes. Il revit Becca, son visage échauffé par la victoire, Ross qui secouait une bouteille de champagne. Le vertige le saisit. Des souvenirs de Henley ou d'Oxford ?

– On a eu de bons moments, n'est-ce pas ?

– Et comment ! s'exclama Ross qui avala une lampée de gin et grimaça. Mais l'interdiction de picoler pendant l'entraînement, ça c'était vache.

– L'entraînement intensif, ce n'était pas ton truc, pas vrai ?

Ross trouvait toujours un bon prétexte pour tirer au flanc. Pourtant, quand on l'avait affecté au bateau de réserve, il avait été furieux. Mais la chance lui avait souri : le jour de la Boat Race, une méchante grastro-entérite avait terrassé son homologue du Blue Boat, et Ross l'avait remplacé.

La chance avait tourné, cependant. Le jour de la course, tout s'était ligué contre eux. Un temps de chien, pas de synergie entre les membres de l'équipage. Le bateau n'avançait pas, et plus ils s'acharnaient, pire c'était. Ils avaient été écrasés, humiliés, et s'étaient effondrés sur la ligne d'arrivée, à bout de forces. Ensuite, personne n'avait dit ce que tout le monde pensait : Ross Abbott n'avait pas été à la hauteur.

Cette course désastreuse n'avait pourtant pas compromis les perspectives d'avenir de Ross. Son passage dans les Blue lui avait été profitable. Les athlètes d'Oxford et Cambridge excellaient dans d'autres disciplines, mais l'équipe d'aviron était de loin la plus prestigieuse. Si on était sélectionné pour le Blue Boat, peu importait qu'on soit vaincu, du moment qu'on ne coulait pas.

Freddie but une autre gorgée de gin tout en observant son ami. Ross n'étant pas très grand, contrairement à la plupart des rameurs, il avait compensé ce handicap en développant sa masse musculaire. S'il manquait d'agilité, il était puissant.

À présent, même s'il avait gardé ses larges épaules de sportif, il paraissait plus épais, plus mou. Trop de gin, se dit Freddie, le nez dans son verre.

– Tu fais toujours de la muscu ? demanda-t-il.

La question fit visiblement plaisir à Ross.

– J'ai une nouvelle salle de gym, à la maison. En fait, j'ai une nouvelle maison, à Barnes.

– Barnes ? Super. Ça doit aller bien pour toi.

– Ça baigne, ouais, dit Ross qui se pencha et, sur un ton de conspirateur : J'ai une affaire en vue. Un coup fumant.

À l'instar de nombreux athlètes des Blue, Ross était dans les affaires et, apparemment, obtenait de meilleurs résultats que Freddie dans l'immobilier.

Il jeta un coup d'œil aux autres clients du bar. Comme Ross, ils portaient des vêtements coûteux, buvaient des alcools coûteux et se donnaient des airs importants. Des richards. Oui, voilà, des richards. Avait-il failli devenir un type de ce genre, lui aussi ? Était-ce pour cette raison que Becca l'avait quitté ?

Son esprit battait la campagne, le gin lui montait à la tête. Il fit un effort pour se concentrer. Ross avait été sympa, aujourd'hui.

– Tu sais, Ross, je te suis vraiment reconnaissant d'être là. Tu es un ami.

– Tu déconnes, dit Ross en lui assénant gauchement une claque dans le dos. C'est la moindre des choses. Si tu as besoin de quoi que ce soit, surtout dis-le-moi. Et Chris... sans le boulot et les gosses, elle serait venue, tu sais.

– Comment va-t-elle ? Et les garçons ?

– Chris est en passe d'avoir une promotion, répondit Ross, baissant la voix. C'est ultra-confidentiel, mais elle a réussi à impressionner les gens qu'il fallait impressionner.

Une fraction de seconde, Freddie entendit la voix de Becca, mordante : *Parce que c'est ça, être un bon flic ?* Il secoua la tête, se demanda s'il n'était pas en train de perdre les pédales.

– ... quant aux garçons, eh bien ce n'est pas encore officiel, mais ils sont bien partis pour... – un regard circulaire, puis dans un murmure, ainsi que l'exigeait un secret d'État –... Eton.

– Eton ? répéta Freddie avec une aigreur dont il fut le premier surpris. Ouah... alors ils ne suivront pas l'exemple de papa. Bedford School n'est pas assez bien pour les rejetons Abbott ?

– Je n'ai jamais dit ça, mon vieux. Seulement, quand on a des gosses, il faut faire le maximum pour les aider à se tailler une place dans le monde.

– Bien sûr.

Freddie grimaça un sourire. Il aurait aimé avoir des enfants. Becca n'en voulait pas. Et maintenant, la question ne se poserait plus.

La fatigue le submergeait, il n'avait plus qu'une envie : rentrer chez lui, être seul.

Ross finit son verre et, avant que Freddie ait pu protester, fit signe à la serveuse de leur remettre ça.

– Tu sais, mon vieux, je suis vraiment navré. Ça n'a pas été trop dur, à la morgue ? Est-ce qu'elle était... amochée ?

– Elle était bien, dit Freddie qui se sentit coupable d'avoir eu de mauvaises pensées à l'égard de son ami. On ne voyait rien du tout. Elle avait juste l'air...

Il s'interrompit, la gorge nouée, incapable de prononcer le mot : « morte ».

– Tu as parlé avec les flics ? Ils ont une idée de ce qui s'est passé ?

– Ils ne m'ont rien dit. Ils ont fait appel à un commissaire de Scotland Yard.

Ross émit un sifflement.

– La classe ! Ils se remuent, dis donc. Et alors, ils t'ont demandé si tu avais un alibi ?

Le cidre ingurgité la veille avait aggravé ses vertiges, comme Kieran s'en doutait. Après la battue, il s'était débrouillé pour fausser compagnie à l'équipe. Mais une fois seul, il n'avait pas réussi à chasser de son esprit l'image obsédante du corps de Becca, prisonnier des broussailles, de ses cheveux flottant comme des algues au gré du courant.

Il était donc allé au pub, où Tavie l'avait débusqué. Ensuite, il avait titubé jusqu'au hangar à bateaux et s'était écroulé sur son lit de camp. Il avait sommeillé un moment et rêvé du visage blafard de Becca. Elle avait les yeux grands ouverts, implorants.

Dans son cauchemar, il s'apercevait brusquement que son corps était déchiqueté, comme soufflé par une bombe. Sur son visage, il voyait le visage des hommes de son unité, leurs hurlements résonnaient à ses oreilles. Puis soudain, c'était Tavie qui lui criait des ordres qu'il ne comprenait pas et ne pouvait exécuter.

Il s'était réveillé en nage pour découvrir que la réalité était aussi abominable que ce mauvais rêve. Becca était morte. Et il avait perdu sa meilleure amie. Tavie, sa seule véritable amie.

À l'aube, il avait renoncé à dormir et s'était préparé un café très fort. Il l'avait bu dehors, Finn sur ses talons, en contemplant le jour naissant sur la Tamise. L'eau grise se fondait dans le ciel gris. Peu à peu se dessinèrent sur la rive opposée les silhouettes décharnées des arbres et enfin, à mesure que la brume se dissipait, les longs rameaux des saules, aux feuilles mousseuses et encore vertes, qui effleuraient le fleuve.

La rive, l'eau... Kieran fronça les sourcils. Ça lui revenait. L'image qui le titillait depuis qu'ils avaient trouvé le Filippi.

Il avait vu quelqu'un au bord de l'eau. Pas à l'endroit où s'était échoué le skiff, mais plus loin en amont, du côté de Temple Island. Un pêcheur, avait-il pensé. Immobile dans l'ombre. Il l'avait aperçu le dimanche soir en faisant son jogging.

Il l'avait revu le lundi soir.

Il avait pris l'habitude de courir à l'heure où Becca s'entraînait, le soir. Mais lundi, elle était en retard. Au moment où elle mettait le bateau à l'eau, lui devait déjà avoir rebroussé chemin.

Oh, Seigneur... S'il avait lambiné un peu, s'il s'était attardé quelques minutes, aurait-il pu la sauver ?

Et ce pêcheur... guettait-il Becca ? Elle était passée devant lui après avoir viré à hauteur de Temple Island, et elle était restée près de la berge où le vent et le courant lui étaient favorables pour attaquer le retour vers le Leander.

Si elle avait chaviré ou si on l'avait fait tomber du skiff, le Filippi aurait dérivé jusqu'à Benham's Woof – là où on l'avait découvert. Et Becca... le courant l'aurait emportée vers la chaussée.

Kieran se leva. Il voulait, dès qu'il ferait grand jour, examiner le secteur où il avait aperçu cet homme. Mais tout se mit soudain à tourner, à tanguer. Quand il reprit ses esprits, il était affalé dans l'herbe.

– Putain de vertige, grommela-t-il.

Devoir supporter ces malaises qui le terrassaient sans crier gare... ce n'était pas une vie.

Il resta longtemps à regarder le ciel qui, tournoyant et tressautant, s'éclairait peu à peu. Il finit heureusement par s'assoupir. Les gémissements de Finn, qui le poussait du museau, le réveillèrent.

– Excuse-moi, mon grand, croassa-t-il, la bouche sèche. Je ne suis vraiment bon à rien.

Il leva la tête avec précaution. Ah, ça allait mieux. Dormir un peu lui avait fait du bien, comme toujours. Au bout d'un moment, il fut capable de se remettre debout et, chancelant, de rentrer dans le hangar. Il remplit la gamelle de Finn, puis s'étendit sur le lit. Il se rendormit et ne rouvrit les yeux qu'en fin d'après-midi. Il était maintenant assez solide pour s'aventurer jusqu'à Henley.

Accéder au chemin de halage côté Oxfordshire n'était pas si facile. Il aurait pu rejoindre en voiture le sentier qui partait de Marlow Road, mais ses vertiges étaient trop fréquents pour qu'il prenne le risque de conduire. Il préféra donc marcher. Il espérait voir Tavie, tout en redoutant cette rencontre.

Les rares personnes qu'il croisa, en le voyant tituber, lui décochèrent le regard dégoûté qu'on réserve aux ivrognes, mais il n'y prêta pas attention. Il voulait seulement vérifier s'il avait raison ou si le type planqué derrière les arbres n'était qu'une illusion.

Le soleil, à demi masqué par les nuages qui accouraient de l'ouest, était bas dans le ciel quand il dépassa l'entrée du Phyllis Court et s'engagea sur le sentier. Finn loucha vers la prairie jouxtant le club de foot – il savait que c'était un terrain de jeu pour les lapins – mais ne s'éloigna pas de Kieran.

Ça faisait une sacrée trotte. Kieran fut soulagé d'atteindre le bout de la dernière prairie, mais il n'avait jamais poussé plus loin et, quand il découvrit ce qui l'attendait, l'inquiétude le saisit. Un bras mort de la Tamise s'insinuait dans un bois marécageux, il fallait le traverser sur une étroite passerelle. Impossible de le contourner.

Pas à pas, cramponné aux balustrades, il réussit néanmoins à gagner la terre ferme.

Il continua, écartant les branches qui s'accrochaient à ses cheveux. Le sentier s'effaçait à mesure qu'il s'enfonçait en sinuant dans les bois.

Soudain, Kieran s'arrêta. Voilà, c'était là.

Une minuscule clairière blottie entre le sentier et le fleuve, bordée d'arbres et de broussailles rampantes. Un écriteau décrétait : PERMIS DE PÊCHE OBLIGATOIRE. L'herbe, d'un beau vert bien qu'on fût fin octobre, paraissait gorgée d'eau. Dans la boue, sur un côté de la clairière, Kieran distingua une empreinte.

Il n'osa pas s'en approcher, de crainte de détruire un indice, mais il lui sembla que le bois flotté, tout au bord, avait été dérangé. Au nord, entre les arbres, on apercevait la pointe de Temple Island.

Était-ce ici que Becca était morte ?

Le sang lui monta brutalement au cerveau. Il s'accroupit, le bras sur le dos de Finn, luttant contre le vertige. Soudain, il sentit ses cheveux se hérisser sur sa nuque.

Il connaissait cette sensation, il l'avait éprouvée en Iraq. Quelqu'un l'épiait. Finn dressa les oreilles, mais ne grogna pas. Flairait-il une présence ou captait-il les signaux corporels de son maître ?

Finn lui donna un coup de tête qui manqua le faire tomber.

– D'accord, murmura-t-il.

Il se redressa doucement, scruta le sentier d'un côté et de l'autre, le bois derrière lui.

Rien.

Une goutte d'eau s'écrasa sur sa joue. La pluie, qui menaçait depuis le matin, commençait à tomber, et la lumière baissait rapidement. S'il ne s'en allait pas tout de suite, il lui faudrait traverser la passerelle à l'aveuglette. Il n'avait pas emporté de torche électrique.

À présent, il était sûr de ne pas avoir rêvé : il avait bien aperçu un homme ici même. Mais il n'était qu'un vétéran de retour d'Iraq, un type détraqué, fichu, qui la veille avait anéanti ce qu'il lui restait de crédibilité.

Qui le croirait ?

À leur arrivée au Yard, Kincaid apprit que le grand patron était sorti déjeuner et qu'ensuite il assisterait à une réunion, prévue de longue date, à Lambeth.

Kincaid avait été tenté d'aller revoir Peter Gaskill à Shepherd's Bush, mais il n'avait pas voulu trahir la confiance de la collaboratrice de Becca. Il s'enferma donc dans son bureau pour se renseigner sur Angus Craig. Ce qu'il trouva lui déplut.

Tous les membres du corps de commandement de la police londonienne passaient d'une division à l'autre, où ils occupaient différents postes. Mais Craig avait connu plus de mutations que la moyenne et, à partir d'un certain stade, tout en continuant à monter en grade, il avait assumé de moins en moins de responsabilités.

Pensif, Kincaid se carra dans son fauteuil et appela le commissaire Lamb, un vieil ami, et le supérieur de Gemma à Notting Hill. Mark Lamb lui donnerait franchement son opinion.

– Craig ? Entre nous, c'est un roublard. Il nous est arrivé de faire partie de la même commission. Le genre de type qu'il vaut mieux ne pas contrarier. Il aime user de son pouvoir, parfois au détriment de ses collègues.

– Et les collègues de sexe féminin... des problèmes ?

– Il y a des rumeurs, dit Lamb avec réticence. Je n'ai jamais rien eu de concret, et je ne voudrais pas colporter de sales ragots, mais... j'ai eu l'impression que les femmes l'évitaient autant que possible.

– Si je te suis bien, il ne se contente pas de jouer les machos avec nos collègues de sexe féminin.

– J'en ai l'impression. Un instant, s'il te plaît.

Kincaid l'entendit murmurer quelques mots à quelqu'un, puis :

– Il faut que je te laisse. Dis à Gemma que j'attends son retour, la semaine prochaine, avec impatience.

– Je n'y manquerai pas.

Kincaid raccrochait quand on frappa à la porte. Cullen entra.

– J'ai eu Henley, annonça-t-il en s'asseyant dans le fauteuil des visiteurs. J'ai demandé à ce qu'un agent de médiation s'occupe de Freddie Atterton, malheureusement il était déjà allé à la morgue identifier le corps. Et j'ai touché deux mots au chargé des relations presse. Ils publieront le communiqué habituel – nous avons le profond regret, l'un de nos meilleurs officiers, nous mettons tout en œuvre pour définir les causes de la mort tragique de l'inspecteur Meredith, *et caetera*. Mais ils vous

147

veulent demain matin à Henley, sur votre trente et un. Cinq minutes devant les caméras.

Kincaid hocha la tête. Il n'aimait pas les interviews, mais c'était une étape nécessaire, et parfois utile, d'une enquête. Par chance, il pouvait rentrer se changer à la maison.

– Du nouveau du côté de la scientifique et des interrogatoires de cet après-midi ?

– Pas encore. Et vous, du côté d'Angus Craig ?

– On ne pourra pas creuser cette piste tant que je n'aurai pas parlé au patron.

Kincaid regarda sa montre. Dix-sept heures. Le commissaire divisionnaire commençait à lui casser les pieds, mais il ne partirait pas avant de l'avoir vu.

– Je vais rester encore un peu, Doug. Mais vous, rentrez chez vous. Je suppose que vous avez des cartons à faire. Quand quittez-vous votre appartement ?

– Ce week-end, répondit Cullen avec un grand sourire. Heureusement que je n'ai pas grand-chose à emballer.

– Alors puisque nous avons un moment de répit, je vous conseille d'en profiter. Demain, on démarre de bonne heure.

Après le départ de Cullen, Kincaid rangea des papiers tout en gardant l'œil sur la pendule. Il s'apprêtait à aller frapper à la porte du divisionnaire, lorsque la secrétaire de Childs téléphona pour lui demander de venir.

Kincaid entra sans frapper dans le bureau. Childs l'invita à s'asseoir, mais il refusa.

– Je ne vous retiendrai pas longtemps, monsieur.

Le regard implacable de Childs se durcit encore.

– Que se passe-t-il, Duncan ? Il y a du nouveau ?

Kincaid travaillait sous les ordres de Childs depuis plus de six ans, et depuis le début ils s'appelaient par leur prénom. Il considérait Childs comme un ami, d'autant plus que sa sœur leur louait la maison de Notting Hill. En cet instant, toutefois, Kincaid préférait garder ses distances.

– Saviez-vous qu'il existait un lien entre le directeur adjoint Angus Craig et Rebecca Meredith ?

Childs ne put cacher son étonnement.

– C'est Peter Gaskill qui vous a dit ça ?

Childs était un homme corpulent. Durant ces derniers mois, il s'était évertué à perdre du poids, si bien que sa peau semblait pendre sur son corps. Les plis de chair autour de ses yeux noirs en amande rendaient son expression plus impénétrable encore qu'à l'ordinaire, pourtant sa réaction renseigna Kincaid : il savait quelque chose.

Il ne répondit pas directement, pour ne pas impliquer Kelly Patterson.

– Et moi, j'aimerais savoir pourquoi vous ne m'avez rien dit. S'il existait une relation quelconque entre Rebecca Meredith et le directeur adjoint Craig, le fait que Craig vive à deux kilomètres à peine de l'endroit où on a découvert le cadavre de Meredith n'est pas insignifiant. Quelle coïncidence, n'est-ce pas ?

– Le sarcasme ne vous va pas, Duncan. Et vous n'avez pas de quoi étayer votre hypothèse, n'est-ce pas ?

Childs le soupesa du regard.

– En réalité, vous ne savez rien.

Il soupira, joignit ses mains charnues sur la surface luisante de son bureau.

– Mais je vous connais bien, vous ne lâcherez pas cet os.

– De quel os s'agit-il au juste ?

– D'un problème qui doit être géré avec la plus extrême délicatesse. Je ne dirais pas que l'inspecteur Meredith avait une *relation* avec Craig, mais elle a émis certaines... allégations... concernant le comportement de Craig à son égard. Je suis persuadé que cela n'a aucun rapport avec sa mort, mais si cela venait à se savoir, ce serait vraiment fâcheux pour la Met.

– Fâcheux ? répéta Kincaid. Je ne vois rien de plus fâcheux que le meurtre d'un de nos inspecteurs. Vous feriez mieux de m'expliquer ce qu'il y a là-dessous, Denis. Quelles sont ces allégations ?

Childs se recula dans son fauteuil.

– Bon sang, Duncan, asseyez-vous. Vous me donnez mal au crâne à rester planté comme un piquet.

À contrecœur, Kincaid s'assit au bord du siège en cuir et inox.

– Il y a un an, commença Childs, plissant les lèvres comme s'il avait un goût désagréable dans la bouche, l'inspecteur Meredith a dit à Peter Gaskill qu'elle avait rencontré Angus Craig lors d'un petit raout – un pot de départ à la retraite, je crois. Comme ils étaient voisins ou presque, il lui a offert de la raccompagner. Quand ils sont arrivés chez elle, il a souhaité entrer un moment. Et il l'a... agressée.

Kincaid n'avait jamais vu le patron hésiter ainsi à prononcer un mot.

– Agressée... c'est le terme politiquement correct. Qu'a dit exactement Rebecca Meredith ?

– Elle a dit...

Childs fit pivoter son fauteuil, si bien qu'il était face à la fenêtre et n'avait plus à soutenir le regard de Kincaid.

– Elle a dit qu'il l'avait violée. Et ensuite, du moins selon Meredith, il l'a menacée, si elle portait plainte, de la faire virer. Elle a fait prélever un échantillon de son ADN, après quoi elle s'est adressée à Gaskill.

– Et qu'a fait le commissaire Gaskill ?

Childs se retourna vers lui, l'air peiné.

– Peter Gaskill lui a tenu le langage de la raison : si ses allégations étaient rendues publiques, l'affaire dégénérerait en pugilat – accusation, contre-accusation. Elle n'avait aucun moyen de prouver qu'elle n'était pas consentante au départ et avait ensuite changé d'avis. Cela flétrirait l'honneur de la police et elle-même pourrait dire adieu à sa carrière. Plus aucun policier ne voudrait d'elle dans son équipe.

« Il lui a promis qu'on suggérerait à Craig de prendre sa retraite, immédiatement et discrètement, afin que les femmes de la Met n'aient plus rien à craindre. Il a promis que Craig écoperait d'un blâme.

Kincaid le dévisagea.

– Vous plaisantez.

L'imperturbable Childs le fusilla du regard.

– Vous auriez trouvé une meilleure solution, Duncan ? dit-il d'un ton sec. Ces dernières années, il y a eu assez de publicité négative à l'endroit de la police, vous ne l'ignorez pas. Certains éléments, dans nos rangs, ont publiquement accusé leurs pairs de racisme, de discrimination sexuelle et d'incompétence. L'histoire de Rebecca Meredith aurait été désastreuse. Et cela aurait effectivement anéanti sa carrière sans rien résoudre.

Kincaid suffoquait.

– Mais maintenant qu'elle est morte, on n'a plus à se soucier de sa carrière, je présume ? Et ses collègues ? Les autres femmes, en général ?

– Vous partez du principe que les allégations de Meredith sont véridiques, or nous n'en savons rien. Craig a nié, bien sûr.

– Évidemment.

Kincaid se leva – bouger lui permettait peut-être de maîtriser sa colère.

– Pourquoi Meredith aurait-elle inventé un truc pareil ? C'était suicidaire. Et je vous signale que Craig n'a pas pris immédiatement sa retraite, j'ai vérifié cet après-midi. Il l'a prise voici deux semaines, il est toujours consultant et, cerise sur le gâteau, il a été décoré. Vous parlez d'un blâme ! Becca Meredith a dû en être révoltée. Elle a dû se sentir abominablement trahie par ses supérieurs.

Une ride s'imprima sur le large front de Childs. Il tripota le stylo Montblanc posé sur le buvard, puis regarda Kincaid dans les yeux.

– Ne soyez pas excessif, Duncan. Ce n'est pas tout blanc ni tout noir. Vous vous apercevrez que Rebecca Meredith ne se simplifiait pas la vie et ne la facilitait pas aux autres. Elle avait ses priorités. Elle désirait prendre un congé sabbatique rémunéré pour se consacrer à l'aviron.

– Ça alors… c'est incroyable. Vous essayez de me dire que Rebecca Meredith faisait chanter la Met.

– Je dis qu'on lui avait soumis une proposition, et qu'elle y réfléchissait.

– Une proposition...

Rebecca Meredith était-elle prête à tout pour s'entraîner ? Ne cherchait-elle pas plutôt à tirer au moins un petit avantage de l'horreur que lui avait fait subir Craig ?

– Et si elle avait refusé ?

– Alors, nous aurions été contraints d'en subir les conséquences, dit Childs dans un soupir.

Kincaid s'approcha de la fenêtre et, sans regarder son supérieur :

– Pourquoi au juste teniez-vous tant à ce que je me charge de cette affaire ?

– Parce que vous êtes mon meilleur élément. Parce que je pensais que vous iriez au fond des choses. Et je pensais pouvoir compter sur votre discrétion.

Il faisait nuit à présent, la pluie tombait, brouillait les lumières de Victoria Street et, tout autour, du quartier de Westminster.

Kincaid était si indigné qu'il eut du mal à trouver les mots justes.

– Angus Craig avait à la fois un mobile pour tuer Rebecca Meredith et l'opportunité de commettre ce meurtre. Vous comptiez sur moi pour négliger ces détails ?

– Je ne doutais pas que vous accompliriez minutieusement votre travail. Je n'en doute toujours pas. Je sais aussi que vous ne porterez pas d'accusations infondées contre un autre policier.

Childs extirpa son imposante carcasse du fauteuil.

– Et maintenant, des obligations familiales m'appellent. La sœur de Diane vient passer deux semaines à la maison. Quelle plaie.

La main sur la poignée de la porte, Childs se retourna.

– Naturellement, Duncan, je compte sur vous pour me tenir informé.

Autrement dit, Childs le renvoyait à ses chères études.

« *Ô souris, savez-vous comment on pourrait sortir de cette mare ?* » lut Kincaid en imitant de son mieux la voix d'Alice. « *Je suis bien fatiguée de nager, ô...* »

– Non, protesta Charlotte qui, glissant sa menotte sous la sienne, tourna plusieurs pages. Lis avant.

– Quand elle tombe dans la mare ?

Le livre sur les genoux, il était assis sur le lit blanc de la fillette qui s'était poussée pour lui faire de la place.

Il avait quitté le Yard tout de suite après son entretien avec Denis Childs et filé à la maison où l'attendait l'habituel tohu-bohu du soir. Les chiens et les deux petits l'avaient accueilli avec enthousiasme.

– Qu'est-ce que tu fais ici ? lui avait demandé Gemma quand il avait enfin réussi à l'embrasser. Je pensais que tu passerais une autre nuit à Henley, au minimum.

– Tu as encore un rancard avec le laitier ?

Mais son malaise n'avait pas échappé à Gemma.

– Qu'est-ce qui s'est passé ? Est-ce que...

– C'est qui, le laitier ? avait caqueté Toby. On a pas de laitier !

– Occupe-toi de tes oignons, et ne coupe pas la parole à ta maman.

Toby ne se décourageait pas pour si peu.

– Kit, il fait un sauté de légumes. Il me les laisse couper, les légumes. Tu veux nous aider ?

– T'aider à te couper les doigts ? Avec plaisir !

Et il s'était coulé dans le train-train familial, tout en essayant de mettre un peu d'ordre dans ses idées. Puis il avait fait la lecture à Charlotte – c'était son tour – pendant que Gemma donnait son bain à Toby. C'était Charlotte qui avait choisi le livre – un vieux bouquin de Kit rangé dans la bibliothèque du salon. En voyant le titre, Kincaid avait sourcillé.

– Elle n'est pas trop jeune pour *Alice* ? avait-il demandé à Gemma.

– Ce n'est pas son avis. Pour l'instant, elle ne veut que cette histoire. Moi aussi, j'aime bien.

153

– Tu ne l'as pas lue quand tu étais gamine ? s'était-il étonné.

Mais les proches de Gemma n'étaient pas des mordus de lecture. Du coup la littérature enfantine était pour elle une découverte.

Il remonta le duvet jusqu'au nez de Charlotte qui pouffa de rire et s'empressa de le repousser. Elle tapota le livre.

– Lis ça. Le « Buvez-moi ».

Docilement, il chercha la bonne page.

– *« Je me sens toute drôle », dit Alice, « on dirait que je rentre en moi-même et que je me ferme comme un télescope. » C'est bien ce qui arrivait en effet. Elle n'avait plus que dix pouces de haut, et un éclair de joie passa sur son visage à la pensée qu'elle était maintenant de la grandeur voulue pour pénétrer par la petite porte dans ce beau jardin. Elle attendit pourtant quelques minutes, pour voir si elle allait rapetisser encore. Cela lui faisait bien un peu peur. « Songez donc, se disait Alice, je pourrais bien finir par m'éteindre comme une chandelle. Que deviendrais-je alors[1] ? »*

– Pff..., fit-il, soufflant une bougie imaginaire.

– T'inventes ! protesta Charlotte. C'est pas bien, d'inventer des choses.

– Le monsieur qui a écrit cette histoire, Lewis Carroll, a tout inventé. Du début à la fin.

Les yeux de la fillette s'arrondirent.

– Même Alice ?

– Même elle.

– Non, décréta Charlotte. C'est bête, parce que c'est son histoire, à Alice. Tu crois que ça lui a plu de rapetisser ?

– Je ne sais pas, dit Kincaid après mûre réflexion. Ça te plairait, à toi ?

– Non. Moi ze veux grandir.

Kincaid en eut un pincement au cœur.

– Alors il faut fermer les paupières et dormir pour

---

1. Traduction de Henry Bué.

être plus vite à demain et se rapprocher de ton anniversaire.

– Tu crois ?

– Absolument.

– D'accord.

Charlotte ferma les yeux avec application, et les rouvrit brusquement.

– Tu restes zusqu'à ce que ze dorme ?

– Oui, promis.

– Et après, tu viendras voir si ze dors ?

– Oui. Maintenant on se pelotonne sous les couvertures et on fait de beaux rêves.

Il borda la fillette qui lui prit la main et la coinça sous son menton. Bientôt ses paupières se fermèrent et elle s'endormit. Il n'avait jamais rien vu d'aussi adorable que ces petits doigts caramel sur sa main, ces ongles pareils à des perles roses. Il s'émerveillait que cette enfant ait fait irruption dans sa vie et qu'elle commence à l'aimer. Il espérait devenir le père qu'elle méritait.

Tout doucement, il posa un baiser sur sa joue et dégagea sa main. Quand il leva la tête, il vit Gemma sur le seuil de la chambre. Elle les observait en souriant.

– Tu es un faiseur de miracles.

– Remercions plutôt Alice. Et Toby ?

– Il bouquine un truc nettement moins ardu. *Pirates des Caraïbes* version BD.

– Du moment qu'il ne se plonge pas dans le *Daily Mirror*...

– Pas encore, rétorqua Gemma qui le dévisageait. Descendons à la cuisine. Je viens de mettre la bouilloire à chauffer. Tu vas me raconter ta journée.

Ils s'attablèrent, les chiens à leurs pieds. La théière Clarice Cliff – la fierté de Gemma – trônait entre eux, mais ils burent leur thé dans des mugs ébréchés et dépareillés, dénichés aux puces de Portobello. L'Aga bleu foncé diffusait une réconfortante chaleur. Dehors il pleuvait et il faisait froid.

155

Il relata à Gemma tout ce qu'il avait appris sur la mort de Rebecca Meredith puis, dans ses grandes lignes, sa discussion avec Denis Childs.

– Je ne veux pas de cette affaire, conclut-il.

– Tu te désisterais ? dit Gemma, choquée. Mais tu ne peux pas.

– Je te rappelle que je suis sur le point de partir en congé.

– Je n'ai pas oublié, soupira-t-elle. Et moi aussi, je veux que tout ça soit réglé au plus vite. Mais refuser une affaire pareille... tu sais bien quel impact ça aurait sur ta carrière.

– Tu voudrais que je... rectifie... la direction prise par l'enquête pour protéger un cadre supérieur de la Met ?

– Non, mais... Et Rebecca Meredith ? dit Gemma avec cette probité qu'il aimait tant. Tu ne veux pas savoir qui l'a tuée ? Elle ne mérite pas qu'on réponde à cette question, quelles que soient les conséquences ?

– Tu te rends compte que les conséquences pourraient être très lourdes, s'il s'avère que Craig l'a assassinée ? Et que pour nous, l'enjeu n'est pas mince ? ajouta-t-il avec un geste qui désignait à la fois la maison et les enfants endormis dans leurs chambres à l'étage.

Silencieuse, Gemma versa dans leurs tasses le reste de thé et vida le petit pot à lait Clarice Cliff.

– J'ai confiance en Denis Childs. Mais ce... Quel est son nom, déjà ? Craig ?

– Angus Craig. Un nom qui sent bon l'Écosse et qui, dans d'autres circonstances, me plairait bien. Mais je...

Il s'interrompit. Gemma ne l'écoutait plus.

– Chérie ?

– Un blond ? Pas très grand, assez costaud ? demanda-t-elle d'une voix qui grimpait dans les aigus.

– Je ne l'ai rencontré que deux ou trois fois, mais oui... il ressemble à ça. Pourquoi, tu...

– Oh, bon Dieu ! s'exclama-t-elle, les yeux écarquillés. Rebecca Meredith a dit qu'il avait proposé de la raccompagner et qu'ensuite il lui avait demandé la permission d'entrer chez elle ?

– Oui. Gemma, qu'est-ce que...

– C'était à l'époque où j'ai passé le concours interne, un mois ou deux avant d'être affectée à ton équipe. Je suis allée à une petite fête dans un pub de Victoria Street. Je ne me rappelle pas à quelle occasion – peut-être un départ à la retraite. Une bonne soirée, mais quand ça s'est terminé, il tombait des hallebardes. Je n'avais pas pris ma voiture pour pouvoir boire un verre et, quand on s'est séparés, quelqu'un a dit que le métro était fermé. Il... il a proposé de me raccompagner.

– Craig ?

– Lui-même. J'en suis certaine. Débordant de sollicitude. Galant, un peu paternel. Et directeur adjoint par-dessus le marché... Je suppose que j'ai été flattée.

Elle déglutit, fit tourner son mug sur la table éraflée.

– Bref, j'ai accepté. On a bavardé pendant le trajet, de tout et de rien. On a parlé cinéma, je crois. Et puis, quand on est arrivés à Leyton, il m'a demandé s'il pouvait entrer. Il avait bu de la bière, il avait fait un crochet pour me déposer et il avait un besoin pressant. J'ai répondu que oui, bien sûr, même si la maison était dans un état effarant.

Kincaid bougea nerveusement sur sa chaise, dérangeant Geordie, le cocker, qui ronflait à ses pieds et émit un *whoumf* mécontent.

– Je ne lui avais rien dit de ma situation personnelle. Pourquoi aurais-je fait des confidences à un type que je ne connaissais pas, un cadre supérieur de surcroît ? J'étais assez embêtée d'être une maman divorcée de fraîche date et qui élevait seule son enfant. J'espérais que ça ne compromettrait pas mon avenir professionnel. Il s'est sans doute imaginé que je vivais seule.

« Mais ce soir-là, ma mère était venue garder Toby. Bien entendu, Toby avait piqué sa crise et refusé de se calmer. Toujours est-il que, quand on est entrés, maman arpentait le salon avec un môme en larmes dans les bras. Craig a tourné les talons et fichu le camp sans même dire au revoir. J'ai trouvé ça bizarre, mais j'ai pensé qu'il était peut-être gêné d'avoir dit qu'il avait besoin de pisser. Ou qu'il craignait de glisser sur une couche sale.

Elle haussa les épaules.

— Ensuite, l'incident m'est sorti de la tête. Je n'ai plus jamais croisé cet homme. Mais...

— Mais quoi ? murmura Kincaid, soudain glacé, car il devinait le scénario que Gemma avait à l'esprit.

— Si ma mère n'avait pas été là ? Angus Craig comptait peut-être me faire ce qu'il a fait à Rebecca Meredith ?

Lorsque Kieran regagna le hangar à bateaux, il faisait nuit noire. Trempé et frissonnant, il était tout étourdi. Ça sifflait dans sa tête, signe en général que le vertige allait empirer.

Il alluma une lampe, sécha Finn avec une serviette et lui donna des croquettes. L'idée de se préparer à manger lui retourna l'estomac.

À quand remontait son dernier repas ? La barre protéinée qu'il avait mangée hier avant la battue ? Pas étonnant qu'il se sente patraque.

Il s'écroula sur son lit de camp, sans même avoir la force de se sécher. Les images se bousculaient dans son esprit, comme les séquences d'un mauvais film.

Il devait dire à quelqu'un ce qu'il avait vu. Mais à qui ?

Tavie ne lui adresserait sans doute plus jamais la parole. Le commissaire du Yard ? Il avait l'air d'un type qui savait écouter, mais comment le joindre directement ? Kieran ne s'imaginait pas essayant d'expliquer la situation à un flic du commissariat local — en admettant qu'il ait l'énergie de se traîner jusque-là.

Soudain tout se mit à tourner. Il s'agrippa au bord du lit, se préparant à subir l'assaut du vertige. Mais ça ne vint pas, et il poussa un soupir de soulagement. Après avoir englouti les dernières miettes de ses croquettes, Finn vint se coucher par terre, la tête sur ses pattes, les yeux rivés sur le visage de son maître.

Celui-ci attendit, comptant les secondes. Il commençait à penser qu'il allait peut-être s'en tirer pour cette fois – ou du moins qu'il serait assez solide pour se changer, avaler un sandwich et du café. Ensuite, il réfléchirait à ce qu'il pouvait faire au sujet de l'homme aperçu sur la berge.

Il se relevait avec précaution quand il entendit un léger bruit à l'extérieur, un éclaboussement. Finn dressa les oreilles, pencha la tête et grogna sourdement, l'échine hérissée.

Et tout à coup, le monde explosa.

11

« L'un des bateaux empruntés par Harry était un superbe double-scull en bois, fabriqué en Suisse et qui appartenait à Gail Cromwell, la veuve du célèbre champion Sy Cromwell, mort d'un cancer en 1977... Gail pensait que le double de Cromwell était toujours capable de remporter une médaille olympique. »

Brad Alan Lewis,
Assault on Lake Casitas

– AGNEAU, dit Ian en agitant un sac en papier sous le nez de Tavie. Bébé mouton. Bêêê... Le régal du végétarien.

Il revenait du kebab en face du commissariat, et un fumet d'agneau rôti envahissait la salle de repos de la caserne des pompiers.

– Fais gaffe, ou tu vas y avoir droit, riposta-t-elle, montrant du menton la cour où l'équipe faisait de l'exercice sous les ordres du capitaine.

Ce soir, ils étaient tous deux affectés au VSAV – ou véhicule de secours et d'assistance aux victimes. À l'heure où l'équipe dînait, ils secouraient une vieille dame qui avait fait une chute. À leur retour, Ian s'était porté volontaire pour aller au kebab. Cela lui donnait un bon prétexte pour taquiner Tavie qui était végétarienne par conviction, mais ne pouvait s'empêcher de saliver dès qu'une odeur de viande lui chatouillait les narines.

Une réaction génétique, peut-être, inscrite dans l'ADN de ses lointains et nordiques ancêtres chasseurs-cueilleurs, au temps où un morceau de viande grésillant sur le feu faisait toute la différence entre la survie et la mort.

– Tu as pris mon houmous et mes falafels ? demanda-t-elle.

– Bien sûr, madame !

Ian posa sur la table le second sac en papier, qu'il tenait derrière son dos. Il approcha une chaise en plastique, s'assit et ouvrit son propre sac.

– Ian, tu es une perle.

Tavie renifla son dîner – une pita chaude garnie de falafels croustillants, d'une généreuse ration de houmous, de sauce à la coriandre, d'un peu de laitue, de concombre et de tomate. Une ragougnasse dégoulinante qui sentait divinement bon. Le végétarisme offrait quand même quelques compensations.

Elle allait s'y attaquer quand elle fronça le nez à la vue des taches marron et des miettes impossibles à identifier répandues sur la table.

– Mais qu'est-ce qu'ils ont bouffé ? Et qui a nettoyé ?

– Chili con carne, à mon avis, répondit Ian, la bouche pleine. C'est le nouveau qui était de corvée de cuisine.

Tavie saisit un torchon et déblaya un petit carré, l'espace nécessaire pour poser son sac.

– Eh bien, Bonzo – ou Bozo, je ne sais plus comment il s'appelle – aura affaire à moi dès que le capitaine en aura fini avec lui. Cette table est dégoûtante.

– Il s'appelle Brad. Il m'a l'air plutôt sympa, ce gamin.

– Ouais, il me fait penser à mon ex. Sympa, grogna-t-elle.

– Tu es cruelle.

– Et toi, tu es un gros nounours, répliqua-t-elle en souriant.

Elle aimait faire équipe avec Ian. Interne en médecine, il travaillait dur pour terminer ses études, et ne lui en voulait pas d'être plus qualifiée que lui.

Dans leur boulot, ils traitaient toutes sortes de cas : malades, pensionnaires de maisons de retraite en détresse, accidentés, crises cardiaques, attaques cérébrales, sans oublier, à l'occasion, le cinglé complètement parano.

Ian était décidé et patient, des qualités appréciables pour ce job. Il était marié, père de deux enfants adorables. Sa compétence, son calme, feraient de lui une bonne recrue pour le Service d'incendie et de secours, Tavie en était persuadée.

Quoique... elle avait pensé la même chose de Kieran, or le résultat laissait à désirer.

Sa bonne humeur et son appétit s'envolèrent. Elle revoyait le visage de Kieran lorsqu'elle l'avait enguirlandé, la veille. Il paraissait désespéré, et elle aurait donné n'importe quoi pour effacer ses paroles.

Elle n'avait pas fermé l'œil de la nuit, se demandant s'il ne faudrait pas téléphoner à Kieran pour s'assurer qu'il allait bien. Aujourd'hui, elle n'avait pas eu un instant de répit pour lui passer un coup de fil. De toute façon, elle ne savait pas que lui dire.

– Mange ce falafel, ou je te le chipe. Moi aussi, j'aime ça.

– Bas les pattes...

Elle éprouva soudain le besoin de se confier, sans toutefois raconter en détail ce qui s'était passé durant la battue et après.

– Ian... si tu avais dit des horreurs à un ami – des vérités, peut-être, mais quand même des horreurs –, comment tu t'y prendrais pour t'excuser ?

– Je lui paierais une bière.

– J'ai intérêt à trouver mieux, rétorqua-t-elle en levant les yeux au ciel, vu que je lui ai reproché d'avoir bu.

– Tu étais devant le Magoo's, pas vrai ? Avec le type un peu dingue qui répare des bateaux ?

– Mais comment tu...

Oh, bon Dieu. Elle aurait dû s'en douter. Chacun de ses mots avait été entendu et aussitôt colporté dans toute la ville.

– Il n'est pas dingue. Il était brancardier secouriste, en Iraq.

162

– Merde, murmura Ian, brusquement sérieux. Syndrome de stress post-traumatique ?

– Je crois, oui. Et il a été blessé à la tête. Mais il n'en parle jamais – elle hésita, poursuivit avec gêne : J'ai pris... hmm... quelques renseignements avant de lui proposer d'intégrer le service.

Elle en avait honte, même si elle était en droit de fouiner dans le passé de Kieran.

– Son unité a été décimée. Une bombe artisanale.

– Pauvre bougre... Mais qu'a-t-il fait de si abominable pour mériter une engueulade ? On m'a dit qu'il y avait eu une battue, hier.

Il était au courant, naturellement.

– Écoute, Ian, je n'aurais pas dû te...

La sirène de la caserne lui coupa la parole.

– Tu aurais dû manger, voilà ce que tu aurais dû faire, dit Ian en engouffrant le dernier morceau de kebab. Le micro-ondes, c'est pas terrible pour les falafels et ça flétrit la salade.

– Chut...

Malgré les vrombissements de moteur, dans la cour, et les vociférations des membres de l'équipe qui enfilaient leur tenue, elle avait entendu et compris deux mots prononcés par le dispatcher. « Feu » et « île ».

Son talkie-walkie grésilla – on avait besoin du VSAV.

– On a peut-être des blessés, annonça le dispatcheur. Explosion et feu de bâtiment sur l'île en face de Mill Meadows.

Tavie courait déjà vers le véhicule.

Le Volvo fut dans la rue avant que l'autopompe ne soit sorti de la cour. Tavie accéléra encore, si bien que Ian, pourtant d'une placidité à toute épreuve, en principe, s'agrippa d'une main au tableau de bord en bouclant de l'autre sa ceinture de sécurité. Ils filèrent à fond de train le long de West Street jusqu'à la place du marché. Derrière eux, la sirène du fourgon hurlait, et des éclats de lumière bleue ricochaient sur le rétroviseur de Tavie.

163

– Vite, vite, bon sang ! marmonna-t-elle, autant pour elle-même que pour les gars qui les escortaient.

– Qu'est-ce qui te prend, Tav ? rouspéta Ian, les dents serrées. Tu cherches à nous tuer ?

– J'ai peur que...

Elle n'eut pas le courage d'achever sa phrase.

– Cramponne-toi. Le fourgon devra passer par le parking du musée de l'Aviron, mais nous, on va se rapprocher.

Elle effectua un virage au cordeau qui faillit propulser le véhicule contre l'angle du pub, The Angel on the Bridge. Au bout de Thames Side, elle fonça entre deux des bornes limitant l'accès au sentier pavé qui s'étirait entre le fleuve et Mill Meadows. S'il y avait des promeneurs nocturnes dans les parages, ils avaient intérêt à faire attention.

Les phares éclairaient au passage les bancs et les poubelles sur la droite, le ruban noir du fleuve sur la gauche. Des branches de saule égratignaient le toit du Volvo. Sur l'autre rive, la lumière brillait aux fenêtres des maisons et des cottages de l'île.

Et soudain, elle vit les flammes et les étincelles qui s'élevaient dans le ciel. On aurait cru que le fleuve était en feu.

Mais c'était bien le hangar à bateaux qui brûlait, son intuition ne l'avait pas trompée. Elle reconnaissait ce méandre du fleuve, les cottages qui flanquaient le hangar.

Des silhouettes noires se détachaient sur ce fond rougeoyant.

Quand Tavie estima qu'ils étaient juste en face du bâtiment, sur la rive opposée, elle coupa le moteur et jaillit du véhicule, sa sacoche à la main. La sirène se tut et, dans le silence, elle entendit, sur l'île, des gens qui criaient. L'autopompe était encore loin.

Ian vint se camper à son côté.

– Merde alors. Comment on fait pour traverser ?

Une pénichette était amarrée à quelques mètres de là, apparemment inoccupée.

164

– Les autres ne vont pas se marrer pour descendre du musée jusqu'au bâtiment, ajouta Ian.

Un homme, sur l'île, les avait aperçus. Il se mit à agiter frénétiquement les bras.

– Hé ! brailla-t-il. Vous pouvez nous aider ? Où sont les pompiers ?

– Ils arrivent ! On est médecins, cria Tavie. Venez nous chercher avec le canot ! Vous ne pouvez rien faire de plus tant que le camion n'est pas là !

L'homme hésita un instant, puis détacha l'embarcation – le canot de Kieran, attaché au ponton –, sauta dedans et rama jusqu'à eux. Il savait manier des avirons.

– J'ignore comment c'est arrivé, leur dit-il en manœuvrant pour se ranger le long de la berge. J'habite juste à côté. Ma femme et moi, on regardait la télé. Il y a eu une explosion, et puis le feu s'est déchaîné.

Tavie n'avait pas le pied marin. Elle embarqua prudemment, imitée par un Ian plus téméraire. L'homme se remit à ramer.

– Est-ce que Kieran est... Il y a des blessés ? bredouilla Tavie.

On la surnommait « la reine des glaces », parce qu'elle était généralement d'un calme imperturbable, mais à présent son cœur cognait si fort qu'il semblait sur le point de lui crever la poitrine. Elle comprit alors que Kieran avait dû éprouver la même sensation lorsqu'ils cherchaient Rebecca Meredith et que ses pires craintes s'étaient concrétisées. La peur lui noua l'estomac.

– Tu connais le propriétaire du hangar ? lui demanda Ian, déconcerté. Ne me dis pas que c'est le type qui...

Elle ne répondit pas, concentrant son attention sur l'homme qui ramait.

– S'il vous plaît... quel est votre nom ?

– John.

– John... il y a des blessés ?

– Je n'en sais rien. On n'a pas pu s'approcher.

Un craquement terrible retentit, une gerbe d'étincelles jaillit dans le ciel.

– Et merde, grommela John en poussant sur les avirons avec tant de force que l'avant du canot se souleva. Ma femme... Il faut sortir les gens de là. Mais où sont les pompiers, bon Dieu ?

Tavie tourna la tête. Des éclairs bleutés progressaient lentement en direction de la rive.

– Ils arrivent.

– S'ils ne se dépêchent pas, il ne restera plus rien.

Ils avaient atteint la berge. Tavie sauta sur le ponton et faillit perdre l'équilibre. Elle distingua une femme devant le cottage voisin du hangar.

– John ! hurla-t-elle. Ils sont là ? Tout va péter si...

– Éloigne-toi de là, Janet !

John amarra le canot et fit signe à son épouse de se réfugier sur le petit terrain à droite du cottage.

Le fourgon s'était arrêté le long de la rive. Les gars seraient bientôt prêts à intervenir.

– Ne restez pas dans les parages, ordonna Tavie à John, puis sans plus penser à rien elle s'élança vers les flammes.

– Tav, tu es folle ou quoi ?

Elle fit la sourde oreille. Il n'y avait que quelques mètres entre le ponton et le hangar, elle eut tôt fait de les parcourir. La chaleur lui écorchait la figure.

Soudain, elle discerna une forme noire et, dans le rugissement du feu, perçut le cri aigu, plaintif, d'un chien.

– Finn ! Finn !

Le labrador aboya mais ne se précipita pas à sa rencontre. Se protégeant le visage avec son bras, elle avança encore et comprit pourquoi Finn ne bougeait pas. Il refusait de quitter son maître.

Kieran était sur le sol, face contre terre, les jambes largement écartées, les bras sous lui. Il avait dû tomber sans même essayer de se rattraper.

Le professionnalisme de Tavie prit le dessus. Elle saisit la torche glissée dans son ceinturon et s'approcha au pas de course. Ian, qui l'avait rejointe, grommela :

166

– Tu es givrée, totalement givrée.

Elle s'accroupit, promena le pinceau lumineux sur le corps inerte de Kieran. Finn se mit à gémir et voulut lui lécher la figure.

– Tout va bien, mon grand, tout va bien. Assis. Oui, c'est bien.

Le chien obéit, tremblant d'angoisse. Tavie toucha l'épaule de Kieran et sentit un tressaillement rassurant.

– Kieran, c'est moi. Tu peux te tourner ? Tu peux bouger ?

Avec un grognement, il roula sur le flanc.

– Il faut que je... Finn...

– Ne parle pas.

Elle éclaira son visage et, un instant, crut qu'il était en partie carbonisé. Mais non, elle sentait sous ses doigts un liquide épais. Du sang.

– Ma tête, gémit-il. Quelque chose m'est tombé dessus...

– On doit te sortir de là. Tu peux te lever ?

Elle passa un bras sous son aisselle, Ian fit de même. Ils le mirent debout, mais il essaya de se dégager.

– Le bateau...

– Il ne risque rien.

– Non, celui... que je construis...

Chancelant, il fit un pas vers une forme longue et effilée, cachée sous une bâche.

– Le laissez pas brûler... C'est son bateau à elle...

Des cris, le halètement de la pompe. Tavie reconnut la voix du capitaine qui vociférait :

– Dégagez la zone ! On dégage !

La puissance du jet propulsé par la lance d'incendie pouvait causer de sérieux dégâts – sans parler de ce qui risquait de se produire si le hangar sautait avant que le feu ne soit sous contrôle. Kieran utilisait des solvants pour réparer les bateaux – une pensée qui fit frémir Tavie.

– Viens, Kieran, dit-elle.

Ian et elle l'empoignèrent, le soulevant à demi pour l'entraîner hors du bâtiment. Ils avancèrent péniblement, telle une chenille humaine. Finn courait devant, les regardait, jappait.

– Il faut mettre Finn à l'abri, d'accord ? dit Tavie. Tu peux y arriver.

Kieran tourna vers elle son visage ensanglanté. Pour la première fois, elle lut dans ses yeux, avec soulagement, qu'il la reconnaissait.

– Tavie... on a balancé un cocktail Molotov par la fenêtre, bredouilla-t-il, plus désemparé que furieux. Quelqu'un a voulu me faire sauter.

Gemma restait immobile, si horrifiée par ce qu'elle venait d'apprendre qu'elle en oubliait de boire son thé. Avait-elle imaginé le regard glacial d'Angus Craig, cette nuit-là, quand il avait vu sa mère et Toby ? Il lui semblait que non. Avait-elle échappé de peu à... une abomination inconcevable ?

La rage crispait les traits de Kincaid.

– Je l'aurais tué. S'il avait osé poser la main sur toi, je l'aurais tué.

Le ton de sa voix la fit frissonner de la tête aux pieds. Elle ne lui avait entendu ce ton-là, froid et implacable, qu'en de rares occasions, et toujours quand il s'adressait à un meurtrier.

– Tu ne me connaissais pas, à l'époque.

– Si je l'avais découvert, ça n'aurait rien changé.

Mais le lui aurait-elle dit ? Et qu'aurait-elle fait, si Angus Craig l'avait effectivement violée puis menacée de la faire virer de la police ? Elle avait un enfant à élever, sans pouvoir compter sur un ex-mari insolvable. Et elle aimait passionnément son travail, voulait par-dessus tout faire ses preuves, grimper les échelons.

Tout ce que Peter Gaskill avait dit à Rebecca Meredith aurait été également valable pour Gemma. On l'avait vue quitter le pub en compagnie de Craig. Comment prouver qu'elle n'avait pas accepté de coucher avec lui, pour ensuite changer d'avis ?

168

Si l'affaire avait été jugée, ce qui était peu probable, l'avocat de Craig aurait allègrement détruit sa réputation. Elle avait trop souvent vu ce que des avocats pouvaient infliger aux femmes qui portaient plainte pour viol. On avait constaté des hématomes, une déchirure vaginale ? *Cette dame aime qu'on la brutalise un peu*, évidemment. On semait le doute, et au diable la vérité.

Après une histoire pareille, même si la Met avait été dans l'incapacité de la renvoyer, elle aurait été traitée en paria.

Rebecca Meredith avait plus de poids que Gemma n'en avait à l'époque, elle était plus gradée, pourtant cela ne l'avait pas tirée d'affaire.

La voix de Kincaid, pressante, la ramena au présent.

— Tu es bien sûre, Gemma, qu'il n'a pas...

— Il ne m'a pas touchée. Mais... je me demande... et si l'ex de Becca était au courant ? S'il l'avait découvert ? Aurait-il réagi comme toi ?

— Peut-être, il m'a semblé très protecteur envers elle. Mais dans ce cas, c'est Craig qu'il aurait tué, pas Becca.

— Et s'il était jaloux ?

— Assez jaloux pour la tuer parce qu'elle avait été violée ? Possible, mais tordu. Or, je ne crois pas que Freddie Atterton soit tordu.

— Ce Atterton t'est sympathique, n'est-ce pas ?

Kincaid haussa les épaules.

— Oui, sans doute. Il est le bouc émissaire idéal pour faire oublier le linge sale du Yard, ce qui me déplaît fortement. Je le considère donc comme innocent jusqu'à preuve du contraire. D'instinct, je miserais sur Craig.

Gemma se leva et posa leurs tasses dans l'évier pour les rincer.

— Tu ne m'étonnes pas. Il y a pourtant une chose que je ne comprends pas. Pourquoi maintenant ? C'est l'année dernière que Rebecca Meredith l'a dénoncé à Peter Gaskill.

— À mon avis, elle a appris qu'il était parti à la retraite avec les honneurs et une médaille par-dessus le marché, dit Kincaid qui se pencha pour grattouiller les oreilles de Geordie. Elle faisait confiance à son supérieur hiérarchique, or il l'a trahie. Elle devait être folle de rage. Je suis surpris qu'elle n'ait pas étranglé Gaskill.

Les mains mouillées, Gemma se rassit à la table.

– Elle était sans doute furibonde, mais totalement impuissante. Pourquoi Craig l'aurait-il assassinée ?

– À moins… à moins qu'elle ait eu d'autres munitions ou de nouvelles cartouches. Qu'elle ait trouvé le moyen de prouver qu'elle n'était pas consentante. Ou bien… si on étudie la chronologie…

Il fourragea dans ses cheveux, comme toujours quand il réfléchissait, ce qui le faisait ressembler à un hérisson.

– Il a essayé avec toi voici quatre ans, et Meredith a été violée il y a un an. Qu'est-ce que Craig a fabriqué dans l'intervalle ? Voire avant ? Je mettrais ma tête à couper que c'est un récidiviste. Becca Meredith et toi n'avez certainement pas été ses seules victimes.

Il prit la main de Gemma, la serra avec tant de force qu'elle grimaça.

– S'il avait réussi son coup avec toi, Gemma, qu'est-ce que tu aurais fait ?

Malgré sa répugnance à imaginer un tel scénario, elle réfléchit longuement avant de répondre.

– Je n'aurais eu personne vers qui me tourner, du moins personne que j'aurais pu croire digne de confiance. Becca, elle, s'est fiée à Peter Gaskill, et elle a eu tort. J'aurais su, comme elle, que si cette histoire s'ébruitait, ce serait fatalement la fin de ma carrière. Mais j'aurais voulu trouver… une manière de… une arme qui me donne le pouvoir, un jour ou l'autre, de le démolir.

Elle songea aux autres femmes, des officiers de police nantis de maris ou d'enfants, qui consacraient beaucoup d'énergie à leur carrière ou travaillaient simplement pour toucher leur paye et faire bouillir la marmite.

– Et si certaines de ces femmes – parce que je pense que tu as raison, il y a d'autres victimes… Si elles avaient porté plainte pour viol, mais contre X ? Dans ce cas, il y aurait une trace, des prélèvements d'ADN. La possibilité, éventuellement, de s'en servir contre lui.

Si ces femmes avaient agi de cette façon, s'étaient-elles ensuite murées dans le silence pendant des mois, des années ? Ce mensonge avait-il rongé la trame même de leur vie ?

Soudain, Gemma eut une inspiration.

– Je pourrais demander à Melody. Elle travaille pour Sapphire. On pourrait consulter les dossiers. Les affaires non élucidées. On sait qu'il s'attaque aux officiers de police, mais ça nous permettrait d'établir un profil plus précis de ses proies.

Gemma s'agita nerveusement sur sa chaise, plongée dans ses réflexions.

– Une femme qui tait le nom de son agresseur relatera les faits en se tenant au plus près de la vérité. C'est la nature humaine : choisir le chemin le plus facile. Il doit par conséquent y avoir des similitudes entre les affaires, pour qui sait où chercher.

Kincaid hocha la tête.

– Je crois que tu tiens quelque chose. Melody accepte-rait-elle de garder le secret ? Sur ce coup-là, j'aimerais autant ne pas passer par la voie hiérarchique.

À en juger par son expression, il n'oublierait pas de sitôt son différend avec Denis Childs.

– Mais on part du principe que Craig ne s'en prend qu'aux officiers de police, continua-t-il. S'il opère en dehors du sérail, autant chercher une aiguille dans une meule de foin.

– Mon Dieu, soupira Gemma.

Imaginer d'autres femmes souillées, anéanties... Elle secoua la tête.

– Non, je ne crois pas. Il a besoin de dominer, et son statut le lui permet.

Elle ferma les yeux, essayant de se remémorer cette soi-rée au pub, quatre ans plus tôt. Ses collègues l'avaient taquinée car elle était officiellement célibataire, depuis peu. Craig aurait pu entendre. Et en posant quelques questions anodines, apprendre qu'elle venait d'obtenir une promotion, qu'elle avait de l'ambition. Mais, apparemment, personne n'avait mentionné Toby.

Une idée lui vint.

– Avec Rebecca Meredith, il jouait plus gros, non ? Elle était inspecteur, moins encline à se laisser intimider par ses menaces. Moi, je n'étais qu'un petit gardien de la paix. Peut-être qu'avec Becca, il a manifesté une confiance en soi excessive.

– Ou, plus vraisemblablement, il est dans l'escalade. Il lui faut du piment, jouer avec le danger. Et s'il était pote avec Gaskill, il a dû penser qu'il...

La sonnerie de son téléphone l'interrompit.

– Merde... c'est Singla, l'inspecteur de Henley. Je dois répondre.

Gemma l'observa pendant qu'il écoutait son interlocuteur. Un pli s'imprimait entre ses sourcils. Il jeta un coup d'œil à la pendule, regarda Gemma.

– D'accord, dit-il. J'arrive.

Il raccrocha, l'air perplexe.

– Que se passe-t-il ? lui demanda-t-elle. Ils ont arrêté Atterton ?

– Non, de ce côté-là, ça va. Mais il semblerait qu'on ait tenté de tuer un membre du Service de Recherche et de Sauvetage.

12

« Les zones basses retiennent des odeurs ainsi que de l'eau. Ces molécules odorantes peuvent produire une alerte que le chien est incapable de tracer jusqu'à sa source à cause des vents changeants. Ces alertes doivent être notées sur les cartes du conducteur et de la base. »

American Rescue Dog Association,
Search and Rescue Dogs : Training the K-9 Hero

TAVIE ET IAN RÉUSSIRENT à emmener Kieran avant que le déluge ne s'abatte sur le hangar en feu. Mais Kieran refusa d'aller plus loin que le cottage voisin. Il s'effondra sur la pelouse. Le bras autour de Finn, le visage maculé de sang et de larmes, il regarda les flammes se muer en fumée noire.

Tavie lança un regard interrogateur à Ian.

– On est à l'abri, je crois, dit-il. Ce sera vite noyé.

Des lumières vacillaient sur le fleuve – d'autres résidents qui arrivaient en bateau, certains transportant des membres de la brigade.

John et son épouse, une charmante quinquagénaire, les rejoignirent.

– On peut donner un coup de main ? dit-elle à Tavie. À propos, je m'appelle Janet. Oh, Kieran... je suis tellement navrée. Si vous avez besoin de quoi que ce soit...

En guise de réponse, Kieran laissa échapper un gémissement sourd.

– Vous auriez peut-être une serviette et de l'eau ? dit Tavie d'un ton vif. Et vous, John, vous pouvez diriger les bateaux ?

Les voisins s'en furent au pas de course remplir leur mission. Tavie se pencha vers Kieran.

– Maintenant, je doix examiner ta tête.

Elle sortit le nécessaire de son sac et en profita pour chuchoter à Ian :

– Contacte le capitaine par radio. Dis-lui que Kieran a parlé d'un cocktail Molotov. Ils va falloir empêcher les badauds d'approcher et alerter la police, le plus vite possible.

Janet revint avec des serviettes et un bol d'eau. Tavie la remercia et lui fit signe de s'écarter. Quand elle toucha Kieran, il sursauta.

– Ne bouge pas, bon Dieu.

Braquant sa torche sur lui, elle entreprit d'essuyer le sang et constata avec soulagement que l'entaille qui zébrait son front et son cuir chevelu n'était pas profonde. Ça ne saignait déjà presque plus.

– Tu as besoin de quelques points de suture. On va te conduire aux urgences.

– Un pansement suffira, Tavie. Ce n'est rien. Je n'ai pas de commotion.

– Ah oui ? On va voir ça.

À l'aide d'une lampe-stylo, elle examina ses pupilles. Réactives, normales. Mais les mouvements des globes oculaires étaient saccadés. Inquiète, elle s'assit sur ses talons.

– Nystagmus. Tu as bu, Kieran ?

Son haleine ne sentait pas l'alcool, mais vérifier les mouvements des yeux étaient, pour les médecins comme pour les policiers, un test d'alcoolémie basique.

– Non. Je souffre de vertige chronique, dit-il avec réticence. À cause d'une bombe, en Iraq…

D'où le nystagmus et d'autres problèmes que, jusqu'à présent, elle ne s'expliquait pas.

174

– Bon Dieu, Kieran ! Pourquoi tu ne me l'as pas dit ?

Il lui jeta un regard puis reporta son attention sur le feu qui se calmait peu à peu.

– Si je te l'avais dit, tu m'aurais accepté dans l'équipe ?

Il n'avait évidemment pas tort.

– Et qu'est-ce que tu aurais fait si tu t'étais écroulé pendant une mission ?

– J'aurais prétendu avoir trébuché, répondit-il, une ombre de sourire jouant sur ses lèvres. D'ailleurs, la plupart du temps, ce n'est pas si grave, ajouta-t-il d'une voix presque implorante. Je t'assure. Seulement il y a eu l'orage, et puis ce qui s'est passé ces derniers jours, et puis... ce coup sur la tête...

– Tu files à l'hôpital, pas de discussion.

– Non, Tavie. S'il te plaît, dit-il en lui posant la main sur le bras – elle se rendit alors compte qu'il ne l'avait jamais touchée. Je resterai ici. John me prêtera un sac de couchage. Je ne veux pas quitter le hangar.

– Ne sois pas idiot.

– Je dormirai dans le Land Rover, à côté du musée. Je l'ai souvent fait.

– Kieran...

– Je suis conscient, j'ai toute ma tête. Tu ne peux pas m'obliger à partir.

Si l'on songeait à ce que devait lui évoquer l'hôpital, après l'Iraq, mieux valait effectivement trouver une autre solution.

– Dans ce cas, vous venez chez moi, Finn et toi. Je peux vous héberger en attendant. Et t'avoir à l'œil.

Un policier en uniforme – un sergent, à en juger par ses galons – émergea de l'obscurité.

– Vous êtes le propriétaire du hangar ? dit-il à Kieran qui opina. C'est quoi, cette histoire de bombe ? D'après votre voisin, vous réparez des bateaux. Vous êtes sûr que vous n'avez pas commis d'imprudence et mis le feu à des solvants ?

L'angoisse de Tavie, l'excès d'adrénaline, se condensèrent brusquement en une colère blanche, froide. Elle se redressa, le visage à quelques centimètres de celui du sergent, et lui enfonça l'index dans la poitrine.

– Ne vous avisez pas de parler à mon patient sur ce ton-là. L'inspecteur Singla a été informé de cet attentat. Pour votre gouverne, sachez que ce monsieur a participé aux recherches, hier. Il fait partie du SRS, et il sait reconnaître une bombe quand il en voit une. Ce soir, il aurait pu être tué.

Finn, qui n'avait pas quitté Kieran d'un pouce, se leva et grogna tout bas. Le sergent recula d'un pas, méfiant.

– Singla, vous dites ? Connais pas.

– Vous allez faire sa connaissance. Police judiciaire de la vallée de la Tamise. Il m'a l'air de ne pas très bien supporter les imbéciles.

– Hé, attention ! Inutile de...

Finn grogna de nouveau, cette fois plus franchement. Le sergent recula encore d'un pas et décida qu'un homme averti en valait deux.

– Inspecteur Singla, vous dites. Bon, je vais juste m'assurer que tout est en règle.

Mais dès qu'il se fut éloigné de Tavie et du chien, il bomba le torse, retrouvant son autorité.

– Que ce soit un incendie volontaire ou un accident, c'est une scène de crime. Interdiction – il regarda Kieran – de pénétrer sur les lieux. Et de prendre quoi que ce soit. Nous aurons besoin d'une adresse où vous joindre, monsieur...

– Connolly, dit Tavie.

– Monsieur Connolly, donc. On viendra vous interroger dans un instant. Et je vous conseille de surveiller ce chien.

– Finn, du calme, dit Kieran.

– M. Connolly logera chez moi. Son chien aussi.

Tavie donna son adresse au sergent. Kieran enfouit son visage dans ses mains.

Tavie observait Kieran, planté au milieu de son salon. Qu'allait-elle faire de lui ?

Il était tellement grand que la pièce paraissait minuscule. Et il chancelait, tel un arbre sur le point de tomber.

– Assis, ordonna-t-elle, ainsi qu'elle le faisait avec les chiens, en désignant un fauteuil.

Il s'assit avec précaution. Elle se sentit plus à l'aise, au moins elle n'avait plus à lever la tête pour le regarder. Quand ils étaient ensemble, la plupart du temps, ils étaient dehors et leur différence de taille – une bonne trentaine de centimètres – était moins évidente.

Elle balaya du regard son salon qui, soudain, lui semblait étouffant. Les seuls hommes qui avaient mis les pieds dans sa maison étaient les copains du Service d'incendie et de secours, quand ils l'avaient aidée à déménager.

Cette petite maison avait représenté un acte de rébellion contre l'existence qu'elle menait avec son ex, Beatty. Elle avait vécu chez ses parents jusqu'à son mariage, puis s'était installée avec Beatty dans l'appartement de Leeds dont il était propriétaire. Un an après, mutés tous deux dans l'Oxfordshire, ils avaient atterri dans un pavillon des faubourgs de Reading.

Huit longues années plus tard, leur couple était irrémédiablement désuni, et cette vie banlieusarde avait pour tous les deux perdu son charme. Beatty avait découvert qu'il voulait une femme docile, une femme qui ait besoin d'un mâle. Il n'eut aucun mal à se trouver une infirmière rousse et prévenante.

Pour sa part, Tavie s'était aperçue qu'elle voulait surtout être libre de ses choix, et cela s'était concrétisé par l'achat d'une maison qui lui convenait, à elle et à personne d'autre.

D'où cette maison de poupée qu'elle adorait. Elle aimait sa vie de célibataire, son métier, sa chienne et son travail au SRS. Parfois pourtant la maison lui semblait un peu vide, mais de là à accueillir, pour y remédier, un bonhomme bourru et ensanglanté pourvu d'un labrador tout aussi imposant que son maître...

Les chiens, après s'être salués en se reniflant consciencieusement et en remuant la queue, s'assirent également.

Tavie jeta de nouveau un regard circulaire, quelque peu paniqué, puis approcha le petit coffre où elle rangeait des couvertures. Elle y posa un coussin.

– Mets les pieds là-dessus.

– Je ne suis pas infirme, grommela-t-il. J'ai juste reçu un coup sur la tête.

Il lui décocha un regard noir, dont l'effet fut gâché par le pansement papillon qui lui retroussait le sourcil.

Il avait un charme canaille, songea-t-elle, avec son teint pâle, ses yeux d'un bleu profond et sa tignasse noire. Peut-être qu'une cicatrice lui irait très bien. Celle-là, du moins, serait visible.

– Je dormirai sur ce canapé, dit-elle. Tu prendras le lit. C'est un king size, tu ne devrais pas avoir les pieds à l'air.

Ce lit était l'une des rares choses qu'elle avait gardées après le divorce.

Kieran s'enfonça dans le fauteuil et ferma les paupières. Au repos, son visage paraissait décharné.

– Tavie, murmura-t-il d'une voix lasse, je ne te priverai pas de ton lit. J'apprécie tout ce que tu fais pour moi. J'apprécie énormément.

Il tâta le pansement d'un doigt précautionneux, grimaça.

– Mais c'est trop. Je dormirai par terre. Et dès qu'on m'y autorisera, je retournerai chez moi. Au besoin, j'achèterai un autre lit de camp.

Tavie songea au brasier, aux dégâts que les lances des pompiers avaient dû provoquer.

– Kieran, il ne restera peut-être plus de…

– Je verrai ça. C'est tout ce que je possède.

Tavie s'assit au bord du canapé. Aussitôt, Tosh vint poser la tête sur son genou et la contempla, ses sourcils noirs de berger allemand plissés en V. Elle aussi était perturbée par tout ce chambardement. Tavie lui grattouilla le crâne.

– Le bateau – sous la bâche… Tu as dit que tu le construisais pour elle. Tu parlais de Rebecca Meredith ?

178

– J'ai rêvé de construire un skiff en bois depuis l'époque où je me suis mis à l'aviron, quand j'étais gamin. Mon père était menuisier, il fabriquait des meubles. Je connaissais le bois. Elle était... Je pensais que mon bateau pourrait l'emmener jusqu'aux Jeux olympiques. C'était idiot, un rêve stupide. Même si elle avait accepté, le comité olympique ne lui aurait pas permis de participer à la compétition dans un bateau en bois. Il lui fallait ce qu'il y a de mieux, un skiff de compétition en fibre de carbone.

– Elle aurait pu être sélectionnée pour les Jeux ? demanda Tavie. Elle... elle était aussi douée que ça ?

Kieran frotta rudement ses joues râpeuses, cligna les paupières.

– Je n'ai jamais vu quelqu'un ramer de cette manière. Pour elle, c'était aussi naturel que respirer. La perfection. Mais pour remporter une course, il ne suffit pas d'être doué. Il faut aussi être obsédé. Ça aussi, elle l'était.

– Et tu...

Elle était consciente de s'aventurer sur un terrain défendu, mais elle devait poser la question.

– ... où était ta place, dans cette obsession ?

Il eut un petit sourire narquois.

– J'étais... commode.

– Ça ne me regarde pas, bredouilla Tavie qui se sentit rougir, mais comment est-ce que... vous deux... ?

– L'été dernier, dit-il, visiblement soulagé de pouvoir en parler. Le soir, quand je sortais ramer, je la regardais s'entraîner. Et un soir, elle a eu un problème avec sa dame de nage. Je me suis arrêté pour l'aider. On a bavardé.

Finn, qui avait vainement tenté d'appâter Tosh avec un jouet en corde, vint s'installer aux pieds de Kieran. Celui-ci lui posa la main sur la tête. Le labrador et lui semblaient le miroir de Tosh et de Tavie, qui se demanda s'ils seraient entiers sans leurs chiens. Comment était Kieran avec Rebecca Meredith, sans Finn pour lui servir d'armure ?

– Ensuite, poursuivit-il, perdu dans ses souvenirs, on s'est souvent retrouvés sur le fleuve. On sortait nos bateaux à la même heure, on aurait dit qu'on le faisait exprès. On s'affrontait, mais je ne réussissais pas à la battre, malgré ma taille qui m'avantageait. On discutait.

« Un soir, je ne suis pas sorti. J'avais eu... une mauvaise journée. Elle savait où j'habitais – on était passés devant le hangar des dizaines de fois. Elle est venue voir comment j'allais.

Un silence gêné s'attarda dans le salon.

Tavie avait la gorge nouée, mais elle dit d'un ton léger :

– Et voilà.

Kieran haussa les épaules, la gratifia d'un autre sourire narquois.

– Je n'étais qu'une distraction, j'en ai toujours eu conscience. En revanche, je ne sais pas de quoi je la distrayais.

– Hier...

Tavie s'interrompit, cherchant comment exprimer ça.

– Hier, tu as dit qu'elle était trop douée pour avoir un accident par une soirée aussi calme. Et aujourd'hui... le hangar. Un cocktail Molotov, d'après toi. Pourquoi ? Pourquoi quelqu'un te ferait ça à toi, à moins qu'il y ait un rapport avec...

Elle eut soudain de la peine à prononcer ce nom. La veille pourtant, elle avait tranquillement ordonné aux chiens : *Cherche Rebecca.* Mais hier, Rebecca Meredith n'était que cela pour elle. Un nom.

– ... avec elle.

Le visage de Kieran se ferma, comme si on avait abaissé sur ses traits un rideau de fer.

– Je n'en sais rien.

– Kieran...

S'agrippant aux accoudoirs, il se leva péniblement.

– Il vaut mieux que je m'en aille, Tavie. Il ne... Je ne veux pas que... Celui qui a balancé cette bouteille d'essence pourrait bien revenir.

Son projet de passer la nuit dans son lit, auprès de Gemma, était tombé à l'eau. Kincaid avait empoigné son sac de voyage et roulé tout droit jusqu'à Henley sans s'arrêter pour prendre Cullen au passage.

Quand il l'avait appelé, Cullen avait proposé de le rejoindre tout de suite, en train, mais Kincaid lui avait dit d'attendre le matin.

– Je vais d'abord parler à Kieran Connolly, j'ai dit à Singla que je voulais être le premier à l'interroger.

– Hier, il m'a semblé un peu jeté, ce type. J'ai bien cru qu'il allait se prosterner devant ce bateau, comme si c'était le Saint Graal. C'est peut-être lui qui a assassiné Rebecca Meredith, ensuite il a essayé de se faire exploser.

– Je ne le vois pas immoler son chien par le feu.

Kincaid avait eu affaire à des personnes qui, avant de se suicider, tuaient leurs animaux familiers, mais pas de cette manière. Quoique si le lien entre le maître et son chien était aussi fort qu'il le paraissait, Kieran aurait pu l'endormir avant d'allumer l'incendie – une sorte de bûcher funéraire.

Il était cependant plus vraisemblable qu'on ait effectivement balancé une bombe incendiaire par la fenêtre du hangar.

– D'ailleurs, poursuivit-il, pourquoi Connolly aurait assassiné Becca Meredith ? On n'a pas l'ombre d'un mobile.

– C'est un rameur. Il aurait su comment la faire chavirer.

Kincaid descendait à présent la côte de Remenham Hill et voyait déjà les lumières de Henley.

– Certes, dit-il. Mais sans mobile, c'est tiré par les cheveux. Bon, je suis presque arrivé. Je vous téléphone dès que j'en sais davantage.

Il raccrocha. Parvenu au centre-ville, il chercha West Street – l'adresse que lui avait donnée Singla, non loin de la caserne des pompiers.

Une chaude lumière brillait aux fenêtres à petits carreaux de la maisonnette. Il frappa à la porte, donnant le *la* à un chœur d'aboiements.

181

– Tosh, Finn, du calme ! ordonna une femme.

Les chiens se turent, la porte s'ouvrit sur Tavie Larssen qui parut surprise.

– Vous êtes le commissaire Kincaid, n'est-ce pas ? Je m'attendais à voir l'inspecteur Singla.

Lorsque Kincaid l'avait rencontrée la veille, elle portait l'uniforme noir du SRS. Ce soir elle était aussi en uniforme – cette fois celui du Service d'incendie et de secours. Cette tenue noire et sévère lui allait bien, pensa Kincaid, il conférait de l'autorité à son corps menu et à son visage aux traits délicats.

– C'est lui qui m'envoie. Puis-je entrer ?

– Oh oui, bien sûr.

Elle s'écarta, empoigna le labrador noir par le collier. Le chien de Connolly... comment s'appelait-il, déjà ?

Elle répondit à sa question.

– Désolée, Finn n'est pas au fait du protocole de cette maison.

Saisissant une boîte métallique sur le guéridon du vestibule, elle regarda le dénommé Finn droit dans les yeux.

– Assis.

Le chien obéit sans rechigner, imité par le berger allemand. Ils gobèrent les biscuits que Tavie leur tendit avec une promptitude qui fit frémir Kincaid. Mieux valait ne pas laisser traîner ses doigts.

– Bon chien, dit-elle. Et maintenant, on va se coucher.

Ce qu'ils firent. N'ayant plus à les tenir à l'œil, Kincaid concentra son attention sur Kieran Connolly, dans le salon. Il avait un pansement sur le front, la figure encore barbouillée de suie et de sang. Son T-shirt marron et son pantalon de travail étaient constellés de taches brunes. Il fit mine de se lever, mais Kincaid l'en dissuada d'un geste.

– Ne bougez pas.

– Asseyez-vous donc, dit Tavie en désignant le canapé. Je nous prépare du thé ?

– Ce serait épatant.

– D'accord.

Elle lui sourit, lança à Connolly un regard soucieux, puis passa dans la cuisine attenante. Sur les deux larges comptoirs qui la séparaient du séjour étaient disposés un miroir ancien et quelques ravissantes assiettes en porcelaine de Chine. Sur la table en bois trônait un bouquet de feuilles d'automne. Tavie remplit une vieille bouilloire qu'elle mit à chauffer sur un fourneau émaillé crème.

Le salon était aussi simple et charmant que la cuisine. Des livres s'entassaient sur la moquette en sisal, près d'un fauteuil en bois peint, bleu et vert tendre, sur lequel était jeté un plaid rouge. Une mappemonde sur la petite table basse, des huiles sur toile sans cadre, des portraits, en équilibre sur les moulures murales. Des flammes dansaient dans l'insert en acier, alimenté au gaz, qui fermait la cheminée. Tosh, le berger allemand, s'était pelotonné devant le feu, sur un tapis fleuri, à côté d'une corbeille débordant de joujoux.

Une maison de femme seule, qui rappela à Kincaid le petit appartement, au-dessus d'un garage, où vivait Gemma avant qu'ils emménagent ensemble à Notting Hill.

Kieran Connolly, coincé dans un fauteuil recouvert de tapisserie, semblait dans ce décor aussi incongru que le proverbial éléphant dans un magasin de porcelaine, et tout aussi malheureux. Finn était couché à ses pieds.

Kieran s'assit précautionneusement sur le canapé, embarrassé par ses longues jambes.

– Comment vous sentez-vous ? demanda-t-il à Connolly.

Celui-ci haussa les épaules, ébaucha un geste, comme pour palper sa blessure, mais laissa retomber sa main.

– Je survivrai. Tavie dit que je vais ressembler à Harry Potter.

– Ce ne serait pas si mal, plaisanta Kincaid dans l'espoir de le mettre à l'aise. Vous pouvez m'expliquer ce qui s'est passé ce soir ?

Tavie revint, portant sur un plateau une théière et des mugs ornés de cœurs et d'étoiles bleus et blancs. Une touche de fantaisie chez une femme aussi sérieuse, pensa Kincaid.

– J'étais… Je me reposais, dit Connolly qui coula vers Tavie un regard indiquant que tous deux savaient de quoi il retournait. Sur mon lit de camp, dans le hangar où je répare des bateaux. J'habite sur place, il n'y a qu'une seule pièce.

Kincaid prit le mug que lui tendait Tavie, accepta le nuage de lait, refusa le sucre. Elle servit son thé à Kieran sans hésitation – noir, deux sucres – et s'assit dans le fauteuil peint.

– Continuez, dit Kincaid.

– Il y a eu un grand bruit. Du verre brisé. Et puis le feu s'est déclaré. Un instant, j'ai cru que…

Il serra sa tasse entre ses mains, renversa du thé. Il tremblait.

– C'était comme en Iraq…, balbutia-t-il – il but une gorgée, se ressaisit. Mais ensuite j'ai vu la bouteille qui brûlait. Enfin, ce qu'il en restait. Une bouteille de vin – l'étiquette était intacte. Avec un chiffon dans le goulot.

« Finn aboyait comme un forcené, il me poussait. Il fallait que je le sorte de là. On a réussi à atteindre la porte. Et puis il y a eu ce… ronflement. Je savais ce que c'était – le souffle qui précède une explosion. J'ai attrapé Finn et on a plongé sur la pelouse.

Kieran ferma les yeux et, soudain assoiffé, vida sa tasse.

– Ensuite, je ne me souviens plus de rien, jusqu'à ce que Tavie me crie : « Debout ! »

– Ou quelque chose comme ça, dit-elle avec humour – mais elle était toute pâle. J'ai pensé que tu étais mort. Heureusement que tes voisins ont appelé immédiatement les secours. N'empêche, tu es resté évanoui un bon moment. Tu dois aller passer une radio et…

Connolly lui décocha un regard signifiant clairement que, sur ce point, elle ne gagnerait pas.

– Je vais bien. Juste un peu secoué.

Tavie lui resservit du thé, de même qu'à Kincaid qui ne refusa pas – il en avait pourtant bu une pleine théière avec Gemma et allait finir par se noyer dans ce breuvage.

– Kieran, pour quelle raison s'en est-on pris à vous de cette façon ?

– Je... C'est dingue. Vous allez penser que je perds la boule.

– Non, pas du tout. Expliquez-moi.

Kieran le dévisagea, le jaugea. Ce qu'il lut sur sa figure parut faire pencher la balance en sa faveur.

– J'ai vu quelque chose. Le lundi soir, avant que Becca sorte s'entraîner. Et pareil le dimanche.

– Comment ça, tu as vu quelque chose ? questionna Tavie. Tu ne m'en as pas parlé.

– Je n'en ai pas eu le temps. Ça s'est passé pendant que faisais mon jogging. Depuis le passage à l'heure d'hiver, je rame le matin, et le soir je cours. Vous vous souvenez de l'endroit où on a découvert le Filippi ?

– Oui, et je me souviens que vous étiez bouleversé. Vous avez dit que Rebecca Meredith n'aurait pas chaviré par temps calme. C'était une trop bonne rameuse pour ça.

– Et personne ne m'a cru, grimaça Kieran.

– Nous, si. Moi, je vous crois. Est-ce là que vous avez vu quelque chose ? À l'endroit où on a découvert le bateau ?

– Non, mais ce n'est pas là qu'elle est tombée à l'eau.

Kincaid se pencha en avant. Les battements de son cœur s'accéléraient.

– Comment le savez-vous ?

– Parce que je sais où elle est tombée.

– Quoi ? s'exclama Tavie. Kieran, qu'est-ce que tu...

Le berger allemand leva la tête et aboya, contrepoint à l'inquiétude de sa maîtresse.

Tel un agent de la circulation, Kincaid leva la main.

– Ça va, ça va. On se calme. Si on reprenait tout depuis le début ?

Kieran changea de position dans son fauteuil et lança un regard gêné à Tavie.

— Écoutez, je... Vous allez penser que je l'épiais, mais ce n'est pas le cas. Quand j'ai rencontré Becca, l'été dernier, j'avais l'habitude de ramer le soir. Je l'ai dit à Tavie. Ensuite j'ai préféré ramer à l'aube. Le soir, je courais sur le chemin de halage, à peu près à l'heure où Becca s'entraînait. C'était plus facile pour nous... retrouver après.

Kincaid nota que Tavie croisait et décroisait les jambes. Une expression de désapprobation se peignait sur son visage finement ciselé. Il eut l'impression qu'elle était blessée.

— Quelquefois j'allais au cottage, quand elle avait ramené le skiff au Leander.

Kieran avait prononcé ces mots sur un ton de défi, comme si la réaction de Tavie l'irritait. Il soupira.

— Mais la plupart du temps, je me contentais de la regarder ramer. C'était... magnifique... vous n'imaginez pas.

— J'aurais aimé la voir, dit Kincaid, sincère.

— Je n'ai jamais été aussi bon qu'elle, et de loin, mais j'en savais assez pour lui signaler ses erreurs. Je faisais office de coach, en quelque sorte, sans en avoir le titre. Mais... ce week-end... elle était différente.

Il s'interrompit, de nouveau mal à l'aise.

— Préféreriez-vous me parler en privé ? suggéra Kincaid.

— Non, répondit Kieran après une hésitation. Je veux que Tavie soit là. Mais c'est que... entre Becca et moi... quand j'essaie d'expliquer ce qu'il y avait entre nous... ça paraît bizarre. Personnellement, je ne trouvais pas ça bizarre. C'était quelque chose qui n'appartenait qu'à nous.

— Je comprends, le rassura Kincaid. Alors en quoi, ce week-end, vous a-t-elle paru étrange ?

— Le vendredi soir, je ne l'ai pas vue. Ni le samedi matin, pourtant c'était le jour où elle s'entraînait le plus. Je suis donc allé au cottage. Simplement pour m'assurer qu'elle n'était pas malade. Sa voiture n'était pas là. J'ai pensé que Becca n'était pas chez elle. J'ai été drôlement surpris quand elle est sortie. Elle était... comment dire... tendue. Préoccupée. Pas très contente de me voir. Elle m'a dit que, la veille, elle était rentrée en train. Elle n'avait jamais fait ça, pas une seule fois depuis que je la connaissais. J'ai proposé de l'emmener à Londres récupérer sa voiture, mais elle m'a envoyé sur les roses. Elle avait des choses à faire.

– Quoi donc ? Elle l'a précisé ?

– Non. Alors, évidemment, je suis reparti. Je l'ai aperçue le samedi soir, dans son skiff, mais elle ne m'a ni salué ni parlé. J'ai pensé que j'avais peut-être gaffé, ou que je l'avais contrariée d'une manière ou d'une autre. Et puis le lundi, j'ai dû faire mon jogging un peu plus tôt que d'habitude, et Becca devait être un peu en retard pour sa séance d'entraînement. Je l'ai loupée.

Le chagrin crispa son visage.

– Si j'avais été là... il aurait peut-être renoncé.

– Un instant, Kieran. Vous disiez avoir vu quelque chose. Faut-il comprendre que vous avez vu quelqu'un ?

– J'ai cru que c'était un pêcheur. Sur la rive côté Oxfordshire, entre Temple Island et la dernière prairie. Les bois sont denses par là, mais il y a une petite clairière entre le chemin et la berge. Il était là le dimanche, pendant que Becca ramait, et de nouveau le lundi soir à la même heure. Quand j'y ai repensé par la suite, je me suis rendu compte qu'il ne pêchait pas, même s'il avait du matériel. J'ai l'impression... qu'il attendait. Cet après-midi, je suis allé jeter un coup d'œil. Il y a une empreinte dans la boue, et on dirait qu'il y a des traces de lutte au bord de l'eau. Becca ramait à contre-courant, donc tout près de la berge. Au crépuscule... elle n'aurait rien vu avant d'être à la hauteur de ce type.

– Le fleuve est profond à cet endroit ?

– Non, pas à cette distance de la rive.

– Vous pensez donc que ce... pêcheur... serait entré dans l'eau et aurait fait chavirer le bateau ?

– Il aurait fallu qu'il sache comment s'y prendre.

– Ah...

187

Kincaid s'appuya au dossier du canapé, avec un sentiment d'accablement. L'histoire de Kieran n'était pas absurde, compte tenu de ce qu'ils avaient déjà appris.

– Il le savait probablement. Nous avons trouvé des indices, sur le bateau et sur le corps. Apparemment, on l'a maintenue sous l'eau avec son propre aviron.

Kieran devint aussi blanc que le pansement qui lui barrait le front.

– Seigneur… Je me disais que je… Que j'étais parano. Mais pourquoi ? murmura-t-il, les yeux embués. Pourquoi lui aurait-on fait une chose pareille ?

– J'espérais que vous me le diriez.

– Je n'en sais rien. Becca pouvait être brusque avec les gens. Déformation professionnelle, je suppose. Et en général, la patience n'est pas le fort d'un rameur. Mais jamais elle n'aurait délibérément blessé quiconque.

– Et la compétition ? Aurait-on pu chercher à la mettre hors circuit ?

– Jamais de la vie, protesta Kieran, horrifié. Pas les filles du Leander. Je les connais, elles sont sympas. J'ai réparé leurs bateaux. En plus, personne ne se doutait que Becca s'entraînait très sérieusement, ni qu'elle était exceptionnelle. Voilà pourquoi, notamment, elle ramait le soir. Et le samedi, elle restait en aval, loin du parcours habituel de l'équipe. Elle ne voulait pas qu'on la chronomètre.

– Milo Jachym, lui, était au courant.

– Vous lui avez parlé ? s'étonna Kieran. Oui, il savait. Mais il avait été son coach, ils étaient amis. C'est un chic type.

Pour sa part, Kincaid réservait son jugement. Milo lui avait en effet semblé être un type bien, sincèrement peiné par la mort de Becca et inquiet pour Freddie. Mais c'était une de ses dernières chances de voir une rameuse de son équipe féminine remporter le jackpot. De plus, Becca ne se serait pas méfiée de lui, s'il l'avait appelée de la rive – et, bien sûr, il savait comment retourner un bateau de compétition.

Tavie, qui déployait des efforts visibles pour ne pas les interrompre, se leva soudain et farfouilla dans des papiers empilés sur la table.

– Cet endroit, Kieran… en amont de Temple Island, n'est-ce pas ? Je sais précisément où c'est, ajouta-t-elle, brandissant un document. Les gars affectés à cette zone ont eu un marquage pas très net. C'est noté dans le rapport.

– Un marquage pas très net ? répéta Kincaid. C'est-à-dire ?

– Les chiens ont flairé quelque chose, mais ils ont eu l'air désorientés, ils ne se sont pas arrêtés. Nous consignons les moindres alertes, ça nous permet d'élaborer une carte qui, parfois, nous aide à retrouver une victime.

– Est-il possible que les chiens aient flairé l'odeur de Becca, à cet endroit, même si elle n'a pas mis les pieds sur la berge ?

– Oui, c'est possible. Et le type – le pêcheur de Kieran – avait peut-être son odeur sur ses vêtements ou sur son matériel.

– N'oubliez pas qu'ils ont repéré son odeur sur le Filippi qui était pourtant dans l'eau, renchérit Kieran.

– Exact, dit Kincaid.

Il avait souvent envié à Geordie, quand il le voyait courir dans le parc, les oreilles au vent, la truffe au sol, son univers sensoriel tellement plus riche que celui des humains.

– Vous accepteriez qu'on fasse des copies du rapport et des cartes ? Je veillerai à ce que les originaux vous soient restitués rapidement.

Tavie acquiesça. Kincaid se retourna vers Kieran.

– Vous avez vu ce pêcheur depuis la rive opposée. Seriez-vous capable de le reconnaître ?

– Les deux fois, il faisait presque nuit, et il portait un chapeau qui dissimulait en partie son visage. Je ne suis sûr que d'une chose : c'était un homme.

– Pourquoi pas une grande femme ?

– Non... la silhouette n'était pas féminine, les épaules étaient trop larges. Et sa façon de se tenir, les jambes écartées...

– D'accord, partons de ce postulat. Mais reste une question, et pas la moindre. En supposant que le pêcheur et votre agresseur ne fassent qu'un, comment a-t-il su qui vous êtes et où vous vivez ? Il vous aurait reconnu ? Il aurait eu peur que vous puissiez l'identifier ?

– Je... je cours presque tous les jours, sans doute que les gens du coin savent qui je suis. Mais ce n'est pas tout... Aujourd'hui, quand j'ai trouvé la petite clairière, j'aurais juré que quelqu'un m'observait. J'ai senti un regard me vriller le dos.

– Il était dans les parages, selon vous ?

– J'ai pensé que je me faisais des idées. Mais... oui, il était peut-être là...

Kieran frissonna. Finn leva vivement la tête, et son maître le caressa pour le rassurer et se rassurer aussi.

– Il aurait pu vous suivre, aujourd'hui ? insista Kincaid.

– Je l'aurais remarqué quand j'ai traversé la prairie, même au crépuscule.

Kieran s'interrompit, songeur.

– Mais dans ce cas, il aurait su que le sentier coupe Marlow Road. S'il a rejoint la route par un raccourci et récupéré sa voiture, il aurait pu me voir retourner à Henley.

– Finn et vous ne passez pas vraiment inaperçus. Et pour l'incendie ? Vous avez entendu, vu quelque chose ?

– Oui... Je m'en souviens, maintenant, marmonna Kieran, les yeux écarquillés. J'ai entendu un... splash. Finn l'a entendu aussi, je crois. Provoqué par une rame, peut-être.

– Vous pensez donc que l'incendiaire est venu en bateau.

– Je vis sur une île. S'il avait accosté en amont ou en aval, il aurait dû traverser les jardins de mes voisins pour arriver chez moi, et ensuite rebrousser chemin. Les terrains sont minuscules, il aurait pris un risque énorme. Je

dirais qu'il a balancé cette foutue bouteille d'un bateau.
Le fumier, cracha Kieran d'un ton âpre.

Une multitude d'embarcations s'amarraient de chaque
côté du pont de Henley. On aurait facilement pu en
« emprunter » une à l'une des sociétés de location de
bateaux. Chercher un bateau momentanément disparu...
les flics chargés de l'enquête de voisinage n'allaient pas
s'amuser à ça, soupira mentalement Kincaid.

Il se leva. Il avait du pain sur la planche.

– Les techniciens inspecteront votre hangar demain à
la première heure. On verra bien ce qu'ils trouvent. En
attendant, il vaut mieux que vous restiez ici. Tavie, je vais
envoyer un policier prendre le rapport et les cartes. Je
veux qu'on surveille la clairière jusqu'à ce que l'Identité
judiciaire s'en occupe dans la matinée.

Kieran, encore un peu chancelant, s'extirpa de son
fauteuil. Les deux chiens se redressèrent aussi, la langue
pendante, pleins d'espoir.

– Merci, dit Kieran.

– C'est à moi de vous remercier. Tous les deux, ajouta
Kincaid avec un bref sourire. Il y a quand même une
chose que je ne comprends pas. Pourquoi ne pas avoir
dit hier, quand on a découvert le Filippi, que vous aviez
une liaison avec Rebecca Meredith ?

– Je... C'est que... je me suis senti obligé de respecter
sa volonté. Elle ne voulait pas que ça se sache.

– Pourquoi ? Vous étiez tous les deux célibataires.

– Je me disais qu'elle avait honte de moi, répondit Kieran, baissant les yeux sur ses vêtements noirs de suie et
tachés de sang. Même les bons jours, je ne suis pas précisément le genre de type qu'on promène dans les cock-
tails ou qu'on emmène dans sa famille pour le réveillon
de Noël.

– Son ex-mari aurait-il pris ombrage de votre liaison ?

– Je ne crois pas. Ils étaient amis, apparemment. Mais
elle m'a dit – un jour qu'on se disputait, pour autant
qu'on pouvait se disputer avec Becca, parce que si ça n'allait pas, elle ne faisait tout simplement plus cas de vous –,

191

elle m'a dit, donc, que personne ne devait la soupçonner de se... d'avoir une relation amoureuse.

À la façon que Kieran eut de rougir et jeter un coup d'œil oblique à Tavie, Kincaid déduisit qu'il ne citait pas textuellement les paroles de Becca.

– Et pourquoi ça ?

– Elle ne pouvait pas prendre le risque que ce soit utilisé contre elle, voilà ce qu'elle m'a dit.

13

« Les rameurs solitaires sont de drôles d'oiseaux, même dans le monde très particulier de l'aviron. Les autres rameurs les vénèrent tout en se méfiant d'eux. Il les vénèrent car le skiff est la forme la plus achevée de l'art de l'aviron, bien plus ardue à apprendre que la nage en pointe pratiquée par les rameurs universitaires. »

Daniel J. Boyne,
The Red Rose Crew :
A True Story of Women, Winning, and the Water

L A DOULEUR lui brûlait les jambes, les bras, les épaules, la poitrine. Il aurait tout donné pour que ça s'arrête. Il aurait même accepté de mourir.

Mais dans son cerveau que le manque d'oxygène embrumait, une petite voix lui répétait que non, il ne pouvait pas. Il ne pouvait ni s'arrêter ni mourir.

L'eau sale, saumâtre et glaciale, de la Tamise lui léchait les pieds, puis elle commença à passer par-dessus bord. Mais le huit aurait aussi bien pu fendre de la mélasse, il n'avançait pas.

On aurait cru que le bateau était en béton, chaque coup de rame réclamait un effort gigantesque. Quelqu'un avait capitulé et ne ramait plus, si bien que les autres traînaient un poids mort. Qui avait lâché ? La colère montait en lui, mais ses lèvres gelées l'empêchaient de parler.

De la proue au banc du chef de nage, il entendait les autres pester d'une voix rauque, trop exténués pour gueuler.

« Plus vite ! On le bouge, ce bateau, espèces d'enfoirés ! » hurlait le barreur, le seul qui avait encore assez d'énergie pour se faire entendre. « Bâbord ! Attention à vos pelles ! Bâbord ! On va se... »

Trop tard. Leurs pelles heurtaient celles de l'autre bateau. Un craquement, une douleur aiguë – le manche, en pleine poitrine – puis l'aviron lui était arraché des mains.

– Non ! cria-t-il – jamais ils ne s'en relèveraient. Non !

Freddie se réveilla en sursaut, suant et se débattant, prisonnier de ses draps entortillés comme des cordes.

– Merde... Et merde !

Il s'assit dans le lit. Le cauchemar de la Boat Race. Il ne l'avait pas fait depuis des années, et c'était encore pire qu'avant. Son subconscient avait tricoté cette course désastreuse avec ce qui avait dû arriver à Becca. Seigneur...

Se rendre compte que ce n'était qu'un mauvais rêve ne le soulagea pas vraiment. Il se sentait toujours aussi impuissant, paumé.

Jusqu'à ce que Ross aborde le sujet, l'idée que la police puisse le soupçonner d'avoir tué Becca ne lui avait pas effleuré l'esprit.

– Ils soupçonnent toujours le conjoint, avait dit Ross. Ou, dans ton cas, l'ex-conjoint.

Dans son désarroi, Freddie avait supposé que les flics l'interrogeaient parce que c'était la procédure. Maintenant il mesurait sa bêtise. Il n'avait pas d'alibi pour l'heure à laquelle Becca s'était noyée, aucun moyen de convaincre les policiers de son innocence. Il était aussi perdu que dans son cauchemar.

Il se laissa retomber sur les oreillers humides. Quelle importance, dans le fond ? Il ne lui restait plus rien.

Kincaid savoura le petit-déjeuner complet du Red Lion – avec le très vague remords d'avoir, la veille, privé Doug

Cullen de ces délices. Puis, comme il avait encore une demi-heure devant lui avant de retrouver Doug à la gare, et que cette matinée d'automne était magnifiquement ensoleillée, il quitta l'hôtel et se dirigea vers le pont.

Accoudé sur le parapet, il contempla le fleuve. Les équipages sortaient justement du Leander. Des quatre et des huit s'écartaient du ponton, les rameurs s'accordaient un instant pour bien s'installer, régler les coulisses et les barrettes des dames de nage. À l'unisson, les pelles plongeaient dans l'eau, en ressortaient dans une gerbe de gouttelettes aussi étincelantes que des diamants.

Les bateaux glissaient, les entraîneurs les suivaient à bicyclette sur le chemin de halage. Kincaid reconnut Milo Jachym qui, d'une voix de stentor, donnait des instructions au huit féminin.

Il resta sur le pont jusqu'à ce que rameurs et entraîneurs aient disparu, après quoi, pensif, il remonta Thames Side en direction de la gare. Il consulta sa montre, constata qu'il était encore en avance, et continua sa promenade sur le sentier menant au River and Rowing Museum. Il avait lu une brochure sur le musée, au petit-déjeuner, et cela lui avait donné une idée.

Une fois dans le bâtiment, il résista à la tentation de faire un tour à la boutique – sans doute bourrée de cadeaux potentiels pour Gemma et les enfants – et de visiter l'exposition autour du roman *Le Vent dans les saules*.

En haut de l'escalier, il pénétra dans une longue salle où était exposé en permanence le quatre sans barreur des Jeux de Sydney. C'était grâce à ce bateau que Steve Redgrave, Matthew Pinsent, Tim Foster et James Cracknell avaient rapporté à la Grande-Bretagne une médaille d'or. On précisait sur le cartel qu'il s'agissait d'un bateau anglais, un Aylings spécialement construit pour cet équipage et cette course.

Vue d'en bas, la coque blanche suspendue au plafond semblait presque irréelle, bien trop longue et effilée pour flotter. Sortie de son élément naturel, elle aurait pu être le sabre volant d'un géant.

Une vidéo de la course passait en boucle sur un grand écran au bout de la salle. À l'époque, Kincaid avait évidemment suivi la retransmission – pendant des jours, les médias n'avaient parlé que de la victoire de l'équipe britannique – mais il s'était vite désintéressé de l'aviron.

Tandis qu'à présent il ne perdait pas une miette de ces quelques minutes de course, fasciné par la puissance, la souffrance des athlètes. C'était d'une beauté à couper le souffle, et il s'en détourna à regret, les acclamations de la foule résonnant à ses oreilles.

Il cherchait à mieux comprendre qui était Rebecca Meredith, ce qui la motivait. Et à voir le Aylings, à regarder cette vidéo, il se dit que l'aviron, à ce niveau, devait surpasser tout ce que les gens ordinaires pouvaient vivre – un ensemble grisant de douleur, d'exaltation et d'une inconcevable splendeur.

Mais pour Becca Meredith, cela comptait-il plus que tout ? Au point d'accepter un marché qui aurait ajouté une souillure à celle que lui avait infligée Angus Craig ?

– La vache, commenta Doug Cullen, planté sur la pelouse grande comme un timbre-poste, devant la carcasse calcinée du hangar de Kieran Connolly.

De la gare, Kincaid et Cullen étaient allés à pied louer un petit canot à moteur pour se rendre sur l'île. Kincaid avait très volontiers cédé la barre à Cullen qui était un habile pilote – il avait rangé leur embarcation le long du ponton sans même une secousse.

Deux techniciens passaient méthodiquement le site au peigne fin, photographiant, mesurant et prélevant des échantillons. Le vent gonflait la rubalise bleu et blanc qui délimitait une scène de crime.

L'homme à l'appareil photo sortit du hangar et vint à leur rencontre. Kincaid exhiba sa carte.

– Commissaire Kincaid, inspecteur Cullen. Scotland Yard.

– Owen Morris. Brigade criminelle de l'Oxfordshire. On vous attendait.

Morris avait des cheveux blond cendré, coupés très court, et la figure rubiconde d'un blond au teint pâle qui passait trop de temps au soleil.

Malgré le vent, une odeur de cendre mouillée vous prenait encore à la gorge.

– Le proprio a eu une sacrée veine, dit Morris, montrant le hangar où son collègue, un jeune rouquin, s'affairait.

Kincaid, surpris, fronça le sourcil.

– Ça paraît pourtant en piteux état.

– Ouais, mais la structure est intacte. Les solives, les poutres, sauf une, et la majeure partie du toit. Il y avait des litres de solvant, là-dedans. Quelques minutes de plus, et toute l'île sautait.

– Ce sont ces solvants qui ont déclenché l'incendie ?

– Non. Venez voir.

Tous trois pénétrèrent dans le hangar, où Morris pointa l'index vers ce qui avait été une fenêtre et n'était plus qu'un trou entouré d'éclats de bois.

– Il y a bien eu un cocktail Molotov. On a trouvé des morceaux de la bouteille et le chiffon qui a servi de mèche. Et le point d'impact est visible.

Kincaid, lui, ne voyait que de la suie, des décombres et des mares d'eau.

– Je vous crois sur parole. On aurait donc lancé la bouteille par cette fenêtre ?

– Absolument. Un seul bidon de solvant a explosé, mais c'est probablement ce qui a blessé le propriétaire.

Kincaid se retourna, estimant la distance entre la rive et le hangar.

– On aurait pu la lancer d'un bateau ?

– Pour une personne musclée et adroite, c'est faisable. Sans être sexiste, je dirais que c'était probablement un mec.

– Pourquoi pas un rameur ? intervint Cullen. Il aurait facilement pu venir jusqu'au ponton, lancer sa bombe et repartir. En silence, ni vu ni connu.

– On a supposé que l'assassin de Becca Meredith était un rameur. Ce serait logique. Mais où s'est-il procuré le bateau ?

197

Doug haussa les épaules.

– Il y a trois clubs d'aviron dans les parages, sur une distance à la portée d'un rameur expérimenté. Ou alors...

Il regarda le skiff noirci par la fumée, posé sur ses tréteaux à quelques mètres du hangar.

– Ce skiff appartient à Connolly, j'imagine. Qui sait combien de bateaux de ce genre sont rangés comme ça, dehors, dans les propriétés privées qui bordent le fleuve ?

– Il y en avait un autre dedans, dit Morris. Connolly devait être en train de le réparer. Il a eu chaud, mais il n'est pas trop esquinté. Et puis il y a celui-là – il montra, sur la pelouse, une forme allongée protégée par une bâche. Ça, c'est un sacré miracle. Pas la moindre particule de cendre sur celui-là.

Ils s'en approchèrent, Doug souleva la bâche.

– Nom d'une pipe, murmura-t-il, écarquillant les yeux.

Il repoussa la bâche avec la lenteur, la délicatesse d'un amant dénudant sa ravissante maîtresse. Puis il recula d'un pas et émit un sifflement.

C'était un bateau de compétition en bois. La coque était achevée, vernie de frais. Une réplique, en plus petit, du quatre médaillé aux Jeux de Sydney exposé au musée. Mais le bois en faisait un objet précieux. Kincaid passa la main sur la coque admirablement assemblée et polie. Une peau de pêche, vivante et chaude.

– De l'acajou, à mon avis, dit Morris. Je travaille un peu le bois, mais ça... je n'ai jamais rien vu d'aussi splendide. Ce n'est pas du boulot d'amateur.

– Il y a encore des athlètes qui ont des bateaux comme celui-ci ? demanda Kincaid.

– Quelques-uns, répondit Doug qui caressa aussi la coque, comme s'il ne pouvait plus résister à la tentation. Des connaisseurs dont certains participent même à des régates. Mais ce bateau-là... on aimerait le posséder juste parce qu'il est beau. Ce n'est pas de la simple ingénierie, c'est de l'art. Il est aussi bien conçu que ceux en fibre de carbone high-tech – peut-être même mieux, mais je ne suis pas un expert.

Doug jeta un regard circulaire, soudain affolé.

– On ne peut pas le laisser là, dehors. Il pourrait arriver n'importe quoi. Et il doit valoir une fortune.

– Une fortune ? objecta Kincaid. Tout est relatif, non ?

– Une fortune pour quelqu'un comme moi, admit Doug. N'empêche qu'un bateau pareil aurait de la valeur même pour un rameur de premier ordre. Et s'il s'agit d'un modèle unique... qui peut savoir ?

Pourrait-on tuer pour un bateau ? se demanda Kincaid. Était-il possible que l'attentat contre Kieran ait un lien non pas avec Becca Meredith, mais avec cette splendeur ? Ou bien y avait-il entre le meurtre et l'incendie un lien qu'il ne distinguait pas encore ?

– On en discutera avec Kieran, dit-il. D'abord, je veux savoir si l'Identité judiciaire a trouvé quelque chose sur le site que Kieran nous a indiqué. Et nous devons découvrir comment le type qui a foutu le feu est arrivé ici. Mais vous avez raison, Doug, ajouta-t-il pensivement. Il faut mettre ce bateau en sécurité.

– Le voisin, qui est très serviable, a un garage, dit Morris. Il pourrait peut-être garder le bateau pour M. Connolly. Je lui en toucherai deux mots quand on aura fini le boulot.

– Excellente idée. Doug, j'enverrai quelqu'un enquêter dans les autres clubs du secteur. Vous, j'aimerais que vous retourniez au Leander. Interrogez Milo Jachym et les membres du personnel. Demandez si on n'aurait pas sorti un skiff, hier soir. Et si Freddie Atterton a été vu au club. Vous serez comme un poisson dans l'eau, plaisanta-t-il. Moi, je vous attendrai au poste de police. Je reporte la conférence de presse de ce matin, mais il faudra que je...

Il se tut, le mobile de Cullen sonnait.

– Excusez-moi, patron, marmonna Cullen. Allô ?

Il écouta attentivement son interlocuteur, le remercia et raccrocha.

– Ça ne va pas vous plaire, dit-il à Kincaid. Le commissaire divisionnaire, par contre, sera enchanté. C'était l'agent d'assurances de Becca Meredith, je lui avais demandé de me rappeler. Freddie Atterton était le bénéficiaire de l'assurance vie de son ex-épouse. Cinq cent mille livres.

Sur le seuil de la cuisine, Gemma se retourna pour demander :

– Ça va aller ?

– On ira très bien, répondit Alia avec un sourire rassurant.

La jeune Bangladaise avait été la nounou de Charlotte, lorsque la fillette habitait Fournier Street avec ses parents[1]. La veille, après le départ de Kincaid pour Henley, Gemma n'avait pu chasser de son esprit l'image d'Angus Craig. Elle avait décidé de suivre son idée – demander à Melody de consulter les dossiers de Sapphire – et téléphoné à Alia pour savoir si cela ne l'ennuierait pas de garder Charlotte ce matin.

Alia était disponible et apparemment contente que Gemma fasse appel à elle. Depuis son arrivée, une demi-heure plus tôt, Charlotte et elle jouaient avec bonheur à la dînette. La petite n'avait pas bronché quand Gemma avait annoncé qu'elle sortait. Toby était chez des voisins, Kit claquemuré dans sa chambre avec les chiens. Il travaillait soi-disant sur un exposé qu'il avait à faire pour la rentrée. La maison, pour l'heure, était étonnamment calme.

Alia, songea Gemma qui observait la jeune fille, paraissait plus mince, ses cheveux brillaient, son teint était plus clair.

– Ça se passe bien, à la fac ? dit-elle.

Alia avait choisi le droit, elle ambitionnait de devenir avocate, bien que sa famille traditionaliste ne l'encourageât guère.

– Très bien, oui.

Elle rougissait. D'un doigt brun et fin, elle écarta du bord de la table la minuscule tasse à thé de Charlotte.

---

1. Cf. : *La Loi du sang, op. cit.*

– Rachid m'aide à réviser.

Gemma la dévisagea avec stupéfaction. Rachid ? Quand même pas Rachid Kaleem ?

– Vous savez, le médecin légiste, confirma Alia. Il m'a dit qu'il vous connaissait. Il donne un coup de main au dispensaire depuis que...

Alia n'acheva pas sa phrase. Elle avait idolâtré les parents de Charlotte, et travaillait bénévolement, comme Sandra, pour le centre médical de l'East End qui accueillait les femmes bangladaises du quartier. C'était Gemma qui avait parlé du dispensaire à Rachid. Qu'il ait proposé son aide, discrètement, et endossé le rôle de mentor auprès de cette jeune femme privée du soutien de Naz et Sandra... cela lui ressemblait bien.

Mais Alia était jeune et impressionnable, or des cohortes de femmes plus mûres et plus avisées se pâmaient devant Rachid Kaleem. Gemma espérait qu'il ne lui briserait pas le cœur, sans le vouloir.

– Oh, super, bredouilla-t-elle.

Heureusement, Charlotte vola à son secours.

– Lia, ze veux les camions, pépia-t-elle en faisant rouler sur la table un jouet de Toby. Ils peuvent boire du thé, les camions ?

Perchée sur une chaise, à côté d'Alia, elle balançait ses petits pieds chaussés de baskets. Une des barrettes que Gemma, ce matin, avait si soigneusement fixée dans ses cheveux s'était ouverte, et une tache de boue ornait le devant de son T-shirt. Et dire que Gemma rêvait d'une petite fille girly... – encore qu'elle n'aurait pas trop su quoi en faire.

– Les camions boivent de l'essence, expliqua Alia. Mais peut-être que celui-là, pour une fois, pourrait prendre le thé.

Elle lança un regard éloquent à Gemma et articula en silence : allez-y.

– Parfait, dit Gemma qui ajusta sur son épaule la bandoulière de son sac. Vous avez mon numéro de portable...

– Bien sûr que oui.

Comme Alia roulait des yeux, Gemma capitula.

– D'accord. Eh bien... à tout à l'heure.

Ne pas serrer une dernière fois Charlotte dans ses bras fut un effort considérable. Mais elle voulait rendre la fillette plus autonome, et non entretenir sa dépendance. Elle prit une grande inspiration, un air joyeux, et fila vers le vestibule avant de changer d'avis et de renoncer à sortir.

Dès qu'elle fut dehors, il lui sembla que le soleil la saluait, et elle se sentit tout à coup revigorée et magnifiquement indépendante. Elle allongea le pas, adoptant avec délices une démarche de femme adulte.

Dix minutes après, elle entrait dans le commissariat de Notting Hill, armée de deux *caffè latte* achetés au Starbucks. Melody lui avait souvent payé son café, il était grand temps de lui rendre la politesse.

– Inspecteur ! s'écria le planton avec le sourire qu'on réserve à une parente longtemps perdue de vue.

Gemma avait toujours connu cet Écossais bourru, prénommé Jonnie, qui faisait quasiment partie des meubles.

– Ça fait plaisir de vous retrouver. Je croyais que vous reveniez lundi.

– Effectivement. Je suis juste passée dire bonjour à Melody, expliqua-t-elle, levant les gobelets en carton.

– Et comment va la nouvelle recrue de la famille ? Vous n'avez pas une photo ?

– J'en ai plus d'une, vous pensez ! répondit Gemma, ravie.

Elle posa ses gobelets sur le comptoir, prit son mobile et afficha l'album. Le sergent admira les photos avec force exclamations.

– Qu'elle est mignonne, cette gosse ! Elle va vous manquer, quand vous reprendrez le boulot.

– Oui, mais le boulot me manque aussi. Ce sera bon de...

À cet instant, Melody apparut.

– On m'a dit que vous étiez là, patron.

– Radio-police, plaisanta Gemma. Je n'ai jamais compris comment ça marchait. Par télépathie.

Maintenant elle se sentait vraiment à la maison.

– Oh, du café. Génial. Merci beaucoup.

Melody saisit son gobelet et franchit la porte donnant accès aux bureaux.

– C'est moi qui suis aux commandes de Sapphire pour quelques heures. Mike et Ginny témoignent au tribunal.

Elles longèrent un couloir qui s'enfonçait dans les entrailles du poste de police. Cette légère odeur de graillon provenant de la cantine, l'écho de voix et de rires étouffés, le cliquetis des claviers, les sonneries de téléphone – tout cela semblait à Gemma aussi familier que les battements de son cœur.

– Comment va le commissaire ? demanda-t-elle.

– Il est en réunion. Il regrettera de vous avoir loupée, mais bon, vous allez bientôt le revoir… et récupérer votre bureau, dit Melody avec un sourire joyeux.

– Melody, je… Pour être franche, je suis contente qu'il soit sorti.

Elle avait toujours eu de bonnes relations avec le commissaire Lamb, mais il aurait été délicat de lui expliquer ce qu'elle mijotait.

Toujours aussi prompte à réagir, Melody referma la porte du bureau dévolu à Sapphire. La petite pièce était encombrée de casiers, d'ordinateurs et d'objets divers. Il y avait trois tables de travail, Melody prit place derrière la plus petite.

– Qu'est-ce qui se passe, patron ?

Lorsque Gemma lui avait téléphoné, la veille, elle s'était bornée à dire qu'elle souhaitait consulter les dossiers. Elle s'installa dans le fauteuil voisin – celui de Ginny, probablement, si l'on se fiait aux plantes en pot et au mug orné de fleurs et de cœurs alignés sur la table.

– Pourrions-nous rechercher les femmes policiers qui ont porté plainte pour viol, contre X ?

– Les femmes policiers… D'autres paramètres ?

Gemma réfléchit. Le viol de Rebecca Meredith remontait à un an. Elle-même avait rencontré Angus Craig, heureusement sans y laisser de plumes, cinq ans plus tôt. Mais elle soupçonnait Craig d'avoir depuis longtemps déjà rodé sa méthode.

Un frisson la parcourut.

– Au cours des dix dernières années ?

Les yeux de Melody s'arrondirent.

– Vous voulez peut-être aussi la lune ? Malgré tout mon talent, j'ai des limites. Ça risque de prendre un bon moment. En attendant, allez-vous me dire ce que vous faites ici, exactement ?

Gemma sentit son estomac se nouer, sa belle humeur du matin s'envola à la pensée de ce qu'Angus Craig avait sans doute fait subir à d'autres femmes. En outre, venir au commissariat en veillant à ne pas croiser son patron lui avait fait comprendre qu'elle se lançait dans une entreprise périlleuse.

– Écoutez, Melody. Si vous refusiez, je n'en serais pas choquée. Les grands chefs ont déjà tenté de décourager Duncan, et je ne veux pas exiger de vous quoi que ce soit qui puisse nuire à votre carrière.

Melody positionna ses mains au-dessus du clavier de son ordinateur.

– Allons, patron, vous me connaissez mieux que ça. Contentez-vous de me dire qui nous cherchons. Ce n'est quand même pas si dangereux ?

– Nous cherchons un directeur adjoint à la retraite, qui pourrait être aussi un violeur en série. Et je crains que ce soit très dangereux.

14

« Pour faire tourner la machine, chaque membre
de l'équipage ingurgitait entre 6 000 et 7 000 calories par jour, environ le triple de la ration moyenne
pour un adulte... Plats et assiettes étaient trois fois plus
grands que ce qu'on voit sur une table « normale ».
Foster apportait son saladier spécial pour contenir la
montagne de pâtes qui constituait son déjeuner. L'un
des rameurs mangeait dans une énorme gamelle pour
chien. D'autres utilisaient parfois des pots de fleurs. »

Rory Ross & Tim Foster,
Four Men in a Boat :
The Inside Story of the Sydney 2000 Coxless Four

Après s'être présenté à l'une des hôtesses d'accueil et
avoir demandé à s'entretenir avec Milo Jachym, Doug
flâna dans le hall du club. Les mains nouées derrière le
dos, il s'efforçait de ne pas rester bouche bée devant
les photos et les trophées. Il était planté devant une vitrine
de la boutique de cadeaux, hésitant à s'offrir une chemise à poignets mousquetaire pour le simple plaisir de
porter les hippopotames roses en guise de boutons de man-
chettes, quand une voix féminine s'éleva derrière lui :
— Si j'étais vous, je prendrais plutôt la casquette bleu
marine.
Il se retourna d'un bond et découvrit Lily Meyberg, la
ravissante administratrice.

– Vous pensez que la rose n'irait pas ? rétorqua-t-il avec une fausse et méritoire nonchalance, montrant la casquette d'un rose violent, dans la vitrine.

– Je pense que vous feriez preuve d'un courage admirable, plaisanta-t-elle, d'autant que cette couleur, en effet, ne vous irait pas. À votre place, je m'en tiendrais au bleu marine.

Elle lui toucha légèrement le bras.

– Mais j'en oublie ma mission. Je dois vous escorter au premier. Milo sera là dans quelques minutes.

Il la suivit, partagé entre l'envie de regarder le balancement de ses fesses sour la jupe droite, et celle d'examiner de près les photos des médaillés olympiques et des champions du monde. Il n'y avait jeté qu'un coup d'œil l'autre soir, pour ne pas se ridiculiser devant Kincaid.

– On prépare la salle pour le déjeuner, dit Lily lorsqu'ils eurent atteint la réception du premier étage. Mais le bar est ouvert. Je vous sers quelque chose ?

– Non merci... C'est un peu tôt pour moi.

– Et on ne boit pas pendant le service, n'est-ce pas ?

– Oh... une bière à midi, de temps en temps, dit-il pour ne pas avoir l'air trop balourd.

Fourrant les mains dans ses poches, il s'approcha des portes-fenêtres donnant sur la terrasse, et contempla les prairies où, en juin, seraient dressées les tribunes de la Regatta. Sur la gauche, on voyait la cour où étaient rangés les bateaux.

En se retournant vers Lily, il avisa les avirons en croix qui ornaient les murs. Des avirons qui avaient remporté les Jeux olympiques. Seigneur Dieu... Dire que ceux de Rebecca Meredith auraient pu, un jour, figurer dans cette collection.

– Lily, vous étiez là mardi matin, n'est-ce pas ? Vous rappelez-vous qui, le premier, s'est inquiété de la disparition de Rebecca Meredith ? Freddie Atterton ou Milo ?

Lily réfléchit avant de répondre, les sourcils froncés. Son nez était saupoudré de taches de son, remarqua-t-il.

206

– Je ne sais pas. Freddie était assis près de la fenêtre, expliqua-t-elle, montrant la table avec vue sur le hangar à bateaux et le fleuve. Il s'est levé pour parler à Milo qui arrivait. Moi, j'ai dû refaire du café, et quand je suis revenue des cuisines, ils étaient tous les deux partis. Ensuite, Milo est rentré et il a dit que Freddie cherchait Becca.

Elle secoua la tête d'un air incrédule et reprit à voix basse :

– Je ne peux pas y croire... On en est tous malades.

– Vous étiez amies ?

Lily détourna les yeux, remit derrière son oreille une mèche de ses cheveux châtain doré.

– Eh bien... je ne sais pas si Becca avait vraiment des amies. Mais elle était toujours... peut-être pas gentille, mais prévenante. Si je vous citais les membres de ce club qui ne le sont pas, vous seriez surpris. Becca n'exploitait pas le personnel et traitait les athlètes avec respect. Elle ne la ramenait pas.

Elle jeta un coup d'œil par-dessus son épaule. Aussitôt, elle se redressa, adoptant une attitude plus directoriale et gratifiant Doug d'un sourire professionnel.

– Voilà Milo qui arrive. Je vous laisse.

À regret, Doug suivit du regard sa silhouette élancée qui s'éloignait vers la salle à manger. Peut-être pourrait-il se débrouiller pour la croiser, à la fin de sa journée de travail, et l'inviter à boire un verre ? Quoiqu'il ferait mieux de s'abstenir. Il n'était pas recommandé de mélanger boulot et vie privée.

Il s'avança vers Milo Jachym et lui serra la main.

– Lily m'a dit que vous désiriez me parler. Allons dans un endroit plus tranquille.

Le coach l'entraîna dans un couloir menant aux quartiers de l'équipe. Quand Doug en franchit le seuil, son cœur battit un peu plus vite. Il pénétrait dans un lieu saint, où les plus grands champions du pays – voire du monde – avaient passé leurs moments de loisir.

La réalité, hélas, n'était pas à la hauteur de ses fantasmes.

Un instant, Doug se crut de retour dans le réfectoire de son école. Les mêmes meubles fonctionnels, les mêmes relents d'œuf, de bacon et de frites. Les quelques athlètes disséminés çà et là – et qui ingurgitaient probablement leur second petit-déjeuner de la matinée – paraissaient douchés de frais, pourtant l'air était saturé d'odeurs de transpiration et de pieds échauffés.

– Du thé ? dit Milo, invitant Doug à prendre place à une table près de la porte.

– Très volontiers, répondit Doug avec un enthousiasme forcé, car il avait repéré la fontaine à thé industriel – dommage qu'il n'ait pas accepté le verre que Lily lui avait proposé.

Milo alla chercher un sucrier et deux mugs remplis d'une lavasse additionnée de lait. Doug le remercia et, prudemment, avala une gorgée. Le thé avait un goût de métal qu'il essaya de masquer sous une dose assassine de sucre.

Il sentait sur lui les regards furtifs des rameurs, hommes et femmes. Le silence s'était abattu sur la salle, seulement troublé par le son de la télé – la vidéo d'une course.

Il desserra son nœud de cravate. En apprenant qu'il devait se rendre au Leander, il s'était félicité d'avoir mis son plus beau blouson et une cravate. Cela s'imposait, lui semblait-il.

Mais au milieu de ces gens en tenue décontractée, il se sentait mal à l'aise, trop habillé, tandis que Milo, en chino et polo bleu marine orné sur la poitrine du petit hippopotame rose du club, était parfait.

– Toast et baked beans ? La spécialité du chef, ajouta Milo avec un clin d'œil.

Quelqu'un dans la salle, finement, lâcha un pet que suivirent des gloussements étouffés. Milo fit la sourde oreille.

– Le haricot, le meilleur ami du rameur, commenta Doug qui eut du mal à garder son sérieux. Non, merci. J'ai mangé un morceau au commissariat, et je ne suis pas assez en forme pour deux petits-déjeuners.

– Vous faites de l'aviron, décréta Milo. L'autre soir...

vous n'étiez pas dépaysé. Mais quand même pas de l'aviron universitaire. Pas assez grand.

– J'en faisais à l'école. Huit barré.

– Ah... bâbord ou tribord ?

– Bâbord.

– Quelle école ?

– Eton, répondit Doug, moins gêné qu'à l'ordinaire.

Ses collègues ne se privaient pas de le charrier sous prétexte qu'il avait suivi ses études dans une *public school*. Ici on ne se moquerait pas de lui.

Mais il n'était pas là pour subir un interrogatoire.

– Bon niveau, acquiesça Milo. Vous vous entraînez toujours ?

– Je viens juste d'acheter une maison à Putney. J'envisageais de tester le LCR.

Lorsqu'il était lycéen, Doug avait fait partie du London Rowing Club et participé à des régates, mais il n'y avait plus remis les pieds depuis l'âge adulte. Avant de se décider à acheter sa maison, il était descendu jusqu'à Putney Reach revoir le vénérable club. Jadis ces bâtiments au bord de la Tamise abritaient également le Leander, avant qu'il ne s'installe à Henley. Les deux clubs étaient toujours étroitement liés.

Le LCR était certes moins chic que le Leander, mais Doug ne se sentait pas encore prêt à remplir les formalités pour y adhérer. La plupart des membres seraient des rameurs plus expérimentés que lui, et il avait, comme à son habitude, une peur bleue de se ridiculiser.

– Vous avez acheté un bateau ? demanda Milo.

Le coach gagnait du temps, se dit Doug, peut-être pour permettre aux athlètes de débarrasser le plancher. Mais, s'il ne voulait pas de public, pourquoi avait-il choisi la salle à manger pour leur entretien ? Sans doute y avait-il d'autres endroits dans le bâtiment où ils n'auraient dérangé personne.

– Non, je crois que je vais d'abord me faire la main, si je puis dire. Dans l'immédiat, un bateau de club m'ira très bien.

Doug but une autre gorgée de thé et réprima une grimace.

– À présent, monsieur Jachym, si nous pouvions...

Les solides épaules de l'entraîneur se voûtèrent.

– Becca. Oui, bien sûr, soupira-t-il, comme s'il se résignait à l'inévitable. Une tragédie. Tout le monde est sous le choc. Et Freddie ne me rappelle pas.

– Nous le verrons dans la matinée. C'est maintenant officiel : une enquête pour meurtre est ouverte.

Le visage de Milo se figea. Un instant, Doug entrevit l'homme qui se cachait derrière une façade débonnaire – celui qui poussait ses athlètes au-delà des limites de l'endurance et exigeait d'eux plus que le maximum. On n'entraînait pas des rameurs de ce calibre sans être dur et retors – un stratège de premier ordre. Or justement, Doug avait la nette sensation que Milo avait attendu qu'il joue le premier coup.

Les rameurs encore dans la salle semblèrent percevoir un signal dans l'attitude de Milo, ou dans son intonation. Délaissant les reliefs de leur repas, ils s'éclipsèrent l'un après l'autre, non sans couler vers eux des coups d'œil intrigués.

Quand tous furent sortis, Milo hocha la tête d'un air impénétrable.

– Et donc, inspecteur ?

– Que Becca Meredith ait été assassinée ne vous surprend pas ?

– Je suis secoué, évidemment. Mais je pense que je le serais encore plus si vous aviez conclu qu'elle s'était noyée dans un accident stupide.

– Comme vous l'avez entraînée, rétorqua Doug du tac au tac, sa stupidité aurait nui à votre réputation.

– Oui, dans une certaine mesure.

Milo lui décocha un regard de défi.

– Ah, c'est vous maintenant qui êtes choqué, inspecteur. Mais la nature humaine est ainsi faite. On pense d'abord à soi, il n'y a qu'un menteur pour ne pas le reconnaître. Mais cela ne signifie pas que je n'ai pas de chagrin, ajouta-t-il d'une voix soudain tranchante. Pour Becca, pour Freddie. Pour tout ce que Becca aurait pu faire. Ce qu'elle aurait pu devenir. Et croyez bien que je n'hésiterais pas à trucider son assassin.

– Il n'est peut-être pas très sage de dire ça à un policier, monsieur Jachym, fit remarquer Doug d'un ton doucereux.

– Alors espérons que vous l'épinglerez avant que je lui mette la main dessus.

Doug le dévisagea pensivement.

– Réagiriez-vous de la même manière si votre ami était le coupable ?

– Mon ami ? s'étonna Milo, puis, comprenant brusquement, il fronça ses sourcils broussailleux. Si vous parlez de Freddie... ce n'est pas sérieux. Jamais il n'aurait fait de mal à Becca. Il l'adorait.

Doug haussa les épaules. L'incrédulité de Jachym n'était-elle pas quelque peu forcée ? Il se doutait bien que Freddie serait suspecté.

– La nature humaine, comme vous dites. Entre l'amour et la haine, la frontière est parfois ténue. Nul ne sait avec certitude comment ça se passait entre eux.

– Je les connais, s'obstina Milo. Non, c'est invraisemblable.

Doug s'inclina – pour le moment.

– Dans ce cas, qui, selon vous, aurait pu vouloir la mort de Becca Meredith ?

– Je l'ignore. Ça me paraît inconcevable. Est-ce qu'on sait comment on l'a... ?

– Les investigations sont en cours. De même qu'on enquête sur les événements de la nuit dernière. Un homme du Service de Recherche et de Sauvetage, celui qui a découvert le corps, a été victime d'un attentat.

– Quoi ? s'exclama Milo – s'il n'avait pas paru étonné d'apprendre que la mort de Becca était un homicide, il était à présent stupéfait. Quel genre d'attentat ? Et qui est cet homme ?

– Il s'appelle Kieran Connolly. On a mis le feu à son

hangar à bateaux. Et il était dedans. Vous le connaissez ?

– Un type taciturne ? Qui répare des bateaux ? Il nous
est arrivé d'échanger quelques mots. Il a travaillé pour
les gars de l'équipe et des membres du club. Il fait du
bon boulot. Il va bien ?

– Je crois, oui. Connolly avait une relation avec Becca
Meredith. Vous étiez au courant ?

– Une relation ? C'est-à-dire ? demanda le coach, déconcerté.

– Ce qu'on entend généralement par là, monsieur
Jachym. Ils couchaient ensemble.

– Hmm... Cet été, je les ai vus assez souvent s'entraîner aux mêmes heures. Mais comme tous les deux
ramaient en skiff, je n'ai pas imaginé qu'il y avait autre
chose entre eux. Vous en êtes sûr ? Est-ce que Freddie...

Il s'interrompit, mais Doug n'eut aucun mal à deviner,
à son expression circonspecte, ce qu'il pensait.

– Est-ce que Freddie savait ? Et s'il l'avait su, aurait-il
été jaloux ?

– Je... non. Je ne pense pas, non.

Milo baissa le nez, comme pour déchiffrer une réponse
dans la lie boueuse qui stagnait au fond de son mug.

– Becca et Freddie... ils étaient bien ensemble. Parfois
on aurait pu croire qu'ils étaient frère et sœur. Et puis,
c'est Freddie qui a donné un coup de canif au contrat,
pas Becca.

– Mais c'est elle qui l'a quitté ?

– Après cette histoire, oui. Quoique je devrais plutôt
dire : après ces histoires.

– Freddie a eu plusieurs aventures ?

– C'est un séducteur, il ne peut pas s'en empêcher,
rétorqua Milo avec une telle indulgence que Doug se
demanda si tout le monde donnait ainsi l'absolution à
Freddie Atterton. Et pour être honnête, Becca n'avait
pas beaucoup de temps à lui consacrer, à cause de son
métier.

– Et l'aviron ? Ça devait l'accaparer aussi.

– Pas jusqu'à l'année dernière. Entre nous, j'étais persuadé qu'elle abandonnerait pour de bon, même si elle restait membre du club pour garder une vie sociale. Mais, au printemps, elle a acheté un bateau. Elle s'entraînait toute seule dans son coin. Son skiff était entreposé ici, mais elle ne sortait pas avec l'équipe. Le week-end, parfois, elle participait à un tournoi, en roue libre. Je voyais bien qu'elle ne se donnait pas à fond. Je suis convaincu à présent qu'elle se testait.

– Quand avez-vous compris qu'elle avait repris sérieusement l'entraînement ?

– Il y a deux ou trois semaines.

Milo se plongea dans la contemplation du fleuve, et Doug sentit qu'il était un peu gêné.

– Je l'ai chronométrée, avoua-t-il.

– À son insu ?

– Ce n'est pas illégal, inspecteur, dit Milo qui s'était vite ressaisi. Une petite conspiration entre moi et un des rameurs. Il avait laissé échapper que Becca leur avait graissé la patte, à lui et à quelques-uns de ses copains, pour qu'ils l'aident à trimbaler des haltères et un ergomètre au cottage. Ça a… piqué ma curiosité. C'est mon boulot, n'est-ce pas : savoir avec quoi mon équipe devra se colleter.

– Et alors ?

– Elle était meilleure.

– Elle aurait couru pour vous ?

– Peut-être. Mais Becca n'a jamais brillé par son esprit d'équipe. Et les autres filles n'auraient pas été enchantées qu'elle débarque comme un chien dans un jeu de quilles.

– C'était donc délicat.

– Pas vraiment. Si Becca avait voulu se lancer seule dans la compétition, et si elle en avait eu les moyens, ne pas froisser la susceptibilité d'autrui, la mienne y compris, aurait été le cadet de ses soucis.

– Décevant pour vous, après tout le travail que vous avez fourni avec votre équipe, insinua Doug, copiant

– tant bien que mal – la nonchalance caractéristique de Kincaid.

– Quoi ? s'exclama Milo avec un rire bref. Vous pensez que je pourrais avoir tué Becca pour préserver les chances de mon équipe ?

Comme Doug se contentait de fixer sur lui un regard inexpressif, l'amusement du coach se mua en agacement.

– C'est grotesque. Pour le skiff, j'ai deux bons éléments. Pas le top niveau, mais pas mal du tout. Et sinon, il y en aura d'autres.

– Par conséquent, cela ne vous dérange pas de me dire où vous étiez lundi soir.

– Ici, évidemment. Je fermais le hangar au moment où Becca sortait le Filippi. On a bavardé un peu, ensuite je suis revenu au gymnase superviser la séance du soir. Et après, j'ai dîné avec l'équipe.

Doug ne voyait pas du tout comment Milo aurait pu parler à Becca alors qu'elle quittait le Leander, puis courir se planquer sur l'autre rive avant que la rameuse ait viré à hauteur de Temple Island et rebroussé chemin. En admettant, naturellement, que Milo ait bien rencontré Becca au moment où il le prétendait.

Mais il était peu probable que le coach ait menti, son emploi du temps étant facile à vérifier. Et si l'histoire de Kieran Connolly se révélait exacte, le type à l'affût sur la berge s'était caché là deux soirs d'affilée, à l'heure où Milo vaquait à ses occupations d'entraîneur.

Délaissant cette piste qui, pour l'instant, ne semblait mener nulle part, il passa à l'affaire Connolly.

– Monsieur Jachym, savez-vous si on a sorti un skiff, ou s'il en manquait un hier soir, aux alentours de vingt heures ?

– Un skiff ? Pourquoi ?

– Le hangar de Kieran Connolly se trouve sur l'île en face du musée de l'Aviron. À moins que son agresseur ne vive lui aussi sur cette île, je suppose qu'il a utilisé un bateau. Pourquoi pas un skiff de compétition ?

– Effectivement. Mais ce n'était pas un bateau du

Leander. Il n'y a que quelques coques entreposées dans la cour, et on les surveille.

Milo Jachym s'interrompit, considérant Doug d'un air apitoyé.

– Si vous voulez faire l'inventaire des skiffs qu'on peut trouver sur cette partie de la Tamise, sur les deux rives, je vous souhaite bon courage, inspecteur.

Kincaid attendait Cullen dans New Street, devant le Malthouse, un luxueux ensemble d'appartements rénovés qui occupait une aile de l'ancienne Brakspear Brewery. De l'autre côté de la rue, l'Hôtel du Vin se logeait dans un autre bâtiment de la brasserie. Kincaid aurait préféré y déjeuner, au lieu d'interroger Freddie Atterton.

Car les pistes convergeaient inexorablement vers lui. Kincaid avait fait une déclaration, brève et évasive, aux journalistes rassemblés devant le commissariat de Henley. Puis il avait téléphoné au divisionnaire Childs, qui avait sauté sur l'histoire de l'assurance vie de Becca Meredith avec la jubilation d'un terrier lancé aux trousses d'un rat. Chez Childs, l'enthousiasme se traduisait par une imperceptible vibration dans la voix et un haussement non moins discret des sourcils.

Kincaid s'était félicité de ne pas avoir à regarder ça.

En conclusion, il avait promis du bout des lèvres de déterminer si, oui ou non, Freddie Atterton avait un solide alibi.

Il raccrochait quand Imogen Bell était venue lui annoncer que les techniciens de la scientifique avaient trouvé une empreinte partielle à l'endroit indiqué par Kieran, sur la berge, ainsi que des fibres sur une brindille et des traces montrant qu'on avait piétiné le sol au bord de l'eau. Ils continuaient à passer le secteur au crible.

Il semblait donc que, comme l'affirmait Kieran Connolly, c'était bien là que Becca avait été tuée. Si jamais on pouvait établir un lien entre l'empreinte, ou les fibres, et Freddie Atterton, Childs allait sauter de joie.

Il incombait à Kincaid d'arrêter l'assassin de Rebecca

Meredith, certes, mais il avait l'impression qu'on l'orientait vers Atterton, et ce pour des motifs sans aucun rapport avec l'intérêt supérieur de la justice.

Il n'aimait pas ça du tout.

Par pur entêtement ? Comme les enfants, quand ils n'en faisaient qu'à leur tête et refusaient d'entendre raison ?

Ou peut-être avait-il trop de sympathie pour un homme qui pleurait la femme qu'il avait aimée, malgré leur histoire mouvementée. Il avait souvent reproché à Gemma sa tendance à se mettre à la place d'un suspect – peut-être commettait-il la même faute.

Nerveux, il observa les passants qui paraissaient savourer cette matinée ensoleillée et se réjouir à la perspective de déjeuner bientôt. La façade de l'hôtel était toute pimpante avec ses briques rouges et ses moulures blanches. Le mur d'un cottage, en face, croulait sous des roses tardives.

Il allait téléphoner à Cullen, quand il le vit tourner le coin de la rue. Il avait un petit air désinvolte, comme si le charme du Leander avait déteint sur lui.

– Du nouveau ? lui demanda Kincaid.

– On ne m'a pas signalé la disparition d'un quelconque skiff, ce qui nous aurait pourtant bien arrangé. D'après Milo Jachym, le soir, ils ne manquent pas de vérifier que tous leurs bateaux sont là.

– Oui, c'était trop espérer. J'ai chargé Bell de voir dans les deux autres clubs, au cas où. Autre chose ?

– Je crois qu'on peut rayer Jachym de la liste des suspects. À mon avis, il protégerait Freddie Atterton, sauf s'il le savait coupable. Mais il y a un truc marrant...

Doug ôta ses lunettes à monture métallique et en essuya les verres avec sa cravate.

– Il n'était pas mécontent de me dire que les infidélités d'Atterton avaient conduit notre victime à demander le divorce. Ce serait un serial séducteur, le Freddie. Jachym était l'ancien entraîneur de Becca, et son ami. Il aurait pu prendre son parti.

– Conflit de loyauté ? Ou indulgence d'un macho à l'égard d'un jeune coq ? Style, *il faut bien que jeunesse se passe...*

– Pourtant, apparemment, Atterton avait des remords. On verra bien ce qu'il a à dire pour sa défense.

La résidence Malthouse était isolée de la rue par un imposant portail en fer pourvu d'un interphone à menu déroulant. Kincaid pêcha un bout de papier dans sa poche et composa le numéro qu'il y avait noté.

Sa première pensée fut que Freddie Atterton avait une mine épouvantable.

La deuxième, que son appartement aurait déprimé n'importe qui. Dépouillé, tout en gris et noir ; même l'éclairage savant et les ornements architecturaux préservés par la restauration ne parvenaient pas à l'égayer.

Sans parler de la pagaille qui y régnait. Vêtements fripés éparpillés dans le salon, bouteille de scotch vide sur la table basse, bol rempli de mégots et désagréable odeur de nourriture avariée provenant de la cuisine ouverte sur le séjour.

– Désolé, marmonna Atterton, et il semblait s'excuser pour tout, pas seulement pour l'état de l'appartement.

Il n'avait sur lui qu'un pantalon de survêtement. Ses cheveux emmêlés étaient aplatis d'un côté, comme s'il venait de sortir du lit.

– Je... je ne suis pas trop dans mon assiette. Attendez que je trouve une chemise...

Il jeta un regard circulaire, dans l'espoir sans doute qu'une chemise vienne à sa rencontre. Puis il en repéra une sur le dossier d'une chaise, l'enfila, boutonna mardi avec mercredi.

– Je vous fais un café ?

Il saisit le bol-cendrier, regarda autour de lui, à la recherche d'un endroit où le poser, et opta pour le manteau de la cheminée au-dessus de laquelle étaient accrochés deux avirons d'Oxford, bleu foncé – la seule touche de couleur dans le décor.

– Désolé, répéta-t-il. J'avais arrêté la clope, mais après ce que... c'était la seule chose qui...

– Monsieur Atterton, coupa Kincaid. Nous avons à parler. Pouvons-nous nous asseoir ?

Le visage blême de Freddie Atterton vira au gris. Il agrippa l'accoudoir du canapé et se laissa tomber sur les coussins, sans se soucier – ou sans la voir – de la veste qu'il y avait abandonnée.

Cullen prit place dans le fauteuil, tandis que Kincaid approchait une chaise de salle à manger, grise et lourdement sculptée. Qui diable avait choisi ces meubles hideux ? pensa-t-il. Il y avait de quoi se pendre.

– Monsieur Atterton… Freddie… Nous avons à présent toutes les raisons de penser que votre ex-femme a été assassinée.

– Assassinée, souffla Atterton dont les yeux étaient tellement cernés qu'ils paraissaient barbouillés de suie. Mais pourquoi… Comment elle aurait pu…

Il s'interrompit, déglutit avec peine.

– Quand le Yard est intervenu, je me suis dit que c'était juste parce que Becca était l'une des vôtres. Mais une chose pareille… Jamais de la vie. Pourquoi aurait-on voulu tuer Becca ?

– Nous sommes justement là pour le découvrir. On a fait appel à nous, dans un premier temps, parce que la disparition de Becca était inquiétante. Ensuite il y a eu… des rebondissements.

– Vous savez ce qui lui est arrivé, n'est-ce pas ? balbutia Freddie d'une voix blanche. Vous savez comment elle est morte. Pourquoi est-ce qu'on ne m'a pas… – il secoua la tête, essaya de se calmer –… excusez-moi. Vous êtes sans doute obligés de garder ça pour vous. Comment puis-je vous aider ?

– Merci d'être aussi coopératif, monsieur Atterton. Vous pourriez commencer par nous dire où vous étiez lundi soir.

– Lundi ?

Kincaid eut le sentiment que Freddie feignait l'étonnement.

218

– Oui, le soir où votre femme est morte. Vous n'avez sûrement pas oublié.

– Non, bien sûr que non. Mais... avec tous ces événements, je ne... Attendez que je réfléchisse.

Il tapota sa poche de poitrine, vide, et laissa retomber sa main sur ses cuisses. Le paquet de Benson & Hedges était froissé sur la table.

– Lundi entre seize et dix-huit heures, précisa Kincaid.

Freddie cilla – une fois, deux fois –, porta de nouveau la main à sa poche.

– Je... J'étais ici.

– Seul ?

– Oui.

– Quelqu'un pourrait le confirmer ? Un voisin, par exemple ?

– Non... je ne me rappelle pas avoir vu qui que ce soit. Je suis allé déjeuner au club. C'est là que Milo m'a dit, pour Becca... Enfin, il m'a dit qu'elle s'entraînait sérieusement. Je savais qu'elle s'était remise à l'aviron, évidemment, mais elle prétendait faire ça pour retrouver la forme, combattre le stress du boulot.

– Vous saviez pourtant qu'elle avait acheté un bateau, le Filippi.

– Eh bien, oui... mais Becca n'aurait jamais utilisé un bateau du club, certainement pas.

– Elle a choisi un bateau onéreux, objecta Doug. Ce qu'il y a de mieux.

– Elle avait les moyens de se le payer.

N'y avait-il pas une légère amertume dans cette réponse ? Il faudrait revenir là-dessus, songea Kincaid.

– Que vous a dit Milo, exactement ?

– Qu'elle avait demandé à des gars de l'équipe de l'aider à transformer ma... sa chambre d'amis, au cottage, en salle d'entraînement. Elle y avait installé un ergomètre, des haltères. Et il m'a dit qu'il l'avait chronométrée. Une vraie comète.

– Il l'a chronométrée à son insu, fit remarquer Cullen.

– Oui, c'est vrai, mais elle était tellement secrète... Ce n'est pas moi qui reprocherais à Milo d'avoir voulu savoir.

– Parce qu'elle était meilleure que les filles de son équipe ? demanda Kincaid.

– Non... parce que, si elle avait accepté de bosser avec lui, il aurait pu avoir une championne. De plus, les médias adorent les histoires de come-back. Ça aurait fait de la pub pour l'équipe.

– Lorsque nous avons interrogé Milo la première fois, il a dit que, quand vous avez appris que Becca s'entraînait, vous étiez – je le cite – furieux. Pourquoi, si vous pensiez qu'elle avait une chance de médaille ?

Freddie frotta ses joues râpeuses.

– Je... J'avais sans doute peur de ce qui se passerait si elle échouait. La dernière fois... après, elle n'a plus jamais été la même. Elle ne se l'est jamais pardonné.

– Mais elle s'était cassé le bras, n'est-ce pas ? Elle n'était pas fautive.

– Oh, si. Et moi aussi, de ne pas avoir empêché ça. C'était à Noël, avant les Jeux olympiques, l'équipe était soumise à une discipline de fer. Milo ne tenait pas à ce que quelqu'un prenne le risque de se blesser. Mais Becca voulait aller skier en Suisse pendant les vacances. Elle se croyait invincible. Seulement voilà, elle ne l'était pas. Elle est tombée, elle s'est cassé le poignet. Une méchante fracture.

« Milo était furax. Ensuite, même si Becca a sué sang et eau au centre de rééducation, dans l'espoir de récupérer sa place au sein de l'équipe, il a décrété que son poignet ne serait pas assez solide pour tenir le coup à l'entraînement.

Freddie poussa un soupir.

– Ils étaient aussi têtus l'un que l'autre, et chacun s'estimait en droit d'en vouloir à l'autre. C'était peut-être le cas, d'ailleurs. Il a fallu longtemps pour qu'ils redeviennent amis.

– Je comprends pourquoi elle ne souhaitait pas qu'il sache comment elle s'entraînait, dit Cullen. Elle avait quelque chose à prouver, et elle voulait être sûre d'elle-même.

– Tout à fait, dit Freddie, fixant sur Doug un regard empli de gratitude.

– Vous étiez donc inquiet pour elle ? demanda Kincaid. C'est tout ?

Freddie dut sentir son scepticisme, car il rougit.

– Quelle autre raison j'aurais pu avoir ?

– Vous avez peut-être craint qu'elle perde son travail.

Kincaid se leva et se mit à déambuler dans le salon, si bien que Freddie devait tourner la tête en tous sens pour le suivre des yeux.

– Ou qu'elle démissionne. Vous avez peut-être eu peur qu'elle vous demande une aide financière. Vous pensiez avoir été assez généreux – même si on dit qu'elle le méritait.

– Qu'est-ce... Qui le dit ?

– Milo Jachym. Et le notaire de Becca. Ainsi que son agent d'assurances.

Kincaid exagérait un brin, mais il voulait taper fort. Freddie pâlissait, à présent.

– Ce n'est pas vrai. Enfin... si, elle le méritait. Bien sûr. Mais je n'ai jamais rien attendu en retour.

– Toujours d'après la rumeur, vous êtes dans la merde, financièrement, enchaîna Doug qui s'assit à la place de Kincaid, sur la chaise, et se pencha vers Freddie. Regretter d'avoir donné tant d'argent serait naturel. Malgré la crise, le cottage de Remenham vaut son pesant d'or.

– Mais Becca vous était reconnaissante de ce que vous aviez fait pour elle, n'est-pas ? poursuivit Kincaid qui vint se camper près du canapé – Freddie était cerné. C'était bien honnête de sa part. Elle était honnête, n'est-ce pas ? Elle avait l'esprit de compétition chevillé au corps, elle était difficile, parfois insupportable, mais elle était honnête.

– Que... De quoi vous parlez ? bredouilla Freddie en s'appuyant contre le dossier du canapé, comme s'il cherchait à s'y enfoncer et à disparaître.

– Elle a veillé à ce que vous soyez à l'abri du besoin s'il lui arrivait malheur, dit Doug.

Il lança un bref coup d'œil interrogateur à Kincaid qui acquiesça.

– Elle vous a désigné comme exécuteur testamentaire, continua-t-il, et bénéficiaire de son assurance vie. Cinq cent mille livres.

Silence. On n'entendait plus que le souffle rauque de Freddie Atterton. Kincaid guetta sur son visage un tressaillement indiquant qu'il savait déjà, un mouvement des yeux trahissant la duplicité.

Mais toute sa figure se contracta. Il plaqua une main tremblante sur sa bouche.

– Oh, non, balbutia-t-il. S'il vous plaît, dites-moi qu'elle n'a pas fait ça.

– Je crains que si, rétorqua Kincaid, apitoyé.

– Mais je ne peux pas... je ne...

Freddie secoua violemment la tête, tel un homme qui se noie et se débat.

– Je ne peux pas lui dire de ne pas faire ça, souffla-t-il.

Alors, à cette seconde, Kincaid crut en sa bonne foi. Si Becca Meredith avait un jour désiré se venger de son ex-mari volage, elle avait gagné. Elle lui offrait un terrible cadeau.

– Cela devrait résoudre vos problèmes financiers, dit Doug sans la moindre émotion. À moins, bien entendu, que vous soyez reconnu coupable de meurtre.

– Non... mais non, ma situation se serait arrangée, protesta Freddie en tortillant le pan de sa chemise. J'ai ce projet... un lotissement de luxe du côté de Remenham. Et j'ai un nouvel investisseur. C'est pour ça que j'étais au Leander mardi matin. Nous avions un petit-déjeuner de travail, mais il n'est pas venu. Et c'est notamment pour ça que j'essayais sans arrêt de joindre Becca. Pour lui demander si ce type existait vraiment.

– Comment l'aurait-elle su ? rétorqua Kincaid, dérouté.

– Parce que c'est un flic. Enfin, un ancien flic. Il s'appelle Angus Craig.

15

« Dans ces pages on dépeint un monde en noir et blanc. Un monde que le public a rarement l'occasion de voir, mais qui pourtant pendant deux siècles fut le terreau où germèrent industriels et politiciens, ceux qui forgent et parfois ébranlent notre société si fragile. C'est là que le monde riant du *Retour à Brideshead* d'Evelyn Waugh rejoint celui, désenchanté, du *Fight Club* de Chuck Palahniuk : un monde flamboyant peuplé de héros et de méchants, et régi par un événement : la Boat Race. »

Mark de Rond,
The Last Amateurs :
To Hell and Back with the Cambridge Boat Race Crew

– Angus Craig ? répéta Kincaid. Vous nous charriez, mon vieux, et ce n'est pas drôle.

– Quoi, qu'est-ce que j'ai dit ?

– Vous aviez rendez-vous avec Angus Craig, directeur adjoint de la police, retraité et domicilié à Hambleden. C'est bien ce que vous nous dites ?

– Et alors quoi ? s'affola Freddie. On a discuté un soir de la semaine dernière. Je lui ai parlé du projet. Il m'a dit que ça l'intéressait, qu'il pourrait peut-être y investir une certaine somme. Et on a convenu de se voir mardi matin.

– Il savait que vous êtes l'ex-mari de Becca ?

– Non... je ne pense pas. Je ne l'ai pas mentionné.

223

Enfonçant les mains dans ses poches, Kincaid se remit à arpenter la pièce.

– Vous ne le connaissiez pas avant ce soir-là ?

– Non. On a bavardé en buvant un verre.

– Au Leander ?

– Sûrement pas. Ils sonnent le couvre-feu à vingt-deux heures.

Comme Freddie s'interrompait, Kincaid lui décocha un regard impatient.

– Bon, d'accord... C'était au club de strip-tease, si vous voulez savoir. Mais ce n'est pas du tout ce que vous croyez. Il y a des filles, OK, mais pas sur scène ni rien de ce genre. À Henley, c'est le seul endroit qui reste ouvert après la fermeture des pubs. Tout le monde s'y retrouve. Il y a de la musique, une ambiance conviviale.

Imogen Bell lui avait parlé de cette boîte, se souvint Kincaid, et son collègue Bean avait vertueusement froncé le nez.

Mais, pour l'heure, il se fichait de l'opinion des pères la morale de la ville.

– D'accord, Freddie... Si vous n'aviez jamais rencontré Craig auparavant, vous rappelez-vous qui, de vous deux, a entamé la conversation ?

– Je l'avais déjà aperçu dans cette boîte. Et aussi au Leander, même si, à ma connaissance, il ne fait pas partie des membres – il devait être invité.

Freddie s'interrompit de nouveau, passa sa langue sur ses lèvres.

– Je pourrais avoir un peu d'eau ?

Kincaid attendit que Doug lui apporte un verre d'eau et que Freddie le vide à moitié.

– Continuez... Donc vous l'aviez déjà vu, ce qui signifie que lui aussi vous avait vu.

– Sans doute. Mais, au Leander, je n'étais jamais avec Becca, et elle ne fréquentait pas le club de strip-tease. Je ne comprends pas où vous voulez en venir. Quel rapport entre Becca et Angus Craig ?

224

Kincaid hésita. Manifestement, Becca ne lui avait pas parlé du viol, ou du moins elle ne lui avait pas donné de détails. Compte tenu de ce que Kincaid savait à présent de cette jeune femme, il aurait parié qu'elle avait gardé le silence.

Et il ferait de même, puisqu'on lui avait fortement déconseillé d'évoquer ses « allégations ».

– Je ne sais pas, dit-il. Simplement, je trouve bizarre que vous ayez lié connaissance avec un cadre de la police à la retraite, quelques jours avant l'assassinat de votre ex-femme. Et qu'il ne soit pas venu à votre rendez-vous le mardi matin. Il vous a contacté pour s'excuser ?

– Non... Ce matin-là, Lily a dit qu'il y avait eu un accident sur Marlow Road, et j'ai pensé qu'il était peut-être coincé dans les bouchons. Et ensuite... ça m'est sorti de l'esprit...

Le téléphone de Kincaid bourdonnait. Marmonnant un juron, il décrocha, car c'était Imogen Bell qui appelait.

– Commissaire ? Vous vouliez que je vous prévienne, dit-elle avec cette vivacité et cette efficacité dont il se souvenait. Les techniciens de l'Identité judiciaire sont en route. De mon côté, je suis allée au Henley Rowing Club et au Upper Thames Rowing Club. Ils n'ont pas remarqué qu'un bateau ait disparu cette nuit, mais certains membres les garent dehors, où ils ne sont pas surveillés.

– Et merde ! bougonna Kincaid.

Il lui avait effectivement demandé de l'avertir lorsqu'on viendrait embarquer la voiture de Freddie, ainsi que ses chaussures et ses vêtements, pour les analyser et les comparer aux fibres et à l'empreinte découvertes au bord de la Tamise.

Et il avait prévu de boucler son interrogatoire en fonction de ça, pour ne pas laisser à Freddie le temps de planquer ou de nettoyer quoi que ce soit avant l'arrivée de la scientifique. Mais, décidément, rien ne se passait comme prévu.

– Commissaire ?

– Excusez-moi, Bell, ça ne vous était pas destiné. Ils seront là dans combien de temps ?

– Une demi-heure, environ.

– D'accord. Merci, Bell, vous avez fait du bon boulot. Je vous tiens au courant.

Il raccrocha, d'un geste empêcha Doug de poser la question qui lui brûlait les lèvres, et se rassit en face de Freddie.

– Monsieur Atterton… Freddie… des policiers vont venir examiner votre voiture et vos affaires. Simple routine. Ils essaieront de ne pas vous déranger plus qu'il n'est nécessaire.

– Ma voiture ? Mes affaires ? Mais pourquoi… quelles affaires ?

Freddie voulut se lever du canapé, mais Kincaid et Doug lui barraient le passage.

– Bottes ou chaussures de marche, je présume. Et vos blousons. Mais avant ça, j'ai encore quelques questions à vous poser. Pouvez-vous me dire ce que vous faisiez entre dix-heuf et vingt et une heures ?

– Quoi ? bredouilla Freddie, ahuri. Hier soir ? En quoi ça vous intéresse ?

– Contentez-vous de répondre, s'il vous plaît.

– J'étais ici. J'avais bu quelques verres avec un copain, de l'autre côté de la rue. Il m'a… emmené à la morgue.

Freddie s'interrompit et acheva de vider son verre.

– Ensuite je suis rentré. J'attendais un coup de fil de la mère de Becca. Elle est en Afrique du Sud. Elle prendra son billet d'avion quand on saura ce qu'on fait pour le… les obsèques.

– C'est elle qui vous a téléphoné ?

– Oui… Vers vingt heures, il me semble. Je n'ai pas regardé ma montre.

– Elle vous a appelé sur votre ligne fixe ou sur votre mobile ?

– Sur la ligne fixe. Sinon ça lui aurait coûté une fortune, or Marianne n'est pas du genre à jeter l'argent par les fenêtres.

226

Kincaid le dévisagea, intrigué par cette remarque acerbe.

– Vous ne vous entendez pas bien avec la mère de Becca ?

– Pour être franc, soupira Freddie, nous ne sommes pas très unis, tous autant que nous sommes. Becca et sa mère n'étaient d'accord sur rien, moi compris. Encore que Becca avait fini, en quelque sorte, par souscrire au jugement de sa mère, ajouta-t-il piteusement. Mais je ne crois pas que cela les avait rapprochées. Becca ne supportait pas le refrain maternel, sur l'air de « Je te l'avais bien dit ». Et Marianne... oh, bon Dieu, quand Marianne saura que Becca m'a laissé de l'argent, elle n'appréciera pas du tout.

Freddie Atterton semblait extrêmement seul, songea Kincaid.

– Vous avez de la famille ? demanda-t-il. Vous les avez contactés ? Vous avez quelqu'un qui pourrait vous tenir compagnie ?

– J'ai téléphoné à ma mère. Je ne voulais pas qu'elle apprenne la nouvelle par les journaux. Elle m'a proposé de venir, mais ce serait pire que la solitude. Elle peut être... *too much*, ma chère maman.

– Et votre père ?

– Il a chargé ma mère de me dire qu'il était navré, grimaça Freddie.

– Bien...

À l'évidence, il n'y avait pas d'aide à attendre de ce côté-là. Mais qu'était-il advenu de l'agent de médiation demandé par Cullen ?

– Freddie... avez-eu la visite d'un agent de médiation mandaté par la Met ? Vous a-t-il contacté ?

– Non...

Le grand patron – ou la personne qui décidait de ces choses, au Yard – aurait-il mal orienté le fameux agent de médiation, comme par hasard ? Ces policiers apportaient aux proches des victimes du soutien, des conseils, et les informaient des progrès de l'enquête. S'ils n'étaient pas des nounous, ils les aidaient à encaisser le choc, à entreprendre les démarches nécessaires et, dans les affaires en vue, faisaient tampon entre la famille et les médias.

Freddie Atterton n'était plus le mari de Rebecca Meredith, mais il avait visiblement besoin d'être entouré. Malheureusement, il était aussi – du moins aux yeux du commissaire divisionnaire Childs – le principal suspect. Or, un agent de médiation était d'abord un officier de police. Il glanait parfois des informations qui incriminaient la famille, auquel cas il était tenu d'en rendre compte. Il exerçait un métier difficile, où les conflits d'intérêts étaient fréquents.

Mais dans l'immédiat, Kincaid avait d'autres priorités.

– La mère de Becca... Mme Meredith, c'est bien ça ? Nous aurons besoin de ses coordonnées.

On vérifierait également les relevés téléphoniques d'Atterton, ce que Kincaid ne mentionna pas. Il voulait savoir si la mère et l'ex-gendre n'étaient pas de mèche, sans laisser à Atterton la moindre marge de manœuvre.

– Mais pourquoi ? Je ne comprends pas. En quoi ce que j'ai pu faire hier soir vous intéresse ?

– On a tenté d'assassiner l'un des maîtres-chiens qui ont découvert le corps de Becca.

Freddie blêmit, serra son verre vide contre sa poitrine.

– Assassiner un maître-chien ? Pour quelle raison ?

Kincaid se pencha et plongea son regard dans les yeux bleus, effarés, de Freddie Atterton.

– Un ex-mari jaloux pourrait avoir une très bonne raison. Cet homme était l'amant de Becca.

Pétrifié, Freddie regarda fixement Kincaid. Puis il lança un coup d'œil à Doug.

– Son amant ? lui demanda-t-il d'une voix tremblante.

– Il s'appelle Kieran Connolly, répondit Doug. Un ancien militaire. Il pratique l'aviron et répare des bateaux. Avec son labrador, il fouillait la zone de la chaussée.

Doug s'interrompit, scrutant le visage de Freddie.

– Mais peut-être savez-vous déjà tout ça.

– Non, je... je l'ignorais. Je l'ai vu ce matin-là. Un grand brun avec un chien noir.

Freddie secoua la tête, comme s'il avait du mal à assimiler.

– Est-ce que... Vous dites qu'on a *tenté* de le tuer. Il va bien, j'espère ?

S'il était réellement aussi surpris qu'il le paraissait à l'idée que Becca ait eu un amant, songea Kincaid, sa sollicitude était louable.

– Il n'a qu'une entaille au cuir chevelu. Mais son hangar a souffert. On y a mis le feu avec l'intention de le réduire en cendres.

– Lui et Becca... Je ne pensais pas qu'elle... C'est idiot, je sais, ajouta Freddie avec un petit rire. Quand nous étions mariés, elle avait déjà les meilleures raisons du monde d'avoir une aventure. Et après notre divorce, elle avait évidemment le droit de... de coucher avec qui lui plaisait. Mais je me figurais sans doute qu'elle m'en parlerait...

Kincaid observait Freddie tout en se remémorant son entrevue avec Kieran, la veille chez Tavie. Physiquement, les deux hommes se ressemblaient. Grands, bruns, minces, une morphologie de rameur... Était-ce cela, chez Kieran, qui avait attiré Becca ? Existait-il d'autres similitudes, moins évidentes, entre ces hommes ? Avec l'un comme avec l'autre, Becca devait être l'élément dominant et, consciemment ou pas, cela devait lui plaire.

– Elle voulait peut-être vous ménager, suggéra-t-il. Ou bien... Elle a dit à Kieran qu'elle ne souhaitait pas que leur liaison s'ébruite. Sous prétexte qu'on pourrait l'utiliser contre elle. Comment interprétez-vous ça ?

– Je ne... Elle ne faisait pas allusion à moi, j'en suis certain.

– Vous ne lui auriez pas demandé de vous rendre le cottage ?

– Mon Dieu, non. De toute façon, je le lui ai donné, ça figure dans le jugement de divorce. Elle en avait la pleine et entière propriété. Je n'avais aucun recours possible.

Ce qui semblait sous-entendre que Freddie avait envisagé de reprendre le cottage et renoncé à cette idée. Parce qu'il avait décidé de la tuer ?

Encore aurait-il fallu qu'il sache que Becca n'avait pas modifié son testament. Or, compte tenu de la personnalité de la jeune femme – que Kincaid commençait à mieux cerner –, il était peu vraisemblable qu'elle ait évoqué ce sujet avec quiconque. À moins, bien sûr, que Freddie ait pris le pari qu'elle ne léguerait pas ses biens à sa mère ni à une association caritative.

De nouveau, Kincaid observa l'homme assis vis-à-vis de lui – bouleversé, épuisé, effrayé. Il avait vu des meurtriers dans cet état-là, il n'était pas inconcevable que Freddie Atterton ait assassiné son ex-femme et soit pourtant sincèrement bouleversé.

Mais Kincaid ne parvenait pas à s'en convaincre. Trop de choses ne collaient pas. Si Freddie avait un alibi valable pour le soir de l'incendie, cela signifierait que l'attentat contre Connolly n'avait aucun rapport avec le meurtre de Becca Meredith. Ce qui était fort peu plausible.

À l'arrivée des techniciens de l'Identité judiciaire, il avait laissé Doug superviser les opérations – collecte des pièces à conviction, transport de la BMW – et s'était réfugié dans la cour de l'ancienne brasserie, au calme, pour téléphoner au gardien de la paix Imogen Bell.

– Commissaire... tout va bien ?

– Absolument. Désolé d'avoir été un peu abrupt tout à l'heure. Vous avez été formée à l'accompagnement des familles de victimes ?

– Sommairement. Ce n'est pas facile.

– En effet. Préparer du thé, tenir la main... ça vous dirait ?

Un silence à l'autre bout du fil.

– J'imagine, commissaire, que cette proposition n'est pas entachée de sexisme, dit-elle avec humour.

– Je crois dur comme fer qu'un homme sait faire du thé et tenir la main aussi bien qu'une femme, sinon

230

mieux, répondit Kincaid, amusé. Mais dans ce cas particulier, j'admets que votre sexe pourrait être pour nous un atout.

Imogen Bell lui avait tout de suite rappelé la Becca Meredith plus jeune qu'il avait vue en photo. Or, si Becca Meredith était attirée par un certain type d'homme, peut-être en était-il de même pour son ex-mari.

Freddie Atterton présentait tous les symptômes d'un homme en mal de confidente. Kincaid se devait de lui en offrir une.

Doug Cullen quitta l'appartement de Freddie Atterton quelques minutes après l'arrivée d'Imogen Bell.

– Elle aura vite fait de le remettre d'aplomb, et je préfère ne pas être dans ses pattes. Vous croyez qu'il lui dira quelque chose ?

– C'est possible, répondit Kincaid, sans se mouiller.

Doug le dévisagea longuement.

– Vous ne le pensez pas coupable, n'est-ce pas ?

Kincaid esquiva, montrant l'Hôtel du Vin de l'autre côté de la rue.

– Allons déjeuner. Je meurs de faim.

L'établissement faisait partie d'une chaîne d'hôtels étoilés, réputés pour leur cuisine.

– Excellente idée. Moi aussi, je meurs de faim depuis que j'ai vu les rameurs du Leander engloutir des platées d'œufs et de fayots.

Un instant après, ils étaient installés sur des canapés de cuir, dans le bar au décor branché. Tous deux commandèrent le plat du jour, une tourte au haddok fumé et légumes agrémentée d'une onctueuse sauce au cheddar. Kincaid prit du thé au lieu du demi qu'il aurait très nettement préféré. Il devait garder les idées claires.

Dès que la barmaid leur eut servi leurs consommations, Doug remonta ses lunettes sur son nez et regarda fixement Kincaid.

– Donc vous ne le pensez pas coupable, dit-il, revenant à ses moutons.

Kincaid haussa les épaules.

– Freddie Atterton avait un mobile : l'appât du gain. Et sans doute un autre, moins évident : la jalousie. Il savait comment s'y prendre pour assassiner Becca le lundi soir, et il en a peut-être eu l'opportunité.

– Mais s'il avait un alibi solide pour l'attentat contre Kieran...

– Exactement.

Pendant qu'il attendait Doug, Kincaid avait contacté le commissariat et demandé qu'on épluche les relevés téléphoniques de Freddie et qu'on joigne la mère de Becca, pour vérifier qu'il l'avait bien appelée.

– Cela signifie que l'incendiaire a frappé au hasard – ce que je ne crois pas un quart de seconde. Ou bien ce n'était pas Freddie que Kieran a aperçu sur la rive. Et ce n'est pas tout...

Kincaid se tut pour remercier d'un sourire la barmaid, une jolie fille exhibant un nombril orné d'un piercing, qui leur apportait les couverts. Comme un couple prenait place à une table voisine, il poursuivit à voix basse :

– Aucun des scénarios où Freddie tient le rôle du meurtrier n'explique ce que Becca a fait le vendredi soir. Pourquoi a-t-elle laissé sa voiture à Londres et pris le train ? Pourquoi a-t-elle été désagréable avec Kieran quand il est venu au cottage le samedi ? Pourquoi ne s'est-elle pas entraînée ce jour-là ? Qu'avait-elle à faire à Londres un samedi ? Autant d'entorses à sa routine. Les entorses de ce genre, je n'aime pas ça.

Il but une gorgée de thé, grimaça. Il avait horreur du thé tiède.

– Et ce que j'aime le moins, c'est que, comme par hasard, Freddie a lié connaissance avec Angus Craig quelques jours avant le meurtre.

– Une rencontre préméditée par Craig ?

– Je pense qu'avec Rebecca Meredith, il a commis une grossière erreur. Il braconnait sur son propre territoire et il a piégé une victime plus coriace que prévu. Peut-être qu'il avait trop bu, ce soir-là, qu'il a manqué de prudence. Mais quoi qu'il en soit, je vous garantis qu'ensuite il s'est décarcassé pour tout savoir d'elle.

La barmaid posa leurs plats sur la table, et sourit à Doug – ce qui vexa Kincaid. Une couche de purée dorée recouvrait le poisson et, quand ils y plongèrent leurs fourchettes, il s'en échappa de la vapeur à l'odeur alléchante. Doug piqua un morceau et souffla dessus, ce que sa mère lui avait sans doute, naguère, interdit de faire.

– S'il savait qui était Freddie par rapport à elle, pourquoi avoir attendu si longtemps pour l'aborder? demanda-t-il.

– Peut-être que Becca faisait du barouf. Il nous faut savoir quand elle a découvert que Craig avait été décoré, et que Gaskill – ou celui qui le cornaque – n'avait pas respecté sa promesse. Et il nous faut savoir autre chose...

Reposant fourchette et couteau, sans même avoir goûté à sa tourte, Kincaid prit son mobile.

– Mademoiselle Bell? Vous êtes toujours chez M. Atterton?

– Oui, commissaire. On avance. La cuisine et M. Atterton sont propres comme des sous neufs, dit-elle d'un ton satisfait. Je vais aider Fred... M. Atterton... à entreprendre les démarches nécessaires.

– Les techniciens sont partis?

– Oui, monsieur. Je pense qu'ils ont tout ce qu'ils voulaient. Ils m'ont demandé de vous dire qu'ils s'occuperont de la voiture le plus vite possible.

– Merci, bon boulot. Mademoiselle Bell...

Kincaid hésita, cherchant ses mots. La prudence s'imposait.

– ... pourriez-vous poser une question à M. Atterton? Quel soir de la semaine dernière a-t-il discuté avec l'homme dont il nous a parlé?

– Euh... d'accord, commissaire. Un instant...

Il l'entendit échanger quelques mots avec Freddie, puis :

– Il pense que c'était le jeudi.

Elle grillait manifestement de curiosité, mais il la remercia sans autre commentaire et raccrocha.

– Le jeudi, répéta-t-il à Doug qui haussait un sourcil interrogateur.

Doug avala une bouchée, tressaillit, souffla.

– Me suis brûlé, marmonna-t-il en buvant un peu d'eau. Tout de même... la rencontre de Craig et Freddie... ça pourrait être une coïncidence.

– Ça pourrait, oui. Et le changement d'attitude de Becca, le lendemain, peut aussi être une simple coïncidence. Mais j'aimerais que vous retourniez au commissariat de West London papoter avec les collègues de Becca. Essayez de définir en quoi, le vendredi, elle était différente.

– Et vous, qu'est-ce que vous allez faire ? interrogea Doug d'un ton suspicieux.

– Une chose que je tiens à vous épargner, dit Kincaid, contemplant son déjeuner intact – soudain, il n'avait plus faim. Je vais avoir un entretien avec Angus Craig.

Les yeux de Doug s'arrondirent, il resta la fourchette en l'air.

– Le grand patron ne va pas apprécier.

Un doux euphémisme, pensa Kincaid.

Au cours de sa carrière, il avait souvent poussé le bouchon un peu loin, car Childs lui accordait une grande liberté d'action pourvu qu'il mène ses enquêtes avec succès. Mais jamais il n'était allé à l'encontre de la volonté expresse de son supérieur hiérarchique.

Il avait dit au commissaire divisionnaire Childs qu'il était scandalisé qu'on ait balayé sous le tapis les accusations de Becca à l'égard de Craig. Il avait dit que, selon lui, Craig faisait un bon suspect.

Pas touche ! lui avait-on répondu.

Il but une autre gorgée de thé, à présent glacé, mais il s'en fichait. Il avait la bouche sèche.

S'il avait un peu de jugeote, il laisserait tomber cette affaire sur-le-champ. Qu'un autre s'en charge. Qu'on fasse endosser à Freddie Atterton – qu'il croyait innocent – le rôle de bouc émissaire, ce serait bien commode. Et qu'on ferme les yeux sur les turpitudes d'Angus Craig qui abusait de son pouvoir et traquait des femmes comme Rebecca Meredith, comme Gemma et d'autres – Dieu seul savait combien.

– Effectivement, dit-il, je suppose qu'il n'appréciera pas. Mais, dans l'immédiat, je n'ai pas l'intention de l'en informer.

16

« Je me prépare à exécuter les vingt coups d'aviron les plus intenses de toute ma vie, et dès le premier, je sens une poussée formidable car chacun de nous déploie toute sa force. »

David & James Livingston,
Blood over Water

L E TEMPS pour Doug Cullen d'avoir sa correspondance à Twyford puis d'arriver en gare de Paddington, l'après-midi était déjà bien avancé.

Il prit le métro et descendit à Shepherd's Bush. De là, il y avait encore une trotte jusqu'au commissariat de West London, mais ça ne le dérangeait pas. Il faisait toujours beau, et après avoir vu les athlètes du Leander ce matin, il avait bien été forcé d'admettre qu'il lui restait du chemin à faire avant d'être physiquement capable de se remettre à l'aviron.

Le trajet en train comme la marche lui avaient aussi permis de réfléchir et d'échafauder une stratégie. Pas question de tailler une bavette avec le commissaire Peter Gaskill – en réalité, il voulait éviter le commissaire, autant que possible.

Leur première rencontre avec Kelly Patterson laissait penser qu'elle ne serait pas beaucoup plus communicative. Restait donc Bryan Bisik, le gardien de la paix.

Au poste de police, il demanda au planton d'appeler Bisik, lequel apparut quelques minutes après. Il paraissait soucieux et exténué. Il avait le teint plâtreux, les yeux rouges et bouffis, ses cheveux coiffés au gel étaient couverts de pellicules.

– Inspecteur Cullen... Il y a du... du nouveau ?

– En quelque sorte, et ça ne manque pas d'intérêt.

– Je suis désolé, mais le commissaire est absent.

– En fait, c'est à vous que je souhaitais parler. Il y a un endroit plus tranquille pour bavarder ?

Bisik lança un regard furtif, méfiant, au policier préposé à l'accueil.

– Je vous ai tout dit l'autre jour, je ne vois pas ce que je pourrais ajouter.

Doug tourna le dos au planton, et à voix basse :

– Puisque le commissaire n'est pas là... un demi, ça vous dirait ?

– Eh bien...

Bisik regarda encore son collègue, à présent occupé à répondre au téléphone.

– D'accord, chuchota-t-il. Il y a pub un peu plus bas, dans Brook Green, du côté du métro. Je vous y rejoins dans dix minutes. En terrasse. Commandez-moi une Foster's.

Doug avait déjà remarqué ce pub, qui avait l'air sympa. À cette heure, les tables installées sur le trottoir étaient encore libres. Il entra dans la salle, paya les deux bières. Il ressortait quand Bisik arriva d'un pas pressé.

– Merci, mon vieux, dit-il en se laissant tomber sur l'une des chaises métalliques.

Il leva son verre à la santé de Doug, but une lampée de bière, puis pêcha un paquet de Silk Cut dans sa poche. Il alluma une cigarette et poussa un soupir de soulagement.

– J'étais en manque...

Le front plissé, il inhala une autre bouffée de tabac avant d'écraser la cigarette dans le cendrier. Une spirale de fumée bleutée resta en suspens dans l'air.

– Dire que je ne peux plus fumer sans me sentir coupable... Becca nous tarabustait sans arrêt, Kelly et moi. Du coup, je crois qu'on fumait juste pour l'embêter. Et maintenant... chaque fois que je m'en grille une, j'entends sa voix. Pareil pour Kelly.

– Où est Patterson, aujourd'hui ?

– Vous ne le savez pas ?

– Savoir quoi ?

– Elle a été détachée dans une autre division. Hier. De but en blanc.

Doug le dévisagea, oubliant sa bière.

– Vous rigolez.

– J'aimerais bien. Je suppose que, moi non plus, je ne devrais pas être là avec vous.

– Patterson vous a dit qu'elle nous avait parlé ?

– Non, mais je l'ai vue avec vous, dans la rue. Apparemment, je n'ai pas été le seul à la voir.

Gaskill les avait-il repérés, lui aussi ? Ou bien le planton qui en avait ensuite informé le commissaire ? Doug, brusquement, se sentit mal à l'aise. Comme il regardait machinalement à droite et à gauche, Bisik lui dit :

– Relax, on est assez loin du commissariat. C'est pour ça que j'ai choisi ce pub.

Il alluma une deuxième Silk Cut.

– De toute façon, je ne sais rien. J'ignore ce que Kelly vous a raconté. Et s'ils veulent m'expédier en Sibérie, je crois que je m'en fous.

– Vous ne savez rien sur Angus Craig ?

Bisik le regarda, plissant les yeux. Il prit dans sa poche des lunettes de soleil, qui avaient dû lui coûter cher, et les chaussa. À cette heure de la journée, les rayons du soleil étaient de plus en plus obliques.

– Qui est Angus Craig ?

– Si vous ne le savez pas, il vaut mieux pour vous ne pas poser la question. À propos, où est le commissaire Gaskill cet après-midi ?

Doug se demandait si Gaskill n'aurait pas l'intention de limoger tous ceux qui, de près ou de loin, avaient approché Rebecca Meredith.

Mais c'était absurde. Il devenait complètement parano.

– Au golf, répondit Bisik. Moi, c'est pas ma tasse de thé, mais notre commissaire est un mordu de golf. Personnellement, je préfère me taper une bière au bistrot.

Bisik retira ses lunettes, en tripota les branches.

– Le boss... Becca... aurait dit que c'était un temps idéal pour ramer.

Doug s'engouffra dans la brèche.

– Vendredi dernier, on avait ce temps-là. Pourtant elle n'est pas rentrée à Henley s'entraîner. Vous savez pourquoi ?

– Vendredi dernier ? Non... Elle est partie à l'heure habituelle.

– Il n'y a rien eu de particulier, ce jour-là ? insista Doug, dépité. Elle a laissé sa voiture à Londres, elle a pris le train, contrairement à son habitude.

Bisik sirotait sa bière avec une lenteur exaspérante.

– On bossait sur cette affaire d'agression à l'arme blanche, et on n'avançait pas d'un pouce. Des gamins ont vu leur copain prendre un coup de couteau dans le bide, mais pas un n'a moufté. Notez que je les comprends. S'ils parlaient, ils y auraient droit, eux aussi. Mais Becca avait les boules. À part ça, je ne vois pas ce que... Oh, attendez ! s'exclama-t-il avec un grand sourire. Il y a eu la visite de ce flic de la brigade des mœurs. Elles ont fait la causette dans le bureau de Becca.

– Elles ?

– Ouais, apparemment elles étaient copines.

– Connaissez-vous le nom de cette femme ou la raison de sa visite ?

– Non, j'ai passé l'après-midi à interroger des ados qui n'étaient pas à prendre avec des pincettes. Une nana blonde, précisa Bisik d'un air appréciateur. Pas mal du tout. Ça ne m'aurait pas déplu de l'inviter à boire un pot.

Bisik tirait sur sa cigarette, sa culpabilité envolée.

– Mais je n'ai pas été présenté. Je les ai juste entendues papoter, assez pour avoir l'impression qu'elles se connaissaient depuis longtemps. Genre : « Et comment va Machin ? Et Trucmuche ? » Et Becca avait le sourire.

Ça, c'était inhabituel. Peut-être qu'elles sont allées boire un pot toutes les deux. J'imagine que Becca avait une vie sociale, même si on n'en a jamais eu la preuve.

– Quelqu'un pourrait savoir qui était cette femme ?

– Peut-être Kelly... mais elle est à Dulwich, ou Plumstead, je mélange toujours. Et le commissaire, probablement.

Mieux valait, si possible, obtenir l'information d'une autre source que le commissaire Gaskill.

– Vous avez le numéro de portable de Patterson ?

– Oui...

Bisik jeta son mégot, prit son téléphone et un ticket de pari Ladbrokes tout froissé sur lequel il nota un numéro avec le stylo que Doug lui tendait obligeamment.

– Bonne chance pour l'avoir au bout du fil. Moi, j'essaie depuis hier.

Kincaid avait mis pour quitter Henley plus de temps que prévu. Après son déjeuner avec Cullen, il était retourné au poste de police. Là, il avait relaté à l'inspecteur Singla et au reste de l'équipe son entretien avec Freddie Atterton. En omettant toutefois ses révélations les plus importantes.

Ensuite, il avait fait sa deuxième déclaration aux quelques reporters opiniâtres – en majorité des journalistes sportifs espérant un os viandu à ronger – qui poireautaient encore devant le commissariat.

Il n'avait pas appelé le divisionnaire Childs, ce qui lui pesait sur l'estomac.

En chemin, il était passé près de Hambleden Mill, le moulin à eau. Angus Craig n'habitait pas si loin, pour un bon marcheur, du lieu où on avait retrouvé le corps de Rebecca Meredith. Et même si Craig n'avait peut-être pas fait à pied le trajet jusqu'à l'endroit, sur la rive côté Oxfordshire, où Becca avait été assassinée, il aurait facilement pu s'en rapprocher en voiture.

Kincaid ralentit à l'entrée de Hambleden. L'église, le pub, les cottages en brique rouge, les rosiers grimpants – un village de carte postale.

Et la maison, quand il la trouva à l'orée de Hambleden, au bout d'une longue allée, était assez impressionnante pour inciter un simple commissaire à y réfléchir à deux fois avant de sonner à la porte sans s'être annoncé.

Kincaid aurait volontiers qualifié la demeure de montagne de briques, si elle ne s'était pas si élégamment intégrée dans le paysage. Impossible de définir le plan architectural d'origine, d'où Kincaid déduisit qu'on l'avait agrandie au fil des ans avec beaucoup de savoir-faire.

Les pelouses valonnées étaient méticuleusement entretenues, les tuiles rouges et brunes du toit se fondaient si bien dans le flamboiement automnal des arbres, sur la colline à l'horizon, qu'on aurait dit que la maison était peinte sur une toile de fond.

Une propriété magnifique, à laquelle on devait être profondément attaché, et qui était conçue pour en imposer.

Tout cela était grandiose, même pour un directeur adjoint de la police. Peut-être, pensa charitablement Kincaid, que Mme Craig avait de la fortune.

Il arrêta l'Astra dans l'allée, se demanda ce qu'il allait dire à Angus Craig, puis estima qu'il était sans doute préférable de ne pas trop y réfléchir.

Fermant doucement la portière, il rajusta son nœud de cravate et se dirigea vers le perron, le gravillon crissant sous ses pas.

Il appuya sur la sonnette – un griffon en laiton. Un bruit de gong retentit dans les profondeurs de la demeure, suivi d'un jappement aigu. Il attendit. Il n'aurait pas été surpris de voir apparaître un majordome en livrée, mais ce fut Angus Craig en personne qui ouvrit la porte.

Il n'avait pas changé depuis la dernière fois que Kincaid l'avait vu, hormis quelques kilos supplémentaires qui alourdissaient une silhouette déjà trapue. Ses cheveux sable, clairsemés, étaient peignés en arrière. Sur sa large figure rubiconde se lisait l'agacement de celui qu'on a interrompu au mauvais moment. Il était en tenue de golf et chaussures à crampons.

Craignant qu'à la vue de l'Astra, Craig ne le prenne pour un vendeur de fenêtres à double vitrage, Kincaid prit les devants.

– Monsieur Craig ? Je suis Duncan Kincaid, commissaire du Yard. Je présume que vous ne me reconnaissez pas, mais j'ai assisté une ou deux fois à vos cours de commandement à l'académie de police.

L'agacement, sur le visage du directeur adjoint, fit place à un sourire faussement jovial. Kincaid devina que Craig non seulement savait qui il était, mais pourquoi il était là.

– Commissaire Kincaid, oui... je me souviens de vous. J'ai entendu dire que, dans l'affaire Meredith, vous faisiez un excellent travail.

– Merci. Pourriez-vous m'accorder un peu de votre temps ?

– Naturellement, acquiesça Craig du bout des lèvres. Entrez, allons dans mon bureau. J'étais en train de changer de chaussures.

Comme Kincaid franchissait le seuil, Craig, avant de refermer la porte, lança un coup d'œil à l'Astra.

– J'aurais cru que le Yard fournissait aux officiers de votre rang des véhicules un peu plus reluisants.

– C'est ma voiture personnelle, rétorqua Kincaid, piqué – étonnamment, il tolérait mal qu'on critique l'Astra.

Arquant un sourcil blond, Craig ne daigna pas s'excuser pour ce commentaire désobligeant. Ses crampons cliquetaient sur le plancher de chêne. Il n'avait cure de l'abîmer. Que pensait son épouse de cette négligence ?

Il troqua ses chaussures de golf contre des chaussons en cuir. Kincaid en profita pour observer le décor. L'intérieur n'était pas aussi ostentatoire qu'on aurait pu le craindre – murs et boiseries blanc cassé, mobilier et compositions florales très simples, quoique coûteux. Une ravissante série de fusains, des nus, parachevait l'ensemble.

Le chien aboyait toujours quelque part dans la maison.

– Satané cabot, rouspéta Craig. Il est à ma femme. Chaque fois qu'elle sort, il hurle. Par ici, commissaire.

Kincaid pénétra dans une pièce où trônait un bureau disproportionné par rapport à l'espace. De larges fenêtres donnaient sur les pelouses. Malgré la température plus que clémente pour la saison, un feu brûlait dans la cheminée dont le fond en fonte était admirablement ouvragé.

Deux bergères à oreilles en cuir étaient disposées face au feu, formant un coin salon qui invitait à la conversation. Mais Craig préféra s'installer à son bureau, et Kincaid n'eut d'autre choix que de prendre place dans un petit fauteuil sans accoudoirs.

Peter Gaskill avait lui aussi employé cette tactique d'intimidation, et même si Kincaid n'avait rien su à propos de Craig, cela le lui aurait rendu antipathique.

Dans les bibliothèques noires, des trophées de golf voisinaient avec des livres reliés cuir – chefs-d'œuvre qui n'avaient sans doute jamais été lus. Sur une console entre les fenêtres, Kincaid repéra deux verres en cristal et une bouteille de Glenlivet dix-huit ans d'âge, mais Craig ne lui en proposa pas.

Kincaid se carra aussi confortablement que possible dans son petit fauteuil, ôta d'une pichenette une peluche imaginaire sur le revers de sa veste, et regarda autour de lui. Il ne broncherait guère, comme s'il ne remarquait même pas la grossièreté de Craig, pas question de lui donner cette satisfaction. En outre, il voulait voir si le directeur adjoint aborderait de lui-même le sujet Rebecca Meredith, et comment il le ferait.

Craig mordit à l'hameçon.

– Quelle tragique affaire… J'ai cru comprendre que l'ex-mari de l'inspecteur Meredith figurait en bonne place sur votre liste de suspects.

Il ne précisa pas qui, exactement, lui avait donné à comprendre ça. *Votre liste de suspects…* Kincaid eut l'impression d'évoluer dans un roman d'Agatha Christie.

– Première nouvelle, rétorqua-t-il en prenant un air surpris. Si vous faites allusion à M. Atterton, il nous aide dans nos investigations. Mais il n'y a pas la moindre preuve concrète de son implication dans le meurtre de Rebecca Meredith.

Kincaid croisa les chevilles, s'efforçant d'opposer à son interlocuteur un visage impénétrable. La colère commençait à bourdonner à ses oreilles.

– Pour ma part, j'ai cru comprendre que vous connaissiez M. Atterton. En fait, vous aviez rendez-vous avec lui mardi matin pour le petit-déjeuner. Dommage que vous n'ayez pas pu honorer ce rendez-vous. Avec votre expérience, vous auriez donné à M. Atterton de précieux conseils, lorsqu'il s'est rendu compte que son ex-femme avait disparu.

L'espace d'une seconde, une expression calculatrice se peignit sur les traits de Craig, qui céda vite la place à un dédain étudié.

– J'ai rencontré cet individu, en effet, mais à ce moment-là j'ignorais totalement qu'il avait été marié à l'inspecteur Meredith. Je ne savais pas non plus que ses projets d'investissement immobilier n'étaient que cela : des projets.

– J'en déduis que vous avez pris des renseignements sur Freddie Atterton avant votre rendez-vous au Leander ?

– Évidemment, commissaire. Au cas où vous l'auriez oublié, j'ai été officier de police pendant plus de trente ans.

– Et c'est pour cette raison que vous lui avez fait faux bond le mardi matin ? Vous auriez pu lui téléphoner pour annuler.

Craig le regarda comme s'il était complètement abruti.

– Vous critiquez mes manières, commissaire ? Atterton n'est guère qu'un petit escroc, je n'avais pas à prendre de gants. Si vous voulez tout savoir, j'étais contrarié de m'être laissé avoir, fût-ce l'espace d'un instant.

Posant ses grosses mains à plat sur le bureau, il recula son fauteuil, signifiant ainsi que l'entretien était terminé.

– Quant à vous, il me semble que vous êtes censé enquêter sur un meurtre, au lieu de me faire perdre mon temps.

Mais Kincaid n'était pas disposé à se laisser congédier de cette façon. Le sang battait à ses tempes, son cœur cognait dans sa poitrine.

– J'ai cru comprendre que vous connaissiez très bien l'inspecteur Meredith.

Il avait franchi son Rubicon personnel, et le point de non-retour.

– De quoi me parlez-vous ? dit Craig d'une voix sourde.

– Je vous parle de l'inspecteur Meredith, qui vous a accusé de viol. Et de Peter Gaskill, son supérieur hiérarchique, qui l'a persuadée de ne pas porter plainte contre vous, en lui promettant que des sanctions seraient prises.

Craig était à présent blanc comme un linge.

– Comment osez-vous...

– Mais la promesse n'a pas été tenue, coupa Kincaid, plongeant son regard dans celui de Craig. Et Becca Meredith n'a appris que tout récemment qu'on l'avait roulée dans la farine. Je me demande de quoi elle vous a menacé, et jusqu'où vous auriez pu aller pour la réduire au silence.

Craig prit une inspiration qui gonfla sa solide poitrine.

– Cette femme était folle à lier. Elle pouvait s'estimer heureuse de n'avoir pas été limogée. Porter des accusations de cette nature... Gaskill et moi-même avons fait preuve d'une clémence qu'elle ne méritait pas.

– Oh, mais ce n'est pas aussi simple, monsieur le directeur adjoint, rétorqua Kincaid en insistant lourdement sur le titre.

Il avait chaud, brusquement, et dut faire un effort pour ne pas s'éloigner du feu.

– Avant d'informer Gaskill, Rebecca Meredith avait subi un examen médical. On a donc prélevé sur elle de l'ADN. Gaskill le savait. Vous le saviez. Et moi je me demande si elle avait ou non décidé d'utiliser cette preuve matérielle, au risque de mettre sa carrière en péril.

Kincaid se demandait également si cette preuve était intacte, ou si le prélèvement d'ADN n'avait pas, comme par hasard, mystérieusement disparu.

– J'ai couché avec cette femme, effectivement, lança Craig avec virulence. Mais elle était plus que consentante. Et cette garce ne pouvait pas prouver le contraire !

Kincaid aurait peut-être dû se féliciter de cette tirade, qui lui donnait en quelque sorte raison, mais cette façon de salir sa victime le révulsait. Aurait-il dit la même chose de Gemma, s'il avait réussi à la piéger, et des autres femmes qui avaient commis l'erreur de ne pas se méfier de lui ?

– Peter Gaskill lui a fait une fleur en la persuadant de ne pas crier sur les toits qu'elle n'était qu'une traînée.

Craig referma sa main droite sur un lourd presse-papier en verre, crispant et décrispant ses doigts.

– Elle aurait ruiné sa carrière et flétri la réputation de la police.

– Tandis que la vôtre serait restée sans tache ? ironisa Kincaid – ce fut plus fort que lui.

– Je commence à en avoir assez, de votre insolence.

Craig avait retrouvé ses couleurs, il était même rouge de colère. Les jappements du chien, qui avaient ponctué leur conversation, grimpèrent soudain dans les aigus, en réponse, semblait-il, au ton menaçant du maître des lieux.

– Putain de chien, jura ce dernier. Un de ce jours, je vais le tuer. Et maintenant, commissaire, je vous raccompagne. Mais je parlerai de vous à vos supérieurs. Vous aurez à subir les conséquences de cette intrusion, comptez sur moi.

Kincaid se leva, lentement.

– Vous n'êtes pas au-dessus de la loi, monsieur.

Était-ce bien vrai ? songea-t-il. Il n'avait plus qu'à l'espérer.

– Pour que les choses soient bien claires…, ajouta-t-il. Vous affirmez n'être pour rien dans le meurtre de Rebecca Meredith ?

— Évidemment ! rétorqua Craig avec un mépris cinglant. Un conseil, commissaire : ne vous ridiculisez pas davantage.

— Dans ce cas, s'obstina Kincaid, ignorant la menace, cela ne vous ennuie pas de me dire où vous étiez lundi soir. Entre... disons, seize heures et dix-huit heures.

Il vit Craig ravaler la réponse qui lui venait aux lèvres, lut de nouveau le calcul dans ses yeux délavés – il soupesait ce qu'il avait à perdre en répondant.

— Je suis resté ici jusqu'à dix-sept heures. Ensuite j'ai bu un verre au pub. Comme d'habitude.

— Au Stag & Huntsman ?

— Tout à fait.

— Et avant cela, quelqu'un peut-il confirmer que vous étiez chez vous ?

— Ma femme, articula Craig, comme s'il mâchait des éclats de verre.

— Il faudra que je lui parle.

— Elle n'est pas là. Sinon, cette saleté de chien n'aboierait pas.

— Eh bien, je reviendrai. Merci de m'avoir reçu, monsieur.

Kincaid fit mine de sortir, puis se retourna brusquement.

— Oh... encore une chose. Hier soir, vers vingt heures. Où étiez-vous ?

Les yeux de Craig s'arrondirent. Il ne s'attendait pas à cette question, et Kincaid resta un instant muet – avait-il commis une erreur irréparable ?

— J'avais une réunion à Londres, dit Craig d'un ton malveillant. Avec des gens qu'il vaudrait mieux pour vous ne pas contrarier.

17

« Prenez l'aviron. Pendant une course, les raisons d'arrêter ne manquent pas, et dans presque toutes les courses, je me rappelle m'être dit : si seulement je pouvais arrêter de ramer, je ne demanderais plus jamais rien. Je me reposerais jusqu'à la fin de mes jours. Allez, j'arrête, je me fiche des conséquences. Rien ne peut être pire que ça. » (Jake Cornelius)

Mark de Rond,
The Last Amateurs
To Hell and Back with the Cambridge Boat Race Crew

– ZE VEUX UN NŒUD, dit Charlotte.
– Tu en auras un, mon chaton, dit Gemma.

Assises par terre, dans l'appartement encombré et bariolé de Betty Howard, elles examinaient le stock de gros-grains.

– Ze le veux bleu.

La détermination se lisait sur la délicate frimousse de la fillette. C'est que l'affaire était d'importance. Car Gemma, qui n'avait pas très bien mesuré dans quoi elle s'engageait, lui avait promis pour le samedi, jour de son anniversaire, une fête sur le thème *Alice au pays des merveilles*.

Heureusement, Betty avait proposé de confectionner une robe, ou plus exactement un costume. Charlotte était éblouie par les dessins de John Tenniel qui illustraient l'exemplaire de Kit, une édition ancienne. Elle avait passé des heures à étudier les gravures sur lesquelles Alice portait une robe jaune et un tablier bleu.

Gemma avait montré, avec un brin d'anxiété, le livre à Betty, qui avait dit en riant :

– Mais bien sûr que je peux vous faire ça, Gemma. Pour une spécialiste comme moi, c'est un jeu d'enfant ! Vous croyez que j'en ai pas bricolé, des costumes de ce genre, pour mes filles ?

Couturière depuis l'enfance, Betty avait débuté à seize ans dans la chapellerie, puis elle avait travaillé dans l'habillement, l'ameublement, et la fabrication de costumes pour le carnaval de Notting Hill. Maintenant que ses cinq filles étaient adultes et qu'elle n'avait plus à la maison que son fils Wesley – l'ami de Gemma –, elle avait installé sa florissante petite entreprise dans son logement de Westbourne Park Road.

Cet après-midi, Gemma lui avait amené Charlotte pour un ultime essayage. Et heureusement que c'était le dernier, pensa-t-elle, car si Charlotte ne pouvait pas repartir avec son costume, ce serait un drame. Elle avait souhaité que Charlotte s'intéresse davantage aux trucs de fille, eh bien elle était copieusement servie.

– Celui-ci, peut-être ? dit-elle, montrant un ruban bleu vif, assorti au tablier. Ça irait, Betty ?

Betty, qui était à sa machine à coudre, estima d'un coup d'œil la longueur du gros-grain.

– Ça devrait faire l'affaire. Vous avez une barrette ?

Hochant la tête, Gemma lui tendit la barrette et le ruban.

– Tu vas avoir ton nœud en un tour de main, ma petite demoiselle ! dit Betty.

Charlotte, qui s'était replongée dans la contemplation des illustrations, leva le nez.

– Ze veux des cheveux jaunes.

– Ah ça, mon cœur, ce n'est pas possible. Mais regarde…

Gemma lui prit le livre des mains, chercha une autre gravure de Tenniel.

– Sur cette image, tu vois, Alice a les cheveux roux comme les miens. Donc elle peut les avoir de n'importe quelle couleur.

Charlotte opina, mais avec un froncement de sourcils dubitatif.

– Pas frisés, décréta-t-elle.

– Mais pourquoi ? dit Gemma, enfonçant l'index dans l'épaisse tignasse bouclée de la fillette. Je parie qu'Alice voudrait bien avoir tes cheveux.

– Ah oui ?

– Absolument.

– Tu ne crois pas qu'Alice aimerait plutôt les avoir comme les miens ? plaisanta Betty.

Ses cheveux noirs et crépus commençaient à grisonner, et la plupart du temps, elle les dissimulait sous un foulard de couleurs vives – aujourd'hui du même jaune que la robe de Charlotte.

– C'est bête, pouffa la fillette.

– Pas du tout, dit Betty avec un sourire.

Gemma et elle échangèrent un regard. Toutes deux pensaient à la même chose : un jour peut-être, Charlotte regretterait de ne pas avoir la peau blanche d'Alice.

La petite fille, soudain, se mit à farfouiller dans le sac de Gemma.

– Ze veux une barrette.

Gemma s'empressa de lui reprendre le sac où se trouvait une surprise pour Charlotte, qu'elle avait eu l'imprudence de ne pas mettre à l'abri.

Quelques semaines auparavant, elle avait déniché sur un éventaire de Portobello une fiole pharmaceutique ancienne, en verre ambré. Elle avait acheté une étiquette en beau papier, sur laquelle elle avait écrit : *Buvez-moi.* Ce serait posé sur le gâteau que Wes confectionnerait pour la fête.

– Je n'ai plus de barrettes. Tu attends ton nœud, mais attention : interdiction de le porter avant samedi. N'oublie pas. Si tu aidais un peu Betty ? suggéra Gemma pour détourner l'attention de la petite.

Charlotte se redressa d'un bond et, en chaussettes, se précipita vers la machine à coudre. Gemma l'observait. Brusquement, l'idée d'être séparée de cette enfant dans quelques jours lui coupa le souffle. Comment réussirait-elle à supporter ça ?

Pourtant lorsqu'elle était allée au commissariat, la veille, elle avait eu le sentiment de rentrer au bercail. Ses collègues, son travail et, par-dessus tout, la stimulation intellectuelle, lui avaient terriblement manqué. Trouverait-elle un jour le juste milieu ?

Elle le saurait bientôt, puisqu'elle devait normalement reprendre le collier lundi. Elle avait déjà proposé à Alia de s'occuper temporairement de Charlotte – le plan B, au cas où Duncan n'aurait pas bouclé son enquête.

Une enquête qui paraissait de plus en plus épineuse.

Surtout depuis hier soir, songea-t-elle. La façon dont il avait réagi, quand elle lui avait parlé de sa rencontre avec Angus Craig, la préoccupait. Son mari – elle avait encore du mal à l'appeler ainsi – était un homme d'humeur égale, qui réfléchissait avant d'agir. Mais ses colères, parce que rares, étaient redoutables. Or, la veille, elle avait lu la fureur sur son visage.

Elle ne pouvait cependant pas minimiser cet incident avec Craig – cette nuit-là, à Leyton, elle avait été en danger, elle en était absolument certaine. Elle n'aurait pas pu le cacher à Kincaid. Mais, à présent, elle craignait qu'il ne commette une imprudence.

Et comme elle ne participait pas à cette enquête, elle se sentait impuissante et frustrée.

Elle avait espéré, hier, trouver avec l'aide de Melody une information utile. Elles avaient fait chou blanc. Gemma croyait pourtant ne pas se tromper quant au *modus operandi* de Craig. Mais se fonder sur l'hypothèse que d'autres femmes de la police, victimes de Craig, avaient porté plainte pour viol sans nommer leur agresseur... c'était peut-être exagérément optimiste.

– Et voilà, petite demoiselle ! dit Betty.

251

Pendant que Gemma ruminait, Betty avait cousu un joli nœud qu'elle avait fixé sur la barrette. Elle la piqua dans les cheveux de Charlotte qui, l'air extatique, la toucha du bout des doigts, et courut vers Gemma.

– Ze veux voir !

– Oh là là ! s'exclama Gemma. Je ne sais pas si tu ressembles à Alice ou à une princesse. Attends que je te montre.

Elle cherchait son poudrier dans son sac, quand elle vit, sur l'écran de son portable, qu'elle avait eu un appel.

Son cœur se serra, comme toujours quand elle n'avait pas les enfants ou Duncan auprès d'elle. Mais non... c'était Melody qui avait tenté de la joindre. Elle lui avait aussi envoyé un texto : *Il faut qu'on se voie. C'est urgent.*

– Betty... Cela ne vous dérange pas que Charlotte reste un moment avec vous ? J'ai un imprévu.

Kincaid recula dans l'allée gravillonnée de Craig et reprit la route de Hambleden. Le crépuscule tombait, éclaboussant le village de rose et d'or. Les fenêtres s'éclairaient, pareilles à des flaques de lumière. De la fumée montait des cheminées.

Quel cliché, songea Kincaid, s'efforçant de mettre à distance la rage qui faisait encore trembler ses mains. Un paysage idyllique, qui abritait un monstre en son sein.

Le mal et la beauté imbriqués l'un dans l'autre. Les habitants de ce village ignoraient-ils qu'ils côtoyaient le démon ? Ou bien en avaient-ils conscience, sans pouvoir rien y faire ?

À la hauteur du Stag & Huntsman, il donna un brusque coup de volant et s'engagea dans le parking du pub. Autant prendre le taureau par les cornes. D'ailleurs, s'il ne vérifiait pas l'alibi de Craig sur-le-champ, avant que le divisionnaire Childs ne soit informé de sa visite à ce dernier, il n'en aurait peut-être plus l'occasion.

Il verrouilla l'Astra puis, réflexion faite, éteignit son portable. Il lui fallait gagner un peu de temps.

Le Stag & Huntsman était un établissement accueillant, en dehors des modes, le genre de lieu où l'on avait envie de passer, le soir, boire un verre avant le dîner. À cette heure, l'ambiance était tranquille. Les clients étaient apparemment des gens du coin, qui se sentaient là comme chez eux. Ne restait plus qu'à espérer que, pour une fois, Craig renoncerait à son apéro.

Kincaid se dirigea vers l'arrière-salle, se jucha sur un tabouret, au comptoir, et commanda un demi de Loddon Hoppit, une bière rousse de la région, qui embaumait le houblon.

– Excellente, cette bière, dit-il en essuyant une moustache de mousse sur sa lèvre.

– Elle est brassée à Reading, répondit le barman, un type maigre qui, visiblement, n'abusait pas de l'alcool. Mais vous n'êtes peut-être pas d'ici ?

Une question de pure forme, mais qui permettait d'entamer la conversation. D'autant qu'ils étaient seuls au bar, ce qui arrangeait bien Kincaid. Il décida de rester au plus près de la vérité.

– Je suis de Londres.

Il avala une autre lampée de Loddon Hoppit, se remémora qu'il devait conduire et que la bière n'était qu'une entrée en matière.

– Scotland Yard, ajouta-t-il sur le ton de la confidence. Je suis là pour la rameuse qui s'est noyée l'autre jour.

Il se sentit coupable de parler de Rebbecca Meredith de façon aussi impersonnelle. Il lui semblait à présent l'avoir connue, et avoir perdu une amie.

– Quelle tragédie, dit le barman d'un air sincèrement navré. La femme d'un de mes copains fait partie du Service de Recherche et de Sauvetage. C'est dur pour eux, comme chaque fois. Je les comprends.

– Moi aussi, rétorqua Kincaid qui pensa à Kieran et se demanda comment il allait.

– Avec le boulot que vous faites, ça ne doit pas être facile pour vous non plus. Je suppose que vous êtes allé voir l'endroit où on l'a trouvée.

253

L'homme était bavard – une qualité indispensable dans son métier.

– En réalité, je sors de chez M. Craig, le directeur adjoint de la police. Une visite de courtoisie. Après tout, on travaille sur son territoire.

– Ah... il a sans doute apprécié.

Un commentaire aimable, évasif. Mais le barman détourna les yeux, et l'expression de son visage se modifia imperceptiblement. Il avait son opinion sur Angus Craig.

– C'est lui qui m'a recommandé votre établissement, continua-t-il. Il m'a dit que vous serviez la meilleure bière du secteur. J'ai cru comprendre qu'il venait souvent ?

Le barman essuya un verre déjà étincelant.

– Presque tous les soirs. C'est son heure, d'ailleurs, ajouta-t-il en regardant la pendule.

Mieux valait pour Kincaid ne pas trop s'attarder.

– Hier, notez, je ne l'ai pas vu, enchaîna le barman. Il a dû avoir un empêchement.

– Je crois qu'il m'a parlé d'une réunion. Ah non, je me trompe : c'est lundi qu'il a eu cette réunion. Voilà, c'est ça.

– Mais non, il était là. Il est arrivé plus tard que d'habitude. Je m'en souviens parce que le lendemain, tout le monde discutait de cette pauvre femme qui se noyait pendant que nous, ici, on était bien tranquilles.

– Il était peut-être à la pêche. C'était un bon jour pour attraper du poisson.

Le barman lui décocha un regard intrigué.

– La pêche ? Quelle drôle d'idée. M. Craig n'est pas pêcheur. Son truc, c'est la chasse.

– Ah, très bien, dit Kincaid, qui ne pouvait s'aventurer plus loin sans risquer de se casser la figure. Alors ce pub lui va comme un gant[1].

– C'est ce qu'il dit souvent, rétorqua le barman avec le sourire poli que méritait cette boutade vaseuse.

---

1. Allusion au nom du pub : Stag & Huntsman « Le Cerf et le Chasseur ».

– Il a une belle maison, poursuivit Kincaid – son interlocuteur allait le prendre pour un lèche-botte doublé d'un imbécile, mais tant pis. J'ai cru comprendre qu'elle était dans la famille de sa femme depuis longtemps. J'aurais bien aimé faire la connaissance de Mme Craig.

– Elle est tellement gentille, dit le barman d'un ton presque affectueux. Sa famille est à Hambleden depuis une éternité, et Edie fait beaucoup pour les gens d'ici. En ce moment même, elle doit être à l'église. Il y aura un mariage samedi, elle donne sans doute un coup de main pour les préparatifs.

– Vraiment ? J'irai peut-être la saluer.

Kincaid consulta ostensiblement sa montre.

– Zut, je ne pensais pas qu'il était si tard.

Il but une gorgée de bière, reposa sa chope à moitié pleine sur le comptoir.

Et voilà, il laisserait au Stag & Huntsman le souvenir d'un crétin, d'un flagorneur et, par-dessus le marché, d'un type qui ne tenait pas la bière.

– Il faut que je file, dit-il, et il s'en fut piteusement.

Il rejoignit à pied le centre du village. Un vent frisquet bousculait les feuilles mortes sur les trottoirs. Kincaid releva le col de sa veste, regrettant de n'avoir pas pris son imperméable dans le coffre de l'Astra. Le beau temps était terminé.

Il se rappelait avoir vu un panneau indiquant la direction de l'église, lorsqu'il avait traversé le village. Église Sainte-Marie, comme à Henley. Mais celle de Hambleden était beaucoup moins majestueuse. Longue et basse, elle semblait conçue pour réconforter les humains plus que pour glorifier le divin.

Il atteignait le narthex, quand une femme sortit de l'édifice et ferma la porte à clé. Il fut si étonné qu'il s'immobilisa.

À quoi s'était-il attendu ? En tout cas, pas à cette femme grande et svelte, aux cheveux grisonnants élégamment coupés au carré. Elle portait une souple jupe en laine qui frôlait le haut de ses bottes, un anorak et une très longue écharpe dont le vert tendre et joyeux faisait penser à des pommes ou aux premières feuilles du printemps.

Elle se retourna, le vit planté là.

– Puis-je vous aider ?

Pas la moindre inquiétude dans sa voix, seulement de la sollicitude.

– Madame Craig ?

– Oui. Excusez-moi, mais... je vous connais ?

– Non, répondit-il en se mettant dans la lumière. Commissaire Kincaid, de Scotland Yard.

– Si vous cherchez mon mari, vous le trouverez à la maison, dit-elle aimablement, avec peut-être un brin de curiosité.

– En fait, c'est avec vous que je souhaitais m'entretenir, dit-il à regret, ce dont il fut le premier surpris. Y a-t-il un endroit où nous pourrions parler ?

La méfiance voila son visage. Elle recula afin que la pénombre du narthex masque ses traits.

– Ici, ce sera parfait, commissaire.

– Madame Craig...

Kincaid s'interrompit, embarrassé. User d'un subterfuge avec cette femme lui répugnait. Il lui poserait donc sans détour la question qu'il avait à poser.

– Savez-vous où était votre mari, lundi, vers seize heures ?

Silence. Il entendit le vent dans les arbres. Il la vit porter la main à son cou, toucher l'écharpe dont la lumière du porche accentuait le vert.

– Il était avec moi, à la maison. Ensuite, comme d'habitude, il est allé au pub.

Sa question l'avait-elle rassurée, ou se faisait-il des idées ? Il était possible que la sortie quotidienne d'Angus Craig fût pour elle le meilleur moment de la journée.

– Madame Craig... vous avez sûrement entendu parler de cet officier de police qui s'est noyé. Rebecca Meredith.

– En faisant de l'aviron. Oui... tout le village en a parlé.

– Votre mari vous a-t-il dit qu'il la connaissait ? Vous a-t-il dit que...

– Commissaire.

Ce fut comme si elle lui effleurait le bras – comme une prière, la seule qu'elle s'autoriserait.

– Quelle que soit la question que vous estimez devoir me poser, n'oubliez pas qu'il est mon mari, dit-elle d'un ton définitif.

Elle s'avança de quelques pas et, quand la lumière tomba sur son visage, Kincaid crut y lire un désespoir insondable.

– Je dois rentrer, j'ai laissé Barney trop longtemps seul.

– Barney ? répéta-t-il, dérouté.

– Mon chien. Angus n'aime pas trop l'avoir dans la maison. Bonsoir, commissaire.

– Bonsoir, madame Craig.

Ils allaient dans la même direction, mais il lui fit la grâce de la laisser partir seule et attendit qu'elle ait tourné le coin de la rue.

Gemma avait quitté l'appartement de Betty et téléphoné aussitôt à Melody, prête à la rejoindre au commissariat, mais la jeune femme avait hésité.

– Euh... je ne pense pas que ce soit une bonne idée, patron. Si on se retrouvait ailleurs, pour boire un verre ? Je propose le Duke of Wellington. J'y serai avant vous.

Gemma connaissait ce pub au croisement de Portobello Road et d'Elgin Crescent – elle passait devant de temps en temps. Deux guitaristes de jazz jouaient souvent sur le trottoir, le samedi quand il faisait beau, et elle s'arrêtait volontiers pour les écouter et déposer son obole dans l'étui de la guitare ouvert par terre.

La façade, de style victorien enduite de stuc rose, n'était pas très engageante, mais dans la salle régnait une joyeuse animation. Gemma repéra aussitôt Melody, installée à une petite table haute au fond de la salle. Gemma s'assit en face d'elle.

– Je vous ai commandé un gin tonic, dit Melody en poussant un verre vers elle. Vous allez en avoir besoin.

– Qu'est-ce qui se passe ? Et qu'est-ce que vous faisiez dans le quartier ?

– Comme vous ne répondiez pas au téléphone, j'ai appelé chez vous, et j'ai eu Kit. Il m'a dit que vous étiez chez Betty. Je venais à votre rencontre.

Melody paraissait tendue, le vent froid avait ébouriffé ses cheveux. Elle ne s'était pas recoiffée, ce qui ne lui ressemblait pas, et elle avait déjà englouti la moitié de son gin.

– J'ai trouvé quelque chose, patron. Je suis restée tard au bureau hier soir, et ce matin de bonne heure je me suis replongée dans les dossiers. Tenez, regardez ça.

Melody prit dans son sac une feuille de papier. Une liste de noms, constata Gemma.

– Six officiers de police de sexe féminin, sur les dix dernières années. Six histoires semblables, à quelques détails près. Des femmes célibataires, ou dont le mari ou le petit ami, et dans un cas la petite amie, s'étaient absentés. Toutes étaient de sortie – dans un pub ou une réception, des soirées en rapport avec leur travail. Toutes ont déclaré avoir été agressées par un homme qui les attendait chez elles, ou dans leur jardin ou dans leur rue. Pas d'effraction. Aucune n'a pu identifier l'agresseur.

Gemma la dévisagea, puis relut la liste en buvant son gin qui lui brûla la gorge et la fit tousser.

– Elles étaient affectées à différentes divisions ? demanda-t-elle quand elle eut repris son souffle.

– Oui… qui correspondent pour la plupart aux affectations successives de Craig. Pour les autres, il s'agissait de raouts auxquels aurait pu participer un cadre de la police.

– Nom d'un chien, murmura Gemma. J'avais raison.

– Et j'ai encore mieux. Ou pire, selon le point de vue où l'on se place. J'ai aussi trouvé ça…, dit-elle en tendant à Gemma un document plus épais. Ça date de six mois. Comme il y a eu viol, c'était dans nos dossiers.

258

Elle jeta un regard circulaire, mais aux tables voisines les clients buvaient leur apéritif du soir et discutaient sans leur prêter attention. Le volume sonore allait crescendo.

– Elle s'appelait Jenny Hart, poursuivit-elle. Inspecteur, district de Tower Hamlets. Mais elle habitait dans Campden Street, entre Holland Park et Kensington. Pas très loin de chez moi, en fait.

– Vous parlez d'elle au passé ?

Melody vida son verre.

– Jenny Hart était divorcée, elle avait quarante ans. Si j'en juge par les photos, c'était une jolie blonde. Elle avait la réputation d'aimer boire un coup, particulièrement au Churchill Arms, dans sa rue. Vous connaissez ?

– Je suis passée devant. Le pub fleuri.

Avec ses boiseries sombres et ses fenêtres à petits carreaux, c'était même la quintessence du pub, reconnaissable à la profusion de jardinières de fleurs qui tapissaient la façade.

– Très cosy, voire un brin étouffant. Bourré d'objets à l'effigie de Churchill, des rossignols. Mais c'est plus grand que ça n'y paraît – un enchevêtrement de petites salles.

– Ne nous égarons pas, rétorqua Gemma d'un ton plutôt sec. Qu'est-il arrivé à Jenny Hart ?

Melody fit tinter les glaçons dans son verre, puis regarda Gemma droit dans les yeux.

– Le 1ᵉʳ mai, Jenny Hart a dit à ses collègues qu'elle allait boire un pot au Churchill avant de rentrer chez elle se coucher. Ils avaient eu une semaine chargée. Un enfant assassiné. Quand elle n'est pas venue travailler, le lundi, ses collègues se sont inquiétés. Ils ont essayé de la joindre, sans succès. Et le mardi, les voisins se sont plaints de l'odeur.

Gemma eut soudain conscience qu'un fumet de viande grillée s'échappait des cuisines. Elle sentit son estomac se crisper, déglutit. Elle savait déjà ce qui allait suivre.

– Comment ? se borna-t-elle à demander.

– Violée et étranglée à mains nues, d'après le rapport d'autopsie. Il y avait des dégâts dans son appartement, elle a dû lutter. Mais pas de traces d'effraction.

Gemma inspira à fond.

– Et ensuite ?

– C'est notre vieille amie Kate Ling qui a autopsié le corps. Avec la minutie qu'on lui connaît. Elle a trouvé de la peau sous les ongles de la victime, du sperme dans son vagin et sur ses vêtements déchirés. Son agresseur ne s'est pas embarrassé d'un préservatif.

« J'ai vérifié les profils génétiques. L'ADN prélevé sur Jenny Hart correspond aux échantillons provenant des autres femmes qui ont porté plainte pour viol. Ces similitudes ont été signalées par l'unité Sapphire, mais on n'a jamais eu de suspect sur qui pratiquer un test ADN comparatif.

Comme Melody, Gemma vida son verre d'un trait.

– Et on ne l'a toujours pas. Pas sans preuve corroborante.

– Jetez-y quand même un œil, dit Melody, montrant du menton le dossier que tenait Gemma.

Celle-ci feuilleta le rapport d'autopsie de Jenny Hart, d'analyse toxicologique, les déclarations des collègues et des voisins. Il y avait aussi un document qui ne figurait sûrement pas dans le dossier original – une photo d'Angus Craig, en smoking, parmi d'autres hommes vêtus de la même manière : des cadres supérieurs de la police, Gemma en connaissait certains.

– Le bal du directeur, expliqua Melody. L'année dernière. Une photo dénichée dans les précieuses archives du *Chronicle*. D'après les dépositions, une serveuse du Churchill se rappelle avoir vu Jenny Hart parler avec un type, le soir de sa mort. Mais le pub était bondé, et elle n'avait qu'un très vague souvenir. « Un type d'âge mûr », c'est tout ce qu'elle a pu dire. Pas très utile, quand on n'a aucun point de comparaison.

Gemma se redressa sur son tabouret, si brusquement qu'elle se cogna les genoux contre la table, qui tangua.

– Vous lui avez parlé, à cette serveuse ?

– Je suis allée au Churchill. Le patron m'a dit qu'Ashley – c'est le nom de la fille – était en vacances en France. Mais elle reprend le boulot demain, à midi.

Gemma avait la tête qui tournait. Se pourrait-il que ce soit si facile, alors qu'Angus Craig sévissait depuis des années ? Parfois, quand on avait beaucoup de chance... Oui, c'était possible. Il suffisait d'un témoignage cohérent pour être en mesure d'exiger un test ADN.

Peu importait dans ce cas que les autres victimes refusent de témoigner contre lui. L'affaire Jenny Hart suffisait amplement. Et si l'analyse ADN était concluante, Angus Craig n'échapperait pas à une inculpation pour meurtre.

18

« Notre tandem fonctionnait, non par hasard, mais grâce à un entraînement intensif, un soupçon de créativité, et une totale coopération dans la poursuite de notre but commun. »

Brad Alan Lewis,
Assault on Lake Casitas

DE RETOUR À HENLEY, Kincaid descendit New Street pour rejoindre Thames Side, passa devant l'Hôtel du Vin et l'appartement de Freddie Atterton. Il trouva une place de stationnement d'où il pouvait voir le pont de Henley et, tout là-bas, le Leander.

Il faisait nuit à présent, mais il se représenta la scène telle qu'elle avait dû se dérouler le lundi, un peu plus tôt – le jour qui déclinait, un bateau blanc et fantomatique, pareil à une lame, qui s'écartait du ponton du Leander.

Baissant la vitre de l'Astra, il tendit l'oreille, imaginant le bruit des pelles brassant l'eau, le grincement cadencé de la coulisse, le claquement des avirons dans les dames de nage. Le bateau glissant sur la Tamise et disparaissant dans l'ombre.

À contrecœur, il s'arracha à sa contemplation et vérifia s'il avait des messages sur sa boîte vocale.

Le commissaire divisionnaire Childs n'avait pas appelé. Cela signifiait-il que Craig ne s'était pas plaint de sa visite ni de ses accusations ? Qu'il attendait de voir si ses seules menaces suffiraient à le décourager ?

Et dans ce cas, était-ce une marque supplémentaire de sa culpabilité ?

À moins qu'il ne soit en train de fourbir ses armes et de mijoter sa vengeance.

Mais qu'il riposte maintenant ou plus tard ne faisait acune différence – Kincaid n'avait pas plus de preuves contre lui qu'au moment où il lui avait parlé. En réalité, il en avait même moins, puisque Craig avait peut-être un alibi pour le lundi et le mercredi soir.

Tournant de nouveau les yeux vers le fleuve, il entreprit d'élaborer une chronologie. Si Becca avait quitté le Leander un peu après seize heures trente, elle aurait viré à hauteur de Temple Island vers dix-sept heures trente.

Était-il possible que Craig ait tué Becca à dix-sept heures, qu'il ait rejoint sa voiture à pied, tout crotté de boue, qu'il soit revenu à Hambleden, se soit nettoyé et soit ensuite parti au pub en sifflotant gaiement ?

Sûrement pas sans que sa femme le sache, si elle était à la maison, malheureusement Edie Craig ne témoignerait pas.

Il faudrait une preuve tangible pour relier Craig à cet assassinat – un cheveu, des fibres, ou des empreintes menant de la scène de crime à la voiture. Mais cela aussi serait sujet à caution, car il n'y avait aucun moyen d'affirmer avec certitude que Becca avait bien été tuée à l'endroit indiqué par Kieran. De toute façon, Kincaid n'avait rien d'assez concret contre Craig pour être autorisé à pousser plus loin les investigations.

Et même s'il réussissait à réunir assez d'éléments contre Craig, celui-ci avait apparemment un solide alibi pour le soir de l'incendie.

Mais si Craig n'était pas l'auteur de l'attentat, qui était-ce ? Pas Freddie Atterton, si son ex-belle-mère et les relevés téléphoniques confirmaient son alibi.

Devait-il de nouveau interroger Freddie ? Ou Kieran ?

Il était bloqué – pourtant il y avait quelque chose de l'autre côté du mur, il suffisait de le voir. Et de s'adresser à la bonne personne pour lui poser la bonne question. Mais qui, et quelle question ?

Le vent qui rampait sur le fleuve était glacé. Frissonnant, Kincaid remonta sa vitre. Il était presque décidé à passer la nuit au Red Lion, quand son téléphone sonna. Il sursauta si violemment qu'il faillit lâcher l'appareil. C'était Doug.

– Patron, je suis au Yard. Je...

– Vous avez vu le divisionnaire ?

– Non, mais...

– J'ai cherché des poux à un gros bonnet, et je ne veux pas que ça vous retombe dessus.

– Je suis dans votre bureau, je crois que le divisionnaire a été absent toute la journée. Je... J'en déduis que votre visite ne s'est pas très bien déroulée ? ajouta prudemment Doug.

– Tout dépend du point de vue qu'on adopte, dit Kincaid, qui avait du mal à garder son calme. Il a violé Rebecca Meredith, aucun doute là-dessus. D'ailleurs, il l'a quasiment admis. Mais on n'a rien qui nous permette de le relier au meurtre.

– Et pour le hangar de Connolly ?

– Eh bien... Craig a été surpris quand je lui ai demandé où il était le mercredi soir. J'ai eu l'impression qu'il ne savait pas ce qui s'était passé. Et apparemment, à ce moment-là, il était à Londres avec, je cite : « des gens qu'il vaudrait mieux ne pas contrarier ».

– Ah... l'une de ces personnes serait-elle, par le plus grand des hasards, Peter Gaskill ?

– Ça ne m'étonnerait pas.

– C'est justement pour ça, entre autres, que je vous ai appelé, dit Doug d'un ton satisfait. J'ai vérifié certaines petites choses. Il semble que notre ami et Gaskill soient très copains. Gaskill lui doit notamment sa promotion.

– Vous n'avez pas questionné Gaskill, j'espère ?

– Non, rassurez-vous. Je l'aurais évité, de toute manière, mais il se trouve que, cet après-midi, il était absent. Il était au golf.

– Ah oui ? Quelle coïncidence. Notre ami Craig était lui aussi au golf. À qui avez-vous parlé ?

– Bisik. Patterson avait raison : il vaut mieux ne pas être vu avec nous. Elle a été mutée hier dans un autre district.

– Quoi ? Où ça ?

– Dulwich. J'ai vérifié. Elle a commencé ce matin. L'inspecteur a été surpris d'apprendre qu'il avait besoin d'un élément supplémentaire dans son équipe.

Un coup de Gaskill, évidemment. Et sans doute de Craig qui avait actionné les bons leviers pour qu'on envoie Patterson planter ses choux ailleurs. Combien de ces leviers, de ces maillons de la chaîne avaient participé de bon gré à cette entreprise ?

– Quand j'ai téléphoné au commissariat, elle était déjà rentrée chez elle. Je l'ai appelée sur son portable – Bisik m'a donné son numéro – mais elle ne répond pas.

– Et elle ne le fera probablement pas, dit Kincaid qui tambourinait sur le volant métallique. Elle a retenu la leçon.

– Il faudra quand même qu'on lui parle. D'après Bisik, le vendredi, il n'y a rien eu de particulier dans l'emploi du temps de Becca. Hormis la visite d'une vieille copine de Becca, inspecteur à la brigade des mœurs. Il ne lui a pas été présenté, contrairement à Patterson – toujours d'après lui. Et il pense que Becca et son amie sont allées boire un pot. Gaskill doit savoir qui est cette femme. Mais je présume que vous ne voulez pas que je lui pose la question.

– Effectivement. Dites-moi... si vous n'arrivez pas à joindre Patterson ce soir, pourriez-vous lui rendre une petite visite à Dulwich, demain matin, à la première heure ? De manière officieuse.

Ne pas pouvoir en référer au divisionnaire lui restait en travers de la gorge. Que savait Childs, au juste ? Était-il informé de toutes les manœuvres de Craig et Gaskill, ou bien se bornait-il à obéir aux ordres ?

Kincaid ne se résignait toujours pas à croire que cet homme qu'il pensait connaître, son supérieur hiérarchique qu'il considérait aussi comme un ami, accepterait de protéger Craig s'il connaissait la vérité à son sujet.

– Une minute, dit Doug, l'arrachant à ses réflexions. Vous venez de recevoir un mail… Les résultats du labo concernant la voiture et les affaires de Freddie Atterton.

Doug s'interrompit pour parcourir le document.

– Vous avez de quoi clouer le bec au patron. Ils n'ont pas trouvé la moindre trace d'herbe ou de boue dans la bagnole et sur les vêtements. Néant pour les fibres… Les chaussures d'Atterton ne correspondent pas à l'empreinte relevée sur la berge. Il a les pieds plus grands. Et ils ont aussi trouvé, ajouta Doug avec excitation, un fragment de peinture identique à celle du Filippi sur le bois flotté au bord de l'eau.

– Donc c'est bien là qu'elle a été tuée. Et Freddie Atterton n'est pas le meurtrier.

Kincaid compara mentalement Freddie et Kieran Connolly. Les deux hommes étaient sensiblement de la même taille et avaient la même corpulence.

– Je parierais que l'empreinte n'est pas non plus celle de Kieran.

– Vous pensiez que ce fameux type planqué dans les broussailles pouvait être une invention de Connolly, lequel aurait ensuite incendié son hangar pour plus de véridicité ?

– Attention aux mots savants, rétorqua Kincaid, retrouvant un peu son humour. Oui… j'y ai pensé sans y croire.

Mais si l'on excluait Freddie et Kieran, cela les ramenait à Angus Craig. Retour à la case départ.

À ce moment, il entendit le signal d'appel. Gemma cherchait à le joindre.

– Ne quittez pas, dit-il à Doug. Ou plutôt non… je vous rappelle.

Gemma ne lui laissa que le temps de dire « allô ».

– On tient quelque chose ! s'exclama-t-elle, surexcitée. Grâce à Melody. Elle a épluché les affaires de viol non élucidées de l'unité Sapphire. Et elle est tombée sur le viol et le meurtre d'une femme officier de police. Ça remonte à six mois, et ça correspond au modus operandi.

Elle s'interrompit pour reprendre son souffle. Kincaid avait les mains glacées, le cœur au bord des lèvres.

– Il y a une preuve quelconque ?

– Un témoin, peut-être. La serveuse du pub où la victime a bu un verre juste avant d'être tuée. On ne pourra pas la contacter avant demain.

– Melody et toi en avez parlé à quelqu'un ?

– Non, je n'ai...

– Alors ne l'ébruitez pas, dit-il d'un ton tranchant – il fallait se faire comprendre. Rappelle les gens du pub : surtout, qu'ils se taisent. Attends, non. Que Melody s'en charge. Je ne veux pas que tu t'impliques dans cette histoire plus que nécessaire. Où es-tu ?

– Je vais chercher Charlotte chez Betty.

– Tu la ramènes directement à la maison et tu ne bouges plus. N'en parle à personne, répéta-t-il, et dis bien à Melody qu'elle doit se taire. Tant qu'on ne sait pas si la serveuse peut identifier le suspect, on garde ça secret.

– Tu le crois dangereux, n'est-ce pas ? demanda Gemma, son excitation envolée.

– Oui.

Il revit Angus Craig crachant son venin avec une arrogance invraisemblance, et se reprocha d'avoir laissé Gemma toucher à cette affaire.

– Sois prudente, ma chérie. Je serai à la maison dans une heure.

Il avait rappelé Doug sur le chemin du retour pour l'informer des découvertes de Gemma et lui demander d'essayer encore de joindre Kelly Patterson.

Quand il arriva enfin à Notting Hill, il fut heureux de voir leur maison, les fenêtres éclairées et la pimpante porte rouge – un bonheur qu'ils devaient, dans une certaine mesure, à Denis Childs, mais il valait mieux ne pas y songer.

Gemma l'accueillit avec un baiser sur la bouche et appuya sa joue contre la sienne un peu plus longuement qu'à l'accoutumée.

– Tu as faim ? lui dit-elle. Pizza, encore et toujours. Je me suis arrêtée chez Sugo's, en rentrant. À force, ajouta-t-elle avec un petit sourire, on va devenir pizza.

– Toby transformé en pizza pepperoni. Il serait aux anges.

Il accrocha son imperméable au portemanteau, se pencha pour caresser Geordie, le cocker, et Sid, le matou noir. Sid avait acquis une prescience canine en ce qui concernait le retour du maître. Il était toujours nonchalamment vautré sur la banquette du vestibule à l'arrivée de Kincaid.

– Et toi, tu serais l'artichaut, plaisanta Gemma.

– Chut… ne dis surtout pas ça aux enfants. Il faudra peut-être que je sois un peu plus inventif quand je serai à la maison à plein temps. Puisque que je vais être un homme au foyer.

Gemma lui décocha un regard vif, interrogateur, mais elle se borna à répondre :

– Les enfants sont nourris, et les petits ont pris leur bain. Charlotte attend que tu ailles l'embrasser. Et ta pizza artichaut-jambon est au four.

– Parfait, merci, mon amour.

Il faisait bon dans la maison, Gemma avait allumé la cheminée au gaz du salon. Mais la pièce était déserte.

– Les garçons sont en haut ?

– Oui, ils sont censés lire, ironisa Gemma. Mais Dieu seul sait ce que peut fabriquer Toby. Quant à Kit, il doit textoter à tout-va.

– Lally ?

Gemma hocha la tête.

– Je subodore qu'il nous faudra revoir l'option SMS illimités.

Ils avaient offert à Kit, pour son anniversaire, fin juin, un mobile basique pour qu'il se sente mieux intégré à l'école. Ils n'avaient pas prévu qu'il passerait des heures, chaque jour, à dialoguer par texto avec sa cousine Lally. Kincaid aimait beaucoup sa nièce, mais il la savait émotionnellement instable, très en demande. Être trop proche d'elle ne lui paraissait pas très sain pour Kit.

– Je vais jeter un œil, dit-il.

Il retira sa veste qu'il suspendit à côté de son imper et des Mackintosh des enfants. Puis il monta l'escalier et se dirigea vers la chambre safran de Charlotte.

La porte était entrebâillée, la lampe de chevet projetait une lumière feutrée sur le petit corps pelotonné dans le lit. Charlotte dormait profondément, la couette remontée jusqu'au nez. Mais elle avait encore une main tendue vers la table de nuit et la barrette ornée d'un nœud bleu.

Il s'assit au bord du lit, écarta les cheveux tombant sur le front de Charlotte. Elle ne bougea pas. Avec précaution, il posa un baiser sur son sourcil, conscient de son menton râpeux, puis glissa la menotte de l'enfant sous la couette.

Il était content d'être rentré.

Il sortit de la pièce sur la pointe des pieds, alla voir ce que faisaient les garçons. Toby s'était borné, Dieu merci, à construire une voie ferrée sur le plancher de sa chambre.

Kit lisait ostensiblement – mais, à l'arrivée de son père, il avait prestement caché son mobile sous son oreiller.

Gemma avait raison, songea Kincaid. Il faudrait se pencher sur le problème du téléphone et de la relation de Kit avec sa cousine. Plus tard car, dans l'immédiat, il avait d'autres chats à fouetter.

Quand il redescendit, après avoir souhaité une bonne nuit aux garçons, Gemma lui avait servi plusieurs parts de pizza ainsi qu'un verre de vin rouge. Elle avait ouvert la bouteille de bordeaux qu'il gardait en réserve.

Tess, la petite terrière de Kit, était au premier, roulée en boule sur le lit de son maître, mais Geordie le coc-

269

ker était resté dans la cuisine avec Gemma. Il s'empressa de se coucher aux pieds de Kincaid, la tête sur sa chaussure, et soupira d'aise. Sid les surveillait de son perchoir, les yeux rivés sur la pizza. Ce chat était un incorrigible voleur de nourriture.

Gemma buvait du thé. Elle avait posé un document de plusieurs pages sur la table. Quand il voulut s'en saisir, elle l'arrêta d'un geste.

– Mange d'abord.

Docilement, il enfourna une part de pizza – sa préférée. Mais il n'avait pas faim et le vin, dont il se faisait une fête, lui laissa un goût amer dans la bouche.

Ils auraient pu s'installer au salon, devant le feu, mais non, ils restaient dans la cuisine, où se tenaient toutes les discussions cruciales. Était-ce la même chose dans les autres familles ? Tout à coup lui vint une nostalgie poignante de la cuisine de ses parents, dans le Cheshire, où l'on avait débattu toutes les questions importantes pour les Kincaid. Et où Juliet et lui, lorsqu'ils étaient enfants, se sentaient tellement en sécurité.

Ce soir en revanche, il ne se sentait pas à l'abri. Il repoussa son assiette et prit le document. Gemma le regarda lire. Quand il releva le nez, elle le dévisagea gravement.

– C'est lui, n'est-ce pas ?

– Je pense, oui.

– Il est dans l'escalade. Il s'attaque à des femmes qui ont du pouvoir, il vise de plus en plus haut, il devient de plus en plus violent. Il a pris un énorme risque avec Becca Meredith, et il s'en est tiré. Il doit se croire invincible. Se peut-il que cette femme – Gemma tapota sur le document –, Jenny Hart, lui ait dit qu'il ne la réduirait pas au silence par des menaces ?

Kincaid tourna les pages du dossier, examina les photos de la scène de crime. La table basse du salon était retournée, du verre brisé jonchait le sol, ainsi que des magazines et des journaux.

– Pas seulement, dit-il. Elle s'est battue de toutes ses forces. Pour les autres femmes... dans les rapports, on mentionne des blessures, des hématomes, des tentatives d'étranglement ?

– Des hématomes, oui. Une des victimes avait la pommette cassée. Et les photos du dossier Meredith montrent des contusions au cou et aux épaules.

Kincaid se remémora les épaules et les bras puissants d'Angus Craig. Pour parvenir à ses fins, il avait recouru à l'effet de surprise, à la force et à l'intimidation, probablement dans cet ordre. Mais avec Jenny Hart, peut-être avait-il enlevé de l'équation la variable intimidation. Son besoin de violence avait peut-être dépassé la cote d'alerte.

Jusqu'à Jenny Hart, les viols avaient été des crimes d'opportunité, même si Craig avait dû se rendre à des réceptions ou à des petites fêtes entre flics avec l'espoir d'y trouver une proie à son goût.

Hart était-elle différente ? Craig savait-il où elle avait l'habitude de boire un verre, et à quel moment de la journée ? Était-il résolu à la tuer, ce soir-là, lorsqu'il l'avait rencontrée au pub ?

Si tel était le cas, alors, par comparaison, l'assassinat de Becca Meredith semblait être un acte plus mesuré et exécuté avec davantage de prudence. Pourquoi, s'il savait qu'elle vivait seule, ne l'avait-il pas surprise chez elle ?

La réponse était évidente : parce que Craig savait à qui il avait affaire, et qu'il ne pourrait pas réduire Becca Meredith à l'impuissance une seconde fois.

Mais Kincaid ne comprenait toujours pas pourquoi Craig avait choisi de tuer Becca Meredith maintenant et non un an plus tôt, lorsqu'elle avait pour la première fois menacé de le dénoncer.

Quel avait été l'élément déclencheur ? Et n'était-il pas venu à l'esprit de Craig que, si Becca mourait mystérieusement, Gaskill aurait des soupçons ? À moins que Gaskill soit un policier véreux, au point que Craig puisse compter sur lui en toutes...

– Allô, Duncan, ici la Terre ! fit soudain Gemma en lui agitant une main devant les yeux. Tu es dans la lune, chéri. Reviens avec moi.

– Je n'aime pas ça, rétorqua-t-il. Que tu sois mêlée à cette histoire, ou que Melody le soit... je n'aime pas ça. Craig a trop de pouvoir.

La simple idée que Gemma ait quelque chose à voir avec ce type, même de très loin, l'ulcérait.

– Je vais reprendre l'enquête sur le meurtre de Jenny Hart. Sans perdre un instant. Doug et moi, nous interrogerons la serveuse dès demain et... note qu'il vaudrait peut-être mieux que Doug ne s'en mêle pas non plus.

Gemma lui décocha ce regard qu'il connaissait bien, signifiant qu'elle ne marchait pas.

– Et si le divisionnaire t'enlève le dossier avant que tu aies atteint ton but ? Que se passera-t-il ? Tu flotteras dans la Tamise, et Craig n'aura plus rien à craindre de personne. Laisse Melody interroger la serveuse. C'est une démarche légitime dans le cadre de Sapphire, elle n'a pas à en référer à qui que ce soit. Si la serveuse identifie notre suspect, ce sera ensuite à toi d'agir.

Elle avait raison, même s'il répugnait à l'admettre. Il but une gorgée de vin.

– D'accord, dit-il à contrecœur. Mais c'est Melody qui intervient, et elle seule. Je ne veux pas que tu t'en mêles, en aucune façon.

– Bien sûr, acquiesça-t-elle, mais elle arborait la mine du chat du Cheshire.

– Ne prends pas ça à la légère, Gemma, dit-il avec véhémence. Tu les a bien regardées, ces photos ?

Il abattit sa paume sur les documents, pour mieux souligner son propos.

– Je me demande si tu te rends bien compte que cet homme est extrêmement dangereux. Je n'ai pas envie que...

Le téléphone l'interrompit. Il l'avait posé sur la table, et la vibration faisait tinter les couverts et l'assiette. Geordie leva la tête et grogna.

– Nom d'une pipe, pesta-t-il en saisissant l'appareil. Qu'est-ce qu'il y a encore ? Je te jure que, la prochaine fois que cet engin sonne, je le balance aux chiottes.

Il avait les mâchoires serrées et prit conscience qu'il attendait toujours que le couperet tombe. Mais une fois de plus, ce n'était pas le divisionnaire qui téléphonait pour répercuter les protestations courroucées de Craig, ou pour lui infliger officiellement un blâme.

Non, c'était Imogen Bell qui l'appelait.

– Commissaire, dit-elle avec une timidité qui ne lui ressemblait pas. Je suis désolée de vous déranger si tard, vous êtes sans doute chez vous… J'ai essayé de vous joindre au Red Lion, mais on m'a dit que vous étiez parti et…

– Peu importe où je suis, Bell. Allez droit au but.

Comme Gemma le regardait d'un air interrogateur, il haussa les épaules.

– Excusez-moi, commissaire. Je ne voulais pas être indiscrète, bredouilla-t-elle, de plus en plus embarrassée. C'est que je… Euh, j'ai un petit problème. Il semblerait que je… Euh, j'ai perdu Freddie Atterton.

19

« Le jour de la compétition se rapproche inexorablement, et ce n'est pas l'excitation qui habite le débutant. C'est la peur, non pas de la bataille à mener, mais la peur de perdre la face, de ne pas réussir à encaisser le stress malgré les interminables mois d'entraînement ; la peur de décevoir ses coéquipiers, ses amis, sa famille, et de ne pas être à la hauteur de la Boat Race, de cette satanée tradition vieille d'un siècle et demi. »

Daniel Topolski,
Boat Race : The Oxford Revival

– E XPLIQUEZ-MOI ce qui s'est passé.
Bell hésita.

– Tout ?

– Oui, tout, répondit-il en s'efforçant de juguler son irritation. Laissez-moi juger de ce qui est important ou pas. D'accord ?

– D'accord, répéta-t-elle, sans conviction. Eh bien… après que je vous ai parlé, tout à l'heure, je lui ai préparé un casse-croûte avec ce que j'ai trouvé dans le réfrigérateur. Il fallait bien qu'il mange, voyez. Ensuite… comme il n'y avait personne d'autre pour l'accompagner, j'ai conduit Fred… euh, M. Atterton… chez l'entrepreneur de pompes funèbres. Je l'ai aidé à organiser un peu les choses. C'était… sinistre. Heureusement que je ne fais pas ça tous les jours.

– Je comprends. Je suis sûr que vous lui avez été d'un grand secours. Et ensuite ?

– On est rentrés à l'appartement. Je lui ai donné un coup de main pour l'avis de décès. Il fallait l'envoyer tout de suite au *Times*. C'est là que... Je n'imaginais pas qu'elle avait fait tout ça dans sa vie. L'inspecteur Meredith, c'était quelqu'un, ajouta Bell d'un ton admiratif et respectueux.

– Certes. Elle était aussi humaine, elle avait des défauts, dont Freddie préfère pour l'instant ne pas se souvenir. Mais nous, n'oublions pas qu'elle les avait, ces défauts.

Tout en parlant, Kincaid observait Gemma qui, sans bruit, débarrassait la table. Elle était volontiers entêtée, songea-t-il, répertoriant les défauts de sa propre femme. Impulsive. Prompte à juger, à exprimer son opinion, à s'attacher passionnément aux gens et aux objets. En revanche, elle ne prenait pas d'engagement qu'elle n'était pas certaine de pouvoir tenir.

Et il l'adorait. Telle qu'elle était.

Il se demanda si Rebecca Meredith avait souhaité être aimée pour ses failles autant que pour ses réussites – et si elle avait pris conscience, trop tard, qu'on lui avait donné cet amour-là et qu'elle s'en était privée.

– Effectivement, dit Bell, toujours sans conviction. Quand on a eu terminé, c'était presque l'heure de dîner, et il n'y avait plus rien dans le réfrigérateur. De la bière, un peu de lait tourné... Je lui ai dit que j'allais sortir faire les courses. Il était... tellement perdu. Il n'arrivait même pas à noter ce qu'il lui fallait. Alors... je suis allée au Sainsbury's...

– Et puis ?

– Quand je suis revenue, il était parti.

– Comment ça, parti ? À pied ? En voiture ? Vous êtes sûre qu'il n'était pas dans l'appartement ?

– J'ai sonné, tapé à la porte, je l'ai appelé sur son portable, sur la ligne fixe. Comme j'étais vraiment inquiète, j'ai alerté le concierge pour qu'il ouvre la porte. J'avais peur... de ce qu'on allait trouver. Mais il n'était pas là.

Tout était en ordre, il ne m'avait pas laissé de mot. Ses clés de voiture étaient toujours sur la console, dans le vestibule. Il est parti comme ça, et il n'est pas rentré.

– Il avait bu ?

– Non. Il avait un fond de scotch, une bonne bouteille, mais il l'a vidé dans l'évier en disant que l'odeur lui soulevait le cœur.

Atterton n'était donc pas en train de se soûler quelque part, songea Kincaid.

– Essayez encore de le joindre. Vous avez eu raison de l'aider comme vous l'avez fait, cet après-midi, et de me téléphoner. Mais Freddie Atterton est adulte, il est libre d'aller et venir à sa guise, et nous n'avons aucun droit de l'en empêcher tant que nous ne l'inculpons pas de meurtre.

– On ne va pas faire ça, hein ? Je veux dire... l'inculper.

– Dans l'immédiat, non, répondit Kincaid, qui était pourtant loin d'en être certain. La scientifique n'a rien trouvé qui permette de le relier à la scène de crime. Il n'y a rien eu d'autre, aujourd'hui ? Vous n'avez rien noté de particulier ?

Un silence à l'autre bout du fil. Imogen Bell réfléchissait.

– Il a beaucoup parlé du bateau, il voulait savoir quand il pourrait le récupérer. Je lui ai dit que la scientifique avait presque fini de l'examiner. J'espère que je n'ai pas eu tort.

– Je ne vois pas pourquoi ce serait gênant... Mais il devra attendre le règlement de la succession.

Quand il eut raccroché, Gemma se rassit à la table et se servit un doigt de bordeaux.

– Si j'ai bien compris, l'ex-mari de Becca s'est évaporé ? Ce n'est pas trop grave ?

– Il ne me paraît pas suicidaire. Et Bell, que j'avais chargée de veiller sur lui, m'a dit qu'il avait beaucoup parlé du Filippi, le bateau de compétition de Becca. Pourquoi tiendrait-il tant à savoir quand on le lui rendra, s'il avait l'intention de mettre fin à ses jours ?

– Tu ne crois pas que... – Gemma hésita : D'après toi, il n'est pas en danger ?

Kincaid pensa à Craig, Gaskill et à leurs copains, dans l'ombre, prêts à user de tous les moyens pour préserver leurs secrets.

– J'espère que non.

Kincaid dormit mal. Gemma avait pris un bain, elle embaumait le lilas. Sa jambe pesait sur lui. Jusqu'aux petites heures de la nuit, il se fit du souci pour Freddie Atterton – et pour Gemma.

Sans doute finit-il par s'assoupir, car ce furent les premières lueurs de l'aube se glissant dans la chambre qui le réveillèrent.

Libérant précautionneusement son pied qu'écrasait Geordie, étiré de tout son long au bout du lit, il se leva. Il se doucha, s'habilla. Avant de sortir, il se pencha et posa un baiser au coin des lèvres de Gemma.

– Je vais à Henley, murmura-t-il.

– Quoi ? marmonna-t-elle, ouvrant des yeux ensommeillés. Qu'est-ce qu'il y a ?

– Rien. Chut... rendors-toi. Je t'appellerai.

Il descendit l'escalier sur la pointe des pieds, pour ne pas réveiller la maisonnée. Il prit soudain conscience que leur demeure, à l'aube, était étrange. Comme une bête endormie, silencieuse dans l'attente que son cœur s'éveille, et dont le souffle sentait le thé, le pain grillé, le chien, l'enfant.

Content de cette image et de lui-même, il atteignit sans encombre le vestibule. Ce fut alors qu'il entendit des griffes cliqueter sur le dallage.

Geordie l'avait suivi et le regardait en remuant la queue, avec cette expression de reproche et de mélancolie propre aux cockers.

Kincaid se pencha pour lui grattouiller les oreilles.

– Je ne peux pas t'emmener avec moi, chuchota-t-il. Retourne au lit.

Geordie pencha la tête, remuant la queue de plus belle.

277

Kincaid le gratifia d'une ultime caresse.

– Rien ne t'échappe, pas vrai, mon grand ? Veille sur Gemma pour moi, c'est...

Il se tut brusquement, se redressa, le regard rivé sur le cocker. Mais pourquoi n'y avait-il pas pensé avant ?

Il faisait tout à fait jour lorsque Kincaid arriva à Henley. En franchissant le pont, il vit les athlètes de huit barré qui quittaient le Leander, telle une flottille de mille-pattes. Il faisait froid, il n'y avait ni brume ni vent – le temps idéal pour ramer. Mais ce n'était pas aux rameurs qu'il désirait parler.

Il s'arrêta d'abord au poste de police. L'inspecteur Singla était là, ainsi que le gardien de la paix Bean, malencontreusement nommé. L'effervescence des derniers jours s'était dissipée, il y avait de la mollesse dans l'air. L'équipe n'avait pas grand-chose à se mettre sous la dent, et Kincaid ne pouvait pas y remédier. Pas encore.

Il allait demander si on avait vu Imogen Bell, quand elle apparut, fripée, les yeux battus.

– Commissaire...

Elle se laissa tomber dans un fauteuil, serrant entre ses mains un gobelet en plastique rempli de café, comme si elle avait besoin de se réchauffer.

– La nuit a été rude ? lui dit Kincaid.

– J'étais inquiète pour M. Atterton, commissaire, répondit-elle en rougissant. J'ai surveillé l'appartement.

– Toute la nuit ?

– Oui, commissaire. De ma voiture. J'étais garée près de l'entrée principale.

Pas étonnant qu'elle ait l'air d'avoir dormi tout habillée. C'était bien le cas. Kincaid fut impressionné, mais il ne savait pas trop si elle avait ainsi fait la preuve d'un grand professionnalisme ou d'un sérieux béguin pour Atterton. Les deux, peut-être.

– Bravo, commenta-t-il. Il est rentré chez lui ?

– Non, soupira-t-elle – elle semblait complètement découragée. Et je ne peux toujours pas le joindre sur son mobile.

— Atterton a bien appelé Mme Meredith mercredi soir, intervint Singla. Les relevés téléphoniques le prouvent, et Mme Meredith nous l'a confirmé. Le coup de fil a duré quarante-deux minutes. Atterton n'a pas mis le feu au hangar de Connolly, sauf s'il a le don d'ubiquité, ou s'il est en cheville avec son ex-belle-mère. Il l'aurait appelée, et il aurait laissé le téléphone décroché...

— Pour filer, à pied ou en voiture, voler une embarcation, ramer jusqu'à l'île, balancer son cocktail Molotov, regagner Henley et son appartement pour raccrocher le téléphone. Tout ça en quarante-deux minutes ?

— Ce n'est pas très vraisemblable, en effet. Et je ne vois pas pourquoi la mère de Rebecca Meredith aurait marché dans la combine. Il aurait fallu qu'elle et Atterton connaissent les dispositions testamentaires prises par la victime, et qu'ils aient décidé de se partager l'héritage. Mais, jusqu'à preuve du contraire, Mme Meredith n'a pas besoin de l'argent ni des biens de sa fille.

— N'oubliez pas non plus que votre scénario implique que Freddie Atterton ait tué Becca. Or, on n'a trouvé sur la scène de crime aucun élément pour appuyer cette thèse.

Kincaid sourit à l'inspecteur.

— Mais vous avez de l'imagination, mes félicitations.

— J'aime les films policiers, avoua Singla, confus.

Cullen, qui adorait les séries américaines, avait donc une âme sœur. Mais il était resté à Londres, à la demande de Kincaid, au cas où Melody – et Gemma – aurait besoin de renfort.

— Et pour M. Atterton, dit Bell, on lance un avis de recherche ?

— Accordons-lui encore un peu de temps, dit Kincaid après réflexion. Vous avez contacté les gens du Leander ?

— Pas depuis hier soir.

— Pourquoi ne pas les rappeler ? J'ai quelqu'un à voir, on en reparlera après.

Kincaid se dirigea vers la porte, mais quelque chose le turlupinait.

– Freddie vous a-t-il expliqué pourquoi il était si impatient de récupérer le Filippi ?

– Il a dit...

La jeune femme plissa le front, comme si elle essayait de se remémorer les mots exacts d'Atterton.

– Il a dit que c'était la seule chose qu'il pouvait encore réparer.

Kincaid, qui avait quitté Notting Hill sans rien avaler, envisagea un instant de prendre un café au distributeur. Une idée qu'il balaya aussitôt. Il irait au Starbucks – ce n'était pas l'idéal, mais ça valait quand même nettement mieux que la lavasse du commissariat.

Quelques minutes plus tard, armé d'un grand gobelet en carton du Starbucks et d'un muffin qu'il engloutit en deux bouchées, il sonnait à la porte de Tavie Larssen.

Des aboiements frénétiques retentirent, un homme cria aux chiens de se taire, puis la porte s'ouvrit sur Kieran Connolly. Son front blessé était à présent violacé, mais on avait retiré le pansement. Il aurait une super cicatrice à la Harry Potter, constata Kincaid.

Le visage de Connolly s'éclaira.

– Vous venez pour le hangar ? demanda-t-il, barrant le passage au labrador et au berger allemand qui s'égosillaient toujours.

– Entre autres. Puis-je entrer ?

– Oh... oui, bien sûr. Finn, Tosh, on se tait ! Couchés.

Les chiens obéirent au premier ordre, mais pas au second. Ils entreprirent de renifler le visiteur sous toutes les coutures. Kincaid sentait leur souffle chaud sur ses jambes de pantalon.

Il leur caressa la tête.

– Je sens le chien, pas vrai ? Vous avez oublié le biscuit, dit-il à Kieran.

– Ah oui, effectivement.

Kieran ouvrit la boîte, sur le guéridon du vestibule. Aussitôt les deux chiens s'assirent.

– Vous avez des chiens ? demanda-t-il, comme s'il découvrait que Kincaid, pour être un flic, n'en était pas moins un être humain.

– Nous avons un cocker. Et notre fils a une terrière.

– Les cockers sont doués. Excellents pour la recherche de drogue et d'explosifs. Ils ont une énergie sidérante, ces petits bougres.

– À qui le dites-vous.

Les chiens, qui avaient croqué leurs biscuits, regagnèrent leurs paniers, côte à côte devant le feu. Le salon, vit Kincaid, n'avait plus l'air d'un salon de maison de poupée. Il abritait désormais un homme athlétique et deux gros chiens dont les jouets jonchaient le sol. Des tasses vides et des papiers traînaient sur la table, des vêtements masculins occupaient le canapé et les fauteuils.

Kieran enleva un jean posé sur le dossier du canapé et, d'un geste, invita Kincaid à s'asseoir.

– Excusez le désordre. Le sèche-linge de Tavie est en panne. Elle a emprunté des affaires à ses collègues, j'ai dû laver les miennes.

– Tavie est là ?

– Non, aujourd'hui elle est de garde.

Kieran prit place dans le fauteuil, ses grandes mains nouées sur ses genoux.

– Pour le hangar, est-ce que... J'aimerais bien rentrer chez moi.

Kincaid eut l'impression que, malgré cette déclaration, Kieran était moins préoccupé par son hangar qu'il ne l'était le soir de l'incendie. C'était compréhensible, bien sûr. Mercredi, il était en état de choc, blessé et effrayé. Tandis qu'à présent, il paraissait se mouvoir moins gauchement dans la petite maison de Tavie, comme s'il commençait à s'y sentir chez lui.

– Je constate que, tous les deux, vous ne vous êtes pas encore étripés, dit Kincaid.

– Pas encore. Mais ça a failli, rétorqua Kieran, une lueur ironique au fond des yeux. N'empêche... il faut que je voie si... s'il reste quelque chose...

– En venant, j'ai discuté avec un des enquêteurs. Ils ont fini de collecter les indices. Votre hangar est sécurisé et accessible dès ce matin.

– Oh…, fit Kieran qui, maintenant que son souhait était exaucé, semblait décontenancé. Très bien.

– J'y suis passé hier. Ce n'est pas aussi catastrophique qu'on aurait pu le craindre, mais vous allez avoir du boulot.

Kieran opina, ébaucha le geste de se gratter le front, laissa retomber sa main.

– Tavie me répète que, des biens matériels, ça se remplace. Que je devrais me réjouir d'être vivant. Elle n'a pas tort, mais tout ce que je possédais était dans ce hangar. Je pourrais…

Il parut se demander s'il était raisonnable d'achever sa phrase, secoua la tête.

– Savez-vous qui m'a fait ça ? Et pourquoi ? C'était le type que j'ai aperçu au bord de l'eau ?

– Pour l'instant, on l'ignore. Mais à propos de cet endroit sur la rive que vous nous avez montré, enchaîna Kincaid, s'engouffrant dans la brèche, vous aviez raison. Il y avait bien quelqu'un, il a laissé des traces de son passage.

Kincaid se pencha en avant, tournant les yeux vers les chiens qui étaient maintenant béatement couchés sur le flanc.

– Il m'est venu une idée… Les chiens pourraient-ils faire le lien entre les odeurs laissées à cet endroit, et une personne précise ?

– Ça fait combien de temps ? Cinq jours ? Je suis allé là-bas, et vos techniciens ont tout passé au peigne fin. C'est Tavie l'expert, mais moi je dirais que les chances sont très minces.

Comme s'il comprenait qu'on parlait de lui, Finn renifla bruyamment.

– Les chiens pourraient réagir si la perception olfactive était associée à un souvenir émotionnel quelconque… Un événement marquant, par exemple, ou une personne qu'ils connaissent déjà.

Finn se leva, bâilla et vint s'installer aux pieds de Kieran.

– Mais ils pourraient réagir simplement parce que la personne a mangé des saucisses au petit-déjeuner, poursuivit Kieran. C'est que vous êtes des bestioles versatiles, hein ? dit-il à Finn en lui tapotant la tête.

– Bon, tant pis, rétorqua Kincaid, déçu. C'était tiré par les cheveux, je l'admets.

Kieran le dévisagea de son regard clair et franc.

– Vous pensez savoir qui a fait ça.

– Je n'en ai pas la preuve.

Kincaid avait espéré que, si Melody et Gemma parvenaient à incriminer Craig dans l'affaire Jenny Hart, on pourrait établir grâce aux chiens un lien solide entre lui et le lieu où Becca Meredith avait été tuée. Ce qui permettrait d'obtenir une commission rogatoire pour perquisitionner la voiture de Craig et faire analyser ses vêtements.

Il voulait coincer cet type pour le meurtre de Jenny Hart, et plus encore pour celui de Becca Meredith.

– Écoutez, Kieran, dit-il en se levant. Cet homme est toujours dans la nature et vous êtes toujours le seul à l'avoir peut-être vu sur la rive. Restez encore chez Tavie. Et ne sortez pas seul le soir.

Kincaid regagna le vestibule, se retourna.

– Ah, au fait, le bateau que vous étiez en train de construire, celui pour lequel vous vous faisiez du souci... Nous avons demandé à vos voisins de le mettre à l'abri dans leur garage.

Il s'en alla sans être sûr que Kieran suivrait son conseil, mais il ne pouvait pas enfermer à double tour tous ceux qui avaient approché Becca Meredith.

Tout en se dirigeant vers la place du marché, il consulta sa montre. Dix heures à peine. Il n'aurait pas de nouvelles de Gemma avant deux bonnes heures. Car il se doutait bien qu'elle ne laisserait pas Melody faire le boulot. Elle était flic, autant que lui, et elle voudrait entendre le témoin de ses propres oreilles.

En attendant, il comptait bien retrouver Freddie Atterton.

Il passa au bar de l'Hôtel du Vin, malgré l'heure matinale, au cas où Freddie aurait oublié ses bonnes résolutions concernant l'alcool. Il ne l'y trouva pas.

Alors il se rendit au Leander. Il ne mettait pas en cause la conscience professionnelle d'Imogen Bell, mais il était possible que Freddie et elle se soient mal compris.

Il se renseigna auprès de la ravissante Lily, passa la tête dans la salle à manger, les bars, les quartiers des athlètes. Sans résultat.

Il retournait à la réception remercier Lily quand, sur une impulsion, il gagna la terrasse avec vue sur la Tamise et les prairies où s'assemblait le public lors des régates. Il n'y avait personne, on ne voyait sur cette étendue verdoyante que les étançons qui, en juin, soutiendraient les tribunes.

Kincaid n'avait jamais assisté à la Henley Royal Regatta, mais il avait vu des photos et des vidéos de l'événement. Il imaginait la foule, les chapiteaux, le soleil étincelant sur l'eau, les rameurs et les bateaux de course aux pontons de départ. Une symphonie de couleurs et de mouvements.

Becca aurait-elle participé à la prochaine édition, afin de prouver qu'elle avait la gnaque nécessaire pour les Jeux olympiques ?

Soudain, il entendit la porte-fenêtre grincer et pivota. Milo Jachym.

– Lily m'a dit que vous cherchiez Freddie. Il va bien ?

– Il a quitté son appartement hier, et il n'est pas rentré de la nuit. Où pourrait-il être, à votre avis ?

– Il m'a téléphoné hier, au moment où j'étais occupé au gymnase. Il ne m'a pas laissé de message et, quand je l'ai rappelé, il n'a pas répondu. Il n'a pas pris sa voiture ?

– Non.

– Il n'est donc pas allé chez ses parents.

Milo secoua pensivement la tête et, comme Kincaid, promena son regard sur les prairies.

– Je n'aurais pas cru que la mort de Becca le foutrait en l'air comme ça. Pour moi, Freddie faisait partie de ces heureux veinards qui passent toujours entre les gouttes. Il avait tout – le physique, les relations, le talent. Mais depuis quelques années, le charme s'usait. Ça ne marchait plus comme sur des roulettes.

Milo Jachym aurait-il été jaloux ? Kincaid flairait que les choses n'avaient pas été aussi faciles pour lui. Cet homme avait dû saisir l'occasion aux cheveux et s'y cramponner avec toute l'opiniâtreté d'un barreur. Et il n'était pas impossible que sa relation avec Becca ait été plus complexe que celle d'un entraîneur et d'une athlète.

– Vous connaissiez Freddie et Becca depuis longtemps.

– Ils étaient encore à l'université. Tous deux étaient promis à un bel avenir. Malheureusement, le ver était dans le fruit, dit Milo avec une infinie tristesse.

Il s'ébroua, redressa les épaules.

– Bon, fit-il, sur ce ton brusque qui lui était coutumier. J'ai une équipe à entraîner – deuxième séance en extérieur. Quand vous retrouverez Freddie, dites-lui de m'appeler.

Il descendit les marches menant à la cour où l'on entreposait les bateaux, se retourna.

– Vous avez essayé de le joindre au cottage ? C'est là que Freddie pourrait se réfugier en dernière extrémité.

Kincaid faillit reprendre sa voiture, qu'il avait laissée sur le parking de Gray's Road. Mais il se retrouverait fatalement au commissariat, tout proche, or, prudence étant mère de sûreté, il avait intérêt à jouer les hommes invisibles en attendant de savoir ce qu'on avait exactement contre Craig.

Il irait à Remenham à pied. Il avait déjà fait le trajet en voiture, ce n'était pas la mer à boire.

Il se rendit rapidement compte que, même si la balade était un enchantement, le hameau était beaucoup plus loin qu'il n'y paraissait. Quand il atteignit le cottage de Becca Meredith, il suait sous sa veste en cuir, pourtant légère, et il aurait donné un empire pour avoir aux pieds ses chaussures de sport.

En plein jour, le cottage était moins pimpant. On négligeait visiblement de l'entretenir. La peinture des boiseries de la façade s'écaillait, il fallait tailler les haies, tondre le gazon.

Le portillon était ouvert, la porte d'entrée entrebâillée. Aussitôt, des scénarios plus déplaisants les uns que les autres vinrent à l'esprit de Kincaid. Il se figea, scrutant la maison et le jardin. Inutile d'aller étourdiment au-devant du danger, il avait assez chapitré Gemma à ce sujet.

Pas un bruit, rien ne bougeait. Tout à coup, il remarqua des traces de pas. Il y avait eu de la rosée, le matin, et l'herbe trop haute était encore mouillée, à l'ombre de la haie. Des empreintes bien nettes partaient du perron et contournaient le cottage.

Kincaid les suivit prudemment. Au fond du jardin, il découvrit Freddie Atterton qui contemplait la Tamise. Il était pieds nus, vêtu d'un jean et d'un polo bleu foncé, la couleur d'Oxford.

– Freddie...

Atterton se retourna, esquissa un sourire hésitant. Il avait l'air désorienté.

– Oh, c'est vous...

– Ça va ?

Kincaid, en s'approchant, vit que le polo portait l'emblème du club d'aviron d'Oxford.

– Nous nous inquiétions pour vous. Surtout Mlle Bell.

– Imogen, rétorqua Freddie dont le sourire s'accentua. Un joli nom pour une jolie fille. Elle me cherchait ?

– Vous n'avez pas écouté vos messages.

– Non. J'ai éteint ce fichu téléphone.

– Vous êtes là depuis hier soir ?

Freddie hocha la tête.

– Et qu'est-ce que vous faites dans ce jardin ? demanda Kincaid avec la douceur qu'il réservait à ses enfants.

– Je voulais... je voulais juste voir...

Freddie s'interrompit, il claquait des dents. Le bas de son pantalon, comme celui de Kincaid, était trempé.

– On ne voit pas très bien d'ici. Temple Island. Mais elle était tout près.

– Oui, c'est vrai. On dirait que vous avez perdu vos chaussures, ajouta Kincaid d'un ton neutre.

– Oh...

Freddie baissa les yeux, comme surpris de constater qu'il était effectivement pieds nus. Il toucha le devant de son polo.

– J'ai retrouvé ça... Mes affaires de l'université. Dans la penderie. Elle les avait gardées, murmura-t-il, le regard embué.

– Je crois que nous devrions nous mettre au chaud, boire une tasse de thé et discuter. D'accord ?

À en juger par la couette, en boule sur le canapé, Freddie n'avait pas passé la nuit dans la chambre, à l'étage. Kincaid le comprenait. Dormir dans le lit de celle qui avait été sa femme et qui était morte aurait été trop éprouvant. Et savoir qu'elle avait partagé sa couche avec un autre homme aggravait encore les choses.

– Il vaudrait mieux vous changer.

– Ça séchera. Je fais de l'aviron, n'oubliez pas. Enfin, j'en faisais. Être mouillé, pour un rameur, c'est le quotidien.

Malgré le soleil, il faisait froid dans la pièce, comme la première fois que Kincaid était venu au cottage.

– Si on allumait le feu ? C'est que ne suis pas aussi endurci que vous. Je nous prépare du thé.

Il trouva dans la cuisine des sachets de thé Tetley – manifestement Becca n'avait pas des goûts de luxe – et dans le réfrigérateur du lait frisant la date limite de consommation.

– Lait et sucre ? demanda-t-il quand il eut branché la bouilloire.

– Double ration. Encore une habitude d'ancien rameur : ne jamais se priver d'une bonne dose de calories.

Freddie alluma la cheminée à gaz, enleva le duvet du canapé et s'assit pour regarder les vieilles photos étalées sur la table basse.

Lorsque Kincaid eut rempli deux mugs, en omettant de sucrer son thé, et même d'y ajouter du lait, il retourna au salon et s'installa dans le fauteuil.

— Qu'est-ce que vous regardez ?

— Ces photos aussi, elle les avait gardées. Je ne m'en doutais pas. Je cherchais un stylo, et je les ai trouvées dans le tiroir du secrétaire, dit Freddie.

Il tourna les clichés sur la table pour que Kincaid les voie mieux. Tous le montraient, beaucoup plus jeune, en tenue d'aviron aux couleurs d'Oxford. En train de ramer dans un huit barré, ou bien après une course, ou dans une fête. Sur une photo, Becca l'aspergeait de champagne, tous deux riaient aux éclats.

Freddie prit cette photo-là et l'effleura du doigt.

— C'était la deuxième fois que je participais à la Boat Race. On venait de se fiancer. C'est Ross qui avait fourni le champagne, évidemment.

— Ross ?

— Le copain qui m'a emmené à la...

La voix de Freddie s'étrangla. Il but une gorgée de thé.

— ... à la morgue. On était tous ensemble à la fac. Becca et moi, Ross et sa femme, Chris.

Il montra d'un geste, sur une étagère de la bibliothèque, une photo encadrée, prise lors de la même course.

— C'est lui, là. Juste avant la course. Ross était sur *Isis*, le deuxième bateau. Il a été titularisé à la dernière minute.

Kincaid vit un jeune homme robuste qui souriait à l'objectif, comme tous les autres membres de l'équipage, avec une expression de fierté et d'appréhension mêlées.

— Le champagne était un rituel de la Boat Race ?

— Pas pour les vaincus. Cette année-là, on a bu le bouillon. On a bien failli se noyer. Je crois que Becca... Je ne sais pas. Après, ça n'a plus été pareil. Elle me considérait peut-être comme un raté.

— Ce n'était qu'une course.

Freddie le regarda comme s'il était totalement idiot.

– C'était la Boat Race. Rien n'est comparable à ça, qu'on soit vainqueur ou vaincu. Mais Becca... elle voulait que je gagne, encore plus que je ne le désirais.

– Vous enviait-elle la chance que vous aviez ? demanda Kincaid, se remémorant tout ce qu'il avait appris sur Becca Meredith.

Participer à la Boat Race était pour elle la seule chose impossible.

Freddie écarquilla des yeux surpris.

– Cette idée ne m'est jamais venue à l'esprit. Mais ce n'est pas bête. Ça expliquerait pourquoi elle y attachait tellement d'importance.

– Votre défaite était la sienne.

– Elle l'a très mal pris. Elle n'était pas seulement fâchée, déçue. Elle était... amère. On a continué notre chemin, on s'est mariés, comme si rien n'avait changé. Pourtant ce n'était plus pareil. Et ensuite... vous savez ce qui s'est passé.

– Les épreuves de sélection pour les Jeux olympiques. Sa blessure. Son échec.

– Je pensais qu'on ne s'en remettrait pas. Mais elle est entrée dans la police et, pendant un certain temps, la situation s'est améliorée. Elle a mis toute son impitoyable énergie dans son travail. Malheureusement, il y avait toujours cette distance entre nous, ce mur que je n'ai jamais réussi à abattre.

– Et vous vous êtes consolé ailleurs, rétorqua Kincaid, sans porter de jugement.

– En quelque sorte, dit Freddie avec un sourire en coin. En réalité, ça ne me consolait pas. Et maintenant je n'arrête pas de me demander si j'aurais pu ou non changer le cours des choses. Je n'aurai jamais la réponse.

Effectivement, Kincaid ne pouvait pas prétendre le contraire. En fait, ce qu'il serait contraint de dire, tôt ou tard, ne servirait qu'à alourdir le fardeau de cet homme.

Car si Freddie et Becca étaient restés mariés, Angus Craig n'aurait peut-être jamais eu l'occasion de la violer. Et Becca ne serait peut-être pas morte.

Kincaid balaya le salon des yeux. Lors de sa première visite, le mardi soir, il ignorait encore ce qui s'était passé ici. À présent, il revoyait mentalement les photos d'une autre scène de crime : l'appartement de Jenny Hart. Et il imaginait Becca dans cette pièce, après le viol. Il en eut la nausée.

– Qu'est-ce que vous avez ? dit Freddie. On croirait que vous avez vu un fantôme.

Kincaid le regarda droit dans les yeux et, soudain, sa décision fut prise.

Il faudrait révéler à cet homme ce qu'avait subi Becca. Mais pas encore. Car si Freddie s'en prenait à Angus Craig, Kincaid n'aurait aucun moyen de le protéger.

20

« Nous portons tous fièrement notre tenue de compétition. Aujourd'hui on nous décerne la plus haute dis-
tinction, dans le domaine du sport, de notre université :
nous sommes les Blue d'Oxford. Seul un petit nombre
de sportifs peut y prétendre, et un Blue ne peut le mériter qu'en affrontant Cambridge... Pour cela il faut passer le Fulham Wall, au bout de deux minutes de course.
Un chavirage serait encore plus cruel s'il se produisait
avant. » (David Livingston)

David & James Livingston,
Blood over Water

L E CHURCHILL ARMS était aussi encombré que Melody
l'avait dit. Il faisait une chaleur de four dans la salle
pleine à craquer, où flottaient des relents de viande grillée
et de légumes bouillis.

Gemma était en avance, aussi se faufila-t-elle à l'intérieur pour tâter l'atmosphère en attendant Melody. Des
clients sortaient sur le trottoir avec leur verre, c'était
la cohue devant la porte. Gemma, qui s'était habillée
de façon décontractée – jupe et bottes – s'efforça de
prendre un air dégagé. Heureusement qu'elle ne travaillait pas sous couverture, songea-t-elle.

La journée était ensoleillée et fraîche, Gemma était
venue à pied de Notting Hill, après l'arrivée de Betty
Howard qui avait accepté de garder Charlotte et Toby

pendant quelques heures. Elle était passée près de Camp-den Street, où Jenny Hart avait vécu. L'idée que le meurtrier avait perpétré son forfait dans le quartier la glaçait. Sans doute était-ce la brigade criminelle de Kensington qui avait mené l'enquête, sinon Gemma en aurait été chargée. Elle n'aurait d'ailleurs pas obtenu de meilleurs résultats que les collègues – ils avaient fait du bon boulot avec les maigres éléments dont ils disposaient.

Elle ne cessait de penser à Melody, jeune, séduisante et célibataire : une cible de choix pour Angus Craig. Par chance pour Melody, Craig semblait avoir passé la vitesse supérieure pour s'attaquer à des policières plus chevronnées.

À présent, bien sûr, Melody était avertie, mais trop de victimes potentielles restaient dans l'ignorance. Il fallait mettre ce salaud hors d'état de nuire, et rapidement.

Gemma observa les serveuses qui s'activaient entre le bar, la cuisine et les salles bondées. Laquelle de ces jeunes femmes était leur témoin ?

Soudain, une voix à son oreille la fit sursauter :

– Vous avez quand même l'air d'un flic, patron.

Melody esquissa un petit sourire nerveux.

– Je vous retourne le compliment, dit Gemma. Vous m'avez fait peur, j'ai failli avoir une attaque. Vous avez les photos ?

– Évidemment, répondit Melody en tapotant son sac, assez grand pour transporter une bonne partie de la collection d'objets à l'effigie de Churchill exposée dans le pub. Voilà Theresa, la gérante, ajouta-t-elle, désignant une grande jeune femme derrière le bar.

– Et notre témoin ?

– Elle nous le dira. Je vais vous présenter comme ma collègue, d'accord ? Sans donner de nom. Juste au cas où... Enfin bref.

Gemma lui posa la main sur le bras.

– Melody... vous êtes vraiment décidée ? Vous risquez de mettre votre carrière en péril. Ou pire.

– Si elle ne l'identifie pas, on n'a rien à perdre. L'unité Sapphire avait une piste, laquelle ne débouchait sur rien, point à la ligne. Et si elle l'identifie, je ferai ce qu'il faut. Comme vous, dit Melody avec une absolue conviction.

– Très bien.

Gemma suivit son amie et la laissa parler à la gérante. Il y avait tellement de bruit dans le pub qu'elle n'entendit que des bribes de leur conversation. Mais quand elle vit la dénommée Theresa montrer la fille potelée qui s'affairait à la pompe à bière, son cœur se serra.

Le visage de la serveuse était constellé de taches de rousseur, ses cheveux blond peroxydé ramassés en un petit chignon sur le sommet de sa tête. Des tatouages colorés décoraient ses bras nus. Quand elle s'approcha, sur un signe de la gérante, Gemma vit qu'elle était un peu plus âgée qu'elle ne l'avait cru de prime abord – vingt-cinq ans environ.

– Ashley..., dit Theresa. Voilà les dames de la police.

– Il y a un endroit où on pourrait discuter ? demanda Melody.

– Il reste une table libre à côté de la cuisine, dit la fille. Ce sera plus tranquille.

Elle tourna les talons et les pilota dans un dédale de salles jusqu'à un minuscule patio, dont Gemma n'aurait pas soupçonné l'existence. Il y faisait plus frais et le niveau sonore y était effectivement moins assourdissant. Toutes trois se casèrent autour d'une petite table.

– La grotte aux fougères, c'est comme ça que j'appelle ce patio, plaisanta Ashley. Theresa m'a dit que vous souhaitiez me parler de Jenny Hart ?

À en juger par ses inflexions, elle était issue de la classe moyenne et avait reçu une bonne éducation, pensa Gemma. Un bon point, outre son expression franche et assurée.

Ces réflexions tenaient du préjugé, mais Gemma n'en avait cure – sa longue expérience lui avait enseigné qu'un témoin de ce milieu social était automatiquement plus crédible. De plus, songea-t-elle en étudiant attentivement

293

la jeune femme, si on lui mettait un chemisier à manches longues, Ashley serait tout à fait présentable.

– Donc vous vous souvenez de Jenny Hart ? rétorqua Melody.

– Bien sûr. Elle venait deux ou trois fois par semaine, au moins, et je la servais chaque fois que je pouvais. Quand j'ai appris ce qui lui était arrivé, ça m'a fait un choc, dit Ashley d'un air peiné.

– Comment avez-vous su son nom ? interrogea Gemma, oubliant qu'elle était censée jouer le rôle de la subalterne.

– Vous avez beaucoup de monde ici, ajouta Melody en lui décochant un regard réprobateur. Vous devez servir des centaines de clients dans la journée.

– On n'a pas tellement de femmes seules parmi les habitués. Et puis elle était sympathique. Toujours un mot gentil pour les serveuses.

– Vous saviez qu'elle était officier de police ? interrogea Melody.

– Je l'ai su quelques mois avant qu'elle... Avant sa mort. Ce soir-là, il y avait du grabuge. Deux types qui se disputaient à cause d'un match de foot – à leur âge pourtant, ils auraient dû être plus malins. Jenny est descendue de son tabouret, droite comme un « i » malgré deux vodkas martini, s'il vous plaît. Elle leur a mis sa carte sous le nez et leur a ordonné de déguerpir.

Ashley sourit à ce souvenir.

– Et ils ont déguerpi. Ils ont bien vu qu'il valait mieux ne pas lui marcher sur les pieds. Après ça, on a discuté davantage. J'envisageais de me spécialiser en criminologie, elle a eu la gentillesse de me donner des conseils.

– Et vous avez concrétisé votre projet ?

– Non, j'étudie le droit.

Gemma ne sut pas trop s'il fallait s'en réjouir ou le déplorer. Cette jeune femme était intelligente, ce qui jouait en leur faveur – mais elle comprendrait vite dans quoi elle s'engageait, et cela risquait de les desservir.

Quand Melody fouilla dans son sac, Gemma sentit son cœur s'accélérer. Elle avait chaud, brusquement.

– Ashley…, dit Melody. Vous avez déclaré à la police que Jenny était ici le soir de sa mort. Et que vous pensiez l'avoir vue parler avec un homme. Vous pouvez préciser ?

– C'était un samedi, on affichait complet. Jenny était au bar, je lui ai servi deux vodkas martini – une larme de vermouth et un zeste de citron, comme elle aimait. Je me rappelle qu'elle avait l'air fatiguée.

Ashley changea de position sur sa chaise, croisa ses bras tatoués.

– Comme les clients se bousculaient au comptoir, Jenny s'est écartée. Et c'est là que je l'ai vue parler à un type. J'ai eu l'impression qu'elle le connaissait, je ne sais pas trop pourquoi. Quand on est serveuse, on observe les gens à longueur de temps et on apprend à décoder le langage corporel.

Elle haussa les épaules.

– Je crois qu'il lui a payé un verre, mais je n'en suis pas sûre. Ce n'est pas moi qui les ai servis. Ensuite ils sont sortis de mon champ de vision. Et voilà, soupira Ashley, comme si elle se décevait terriblement elle-même. Quand on l'a retrouvée morte et que la police a débarqué ici, j'en ai été sidérée. Si seulement j'avais été plus attentive…

– Allons, coupa Melody. Il ne faut surtout pas penser ça, vous n'avez commis aucune faute. Mais, à présent, vous pouvez nous aider.

Melody s'accouda sur la table, se pencha vers Ashley.

– Vous n'avez pas pu donner de cet homme une description assez précise pour élaborer un portrait robot.

– Il était juste… ordinaire, dit la jeune femme avec une grimace de frustration. Je ne cherchais pas à mémoriser son visage, vous comprenez. Il était… plus âgé qu'elle, il m'a rappelé mon oncle John. La peau très blanche, le crâne qui commence à se dégarnir. Plutôt costaud. Pas très grand. Mais quand le dessinateur de la police a mis tout ça ensemble, ça ne collait plus.

– Vous l'aviez déjà vu ?

– Non, je ne crois pas.

– Vous le reconnaîtriez, si vous le revoyiez ? Ça date de six mois.

Le regard inquiet d'Ashley se posa tour à tour sur Melody et Gemma.

– Je ne sais pas, mais il me semble que oui. Ce n'est pas le genre de chose qu'on oublie.

– D'accord. Je vais vous montrer une photo. Vous nous direz si l'un de ces hommes vous paraît familier. Tout simplement.

Melody prit dans son sac la photo d'Angus Craig parmi d'autres cadres de la police, tous en smoking. Rien ne le distinguait de ses pairs, songea Gemma, aucun signe particulier. Sauf si l'on savait ce qu'il était.

Elle se rendit compte qu'elle retenait sa respiration.

Saisissant le cliché avec précaution, Ashley l'étudia attentivement. Soudain, ses yeux s'écarquillèrent, elle ravala une exclamation.

– Ça alors... Oh, mon Dieu. C'est lui.

Et elle posa un ongle laqué de noir sur l'individu campé au milieu du groupe. Angus Craig.

Kincaid était de retour au commissariat, grâce à Imogen Bell qui l'avait ramené en voiture, quand Gemma lui téléphona.

– On le tient, dit-elle, la voix vibrante d'une excitation qu'elle avait du mal à maîtriser.

Il ferma les yeux, c'était trop beau pour être vrai.

– On a une déposition en bonne et due forme ?

– Et dûment signée. Melody a emmené notre jeune serveuse au poste de Notting Hill pour recueillir son témoignage. C'est une étudiante en droit, elle sait ce qu'elle fait. On lui a expliqué... Enfin, Melody lui a expliqué qu'identifier formellement un suspect pouvait lui valoir des... désagréments. Nous lui avons conseillé de se faire héberger par des amis durant quelques jours, au moins, et de ne donner l'adresse à personne. Elle a quand même voulu faire une déposition.

– Tu penses qu'elle pourrait le reconnaître dans une parade d'identification ?

– Absolument. Melody lui a montré une photo de groupe, prise au bal du directeur de la police. Elle l'a désigné sans la moindre hésitation. Melody a transmis la déposition à Doug, au Yard.

– Bien, très bien.

Kincaid fit un effort pour se ressaisir. Il n'y avait pas cru, il s'en rendait compte à présent. Qu'un témoin puisse, de façon fiable, établir un lien entre Craig et Jenny Hart, la nuit du meurtre, lui avait paru illusoire.

Certes, le procureur estimerait que le témoignage de cette jeune femme n'était pas suffisant pour une mise en examen, mais il devrait accorder une commission rogatoire pour une analyse ADN.

Il ne leur en fallait pas davantage.

À condition qu'ils aient raison. Car s'ils avaient tort, ils n'auraient plus qu'à réciter leur prière.

– Tu es toujours là, mon chéri ?

– Oh… oui, je rêvasse, excuse-moi.

Imogen Bell, Bean et l'inspecteur Singla l'observaient avec curiosité.

– Il est temps que j'aie une petite discussion avec le patron, dit-il. Entre quatre yeux.

Imogen Bell le rattrapa alors qu'il quittait le commissariat.

Il avait simplement dit à l'équipe qu'il avait une piste fumante, dans une autre affaire, à Londres, et qu'il reviendrait le plus vite possible.

– Je peux vous accompagner jusqu'à votre voiture ?

Elle n'avait pas pu dissimuler son soulagement, lorsqu'il l'avait appelée de Remenham pour lui annoncer que Freddie Atterton était sain et sauf. Mais quand elle était venue les chercher, elle avait été glaciale avec

Freddie, jusqu'à ce qu'il lui demande gentiment pardon de l'avoir inquiétée, et promette de garder, à l'avenir, son portable allumé.

– Oui, bien sûr, dit-il.

Elle se mit à marcher à son côté, du même pas que lui – ses longues jambes le lui permettaient. Le vent qui balayait Gray's Road faisait voler sur sa figure des mèches châtain clair, qu'elle repoussait d'un geste impatient.

– Votre affaire à Londres... elle a un rapport avec la nôtre ?

Il fut tenté d'éluder, mais la jeune femme avait un air résolu qui l'en dissuada.

– C'est possible, je ne peux rien dire tant que je n'en sais pas plus.

– Il s'agit d'un meurtre, n'est-ce pas ? Et vous avez un témoin.

– Vous n'avez jamais envisagé de faire carrière dans le journalisme, mademoiselle Bell ? lança-t-il d'un ton plus sec.

– Désolée, dit-elle sans une once de repentir. Mais c'est que... Votre affaire concerne-t-elle M. Atterton ? Comme je l'ai sous ma garde, il me semble que je suis en droit de le savoir.

Elle avait raison, Kincaid l'admettait. Mais il ne pouvait pas risquer d'attirer l'attention de Craig sur cette jolie jeune femme. Elle possédait cette personnalité, cette confiance en soi que Craig cherchait, avec une avidité croissante, à broyer.

De plus, il fallait absolument éviter que ce dernier soupçonne qu'ils avaient enfin quelque chose contre lui.

– Oui, vous en avez le droit. Mais c'est compliqué, et je crains d'éventuelles... retombées. Patientez un peu, je vous dirai tout ce qu'il m'est possible de dire.

Ils avaient atteint la voiture. Kincaid s'immobilisa.

– Écoutez, Imogen... en attendant mon retour, gardez un œil sur Freddie. Je pense qu'à partir de maintenant il sera plus coopératif. Et, surtout, ne dites à personne que nous avons un témoin dans cette autre affaire. Vous avez bien compris ? *À personne.*

Kieran avait tarabusté la terre entière – particulièrement Tavie qui n'avait pourtant pas le contrôle de la situation – pour réintégrer son hangar à bateaux. Or, maintenant qu'il y était autorisé, il tergiversait.

Après le départ du commissaire Kincaid, il rangea la maison, finit la lessive et se prépara un sandwich au fromage et aux pickles. Il se sentait coupable de dévorer les provisions de Tavie. Il achèterait de quoi dîner en revenant...

En chemin, il s'aperçut que ses mains tremblaient. En fait, il ne voulait pas rentrer chez lui. Pas pour y rester. Pas encore.

Il avait peur. De ce qu'il allait trouver là-bas, de ce qu'il adviendrait de lui s'il avait perdu tout ce qui commençait à lui donner le sentiment d'être de nouveau un être humain à part entière.

Il avait peur, point à la ligne. Le bruit, la fumée, les flammes, la panique – tout cela était trop récent.

Mais s'il ne retournait pas là-bas tout de suite, cela lui serait-il vraiment plus facile ensuite ?

Les chiens, assis à ses pieds, le regardaient avec espoir.

– D'accord, les morfalous, dit-il en partageant en deux le reste de son sandwich. Couchés, ordonna-t-il.

Les deux chiens s'affalèrent comme des marionnettes dont aurait coupé les fils et reniflèrent en salivant la récompense qu'il leur tendait.

– Voilà, y en a plus.

Il s'essuya les doigts sur son jean. Les chiens le contemplaient, langue pendante. Il avait des renforts, songea-t-il. Là, devant lui, tout prêts à l'escorter.

Il n'avait qu'à conclure un marché avec lui-même. Ces deux dernières années, il avait appris cette leçon-là, qu'il avait intérêt à ne pas oublier. On n'était pas forcé de tout régler d'un coup. Un petit pas après l'autre, voilà comment on avançait.

Il irait là-bas, mais il suivrait le conseil du commissaire Kincaid : il reviendrait chez Tavie, du moins pour cette nuit. Il n'y avait pas de honte à ça.

Lorsque Kieran arriva à Mill Meadows, les chiens et lui avaient le souffle court. Il en avait profité pour faire son jogging, histoire de ne pas flancher, et s'était félicité que le temps, clair et sec, lui épargne le vertige.

Il ralentit en s'apercevant qu'un homme, sur le chemin de halage, observait le hangar sur la rive opposée.

Il portait un jean et un polo bleu marine à manches longues. Pas de veste, malgré le vent frisquet qui le décoiffait. Il émanait de lui une indéfinissable élégance. Quand il se retourna, Kieran le reconnut aussitôt.

Freddie Atterton, l'ex-mari de Becca.

– Je vous reconnais, dit-il, regardant tour à tour Kieran et les chiens. Je vous ai vu l'autre jour, vous faisiez partie de l'équipe de recherche.

Kieran sentit les poils se dresser sur ses bras.

– Effectivement, dit-il avec circonspection.

– Je ne sais pas comment vous remercier. Vous et les chiens... ils sont formidables.

Finn et Tosh, qui savaient toujours quand on parlait d'eux, remuèrent aimablement la queue et s'assirent. Sans la moindre inquiétude.

– Oui, ils sont formidables, acquiesça Kieran qui grattouilla la tête de Finn.

Tosh lui donna un coup de museau, réclamant sa part d'attention, et fit de même avec Atterton qui caressa vigoureusement les deux chiens.

Le silence s'installa, et s'éternisa. Que disait-on à l'homme dont l'ex-femme avait été votre maîtresse ? s'interrogea Kieran. Freddie Atterton, comme s'il lisait dans ses pensées, lui sourit.

– Je suis au courant pour vous et Becca. Le commissaire Kincaid m'en a parlé. Mais ce n'est pas pour ça que je suis là.

– Très bien.

Kieran se tut. Il se sentait de plus en plus bizarre, et s'efforçait de ne pas regarder ce qui restait de son refuge.

– J'avoue que j'en ai conçu une certaine curiosité, reprit Atterton. C'est humain, n'est-ce pas ? Mais je suis surtout venu voir si pourriez réparer le bateau de Becca.

– Le Filippi ? dit Kieran – il s'attendait à tout sauf à ça.

– La coque serait fendue, apparemment. Je ne l'ai pas encore vu, mais je ne voudrais pas... Elle aurait voulu...

La voix d'Atterton tremblait. Kieran comprit brusquement que cet homme était sur le point de craquer. Il le savait, car lui aussi s'était tenu au bord de l'abîme. Lui aussi pourrait y basculer, encore aujourd'hui.

– Je le réparerais volontiers, bien entendu. Mais je ne sais pas si c'est possible. Mon atelier...

– Le commissaire m'a raconté ce qui vous est arrivé. Vu d'ici, ça ne paraît pas si catastrophique. Vous traversez comment ?

– Là-dedans, répondit Kieran, montrant sa petite embarcation amarrée un peu plus loin.

– On y tient tous ?

Kieran, sidéré par cette discussion, fut néanmoins soulagé de ne pas avoir à découvrir seul les dégâts causés par l'incendie.

– Oui, répondit-il en lâchant la laisse de son chien. Finn, va chercher le bateau.

Finn bondit et, prenant l'amarre de corde dans sa gueule, tira le canot le long de la berge. Dès que son maître eut saisi l'aussière, il sauta à bord et les regarda avec ce quasi-sourire de jubilation propre aux labradors.

– J'ai la nette impression qu'il préférerait y aller à la nage ! s'esclaffa Freddie.

Tosh n'embarqua qu'après que les deux humains furent installés, le front plissé dans une expression disant qu'elle n'appréciait pas vraiment l'aventure mais ferait contre mauvaise fortune bon cœur.

Kieran rama jusqu'à l'île, où Freddie amarra expertement le bateau.

– Vous faites de l'aviron, n'est-ce pas ? lui dit Kieran.

– J'en faisais. Il y a longtemps, beaucoup d'eau a coulé sous les ponts. Bon, si on allait voir ce qu'il en est ? Vous vous sentez d'attaque ?

Kieran ordonna aux chiens de ne pas bouger puis, redressant les épaules, il suivit Freddie.

Ce n'était pas aussi tragique qu'il le craignait. Du verre brisé, des cendres détrempées, des poutres noircies, mais la structure du hangar et les outils de Kieran semblaient intacts. Le reste – vêtements, lit de camp, affaires personnelles – était gorgé de fumée et d'eau. Il n'aurait plus qu'à remplacer tout ça ou à s'en passer.

En revanche, le bateau sur lequel il travaillait était foutu. La coque en fibre de verre était fendillée, la peinture cloquait, on y voyait nettement les traces calcinées des flammes.

– Bon Dieu, marmonna Kieran, en proie au vertige. C'est que... je ne suis pas assuré pour ça. Merde.

Freddie se campa près de lui, examinant le bateau.

– C'est réparable ?

– Peut-être, mais ce ne sera pas facile. Et je ne pourrai pas m'y atteler sans nettoyer d'abord ce bordel et remettre le hangar en état.

Kieran secoua la tête, accablé.

– Écoutez... ça va vous sembler bizarre, dit Freddie, mais si vous avez besoin d'un coup de main, je vous aiderai. Je peux poncer, récurer, balayer... tout ce que vous voulez.

Perplexe, Kieran dévisagea cet homme qu'il avait vu pour la première fois devant le Leander, dans un costume venant de chez le bon faiseur. Il avait l'air d'un type qui ne s'est jamais sali les mains. Mais Freddie Atterton était un Blue d'Oxford, Becca le lui disait souvent – il devait donc être plus coriace qu'il n'y paraissait.

– Je ne comprends pas. Pourquoi feriez-vous...

– Regardez, coupa Freddie, montrant les bidons de solvant, les pots de peinture et les peaux de chamois que le feu avait épargnés. Je ne crois pas aux miracles, mais que tout ça soit encore là, que *vous* soyez encore là, c'est stupéfiant. Vous ne pouvez pas baisser les bras. Ce serait... comme si celui qui vous a fait ça, à vous et Becca, avait gagné. Vous saisissez ?

– Je ne...

Kieran entendit Finn pousser l'aboiement qu'il réservait aux gens qu'il connaissait et trouvait sympathiques.

– Hé ! Ho ! Kieran ?

– C'est John, mon voisin. Sortons d'ici, dit Kieran, soudain incapable de supporter une seconde de plus la puanteur des cendres mouillées.

John se précipita pour lui serrer la main et lui asséner une claque dans le dos.

– Quelle histoire ! dit-il. Mais vous êtes sain et sauf, je suis bien content. Vous nous avez fait une de ces peurs, l'autre soir. J'ai quelque chose pour vous, ajouta-t-il en lui tendant une clé. Votre skiff est dans mon garage. Je vous le garderai aussi longtemps que vous le voudrez.

Sur quoi, John les salua et retourna chez lui.

– Votre skiff ? demanda Freddie avec un coup d'œil en direction du vieux bateau de Kieran, sur des tréteaux près du ponton.

En silence, Kieran se dirigea vers le garage de John, dont il ouvrit la large porte à double battant afin de faire entrer la lumière. Il retira la bâche qui protégeait son œuvre. Le skiff de Becca. Indemne et d'une telle beauté que son cœur se serra.

– C'est vous qui l'avez construit ? Une coque en bois ?

– Je sais qu'on ne l'utilise plus pour la compétition, mais j'ai pensé qu'avec quelques modifications...

– Vous l'avez fait de vos mains, murmura Freddie qui s'approcha pour caresser le bois soyeux, le siège moulé qu'il fit coulisser sur ses rails. Pour elle...

Kieran acquiesça.

– Elle le savait ?

– Non. Je pensais le lui dire quand ce serait fini... Mais, pour être franc, je ne suis pas sûr que je le lui aurais montré. Elle se serait peut-être moquée de moi. Ou pire, elle se serait crue obligée de s'en servir.

Pour la première fois, Freddie sembla incapable d'articuler un mot. Il ressortit, traversa la pelouse et resta un moment immobile au bord de l'eau. Puis il se laissa tomber dans l'herbe, les bras autour des genoux, comme un enfant malheureux. Ses épaules tremblaient.

À contrecœur, Kieran le rejoignit et s'accroupit près de lui, repoussant les chiens qui lui donnaient des coups de tête.

– Je n'ai jamais rien construit pour elle, murmura Freddie en essuyant d'un revers de main ses joues mouillées. Je vous envie, ajouta-t-il, et Kieran entendit l'amertume dans sa voix. Vous savez, quand j'ai dit que vous deux, ça ne me dérangeait pas, je mentais. Je n'avais aucun droit de... N'empêche. Vous l'aimiez ?

Kieran opina.

– Et elle vous aimait ?

Kieran n'avait plus d'autre choix que de regarder la vérité en face.

– Non, dit-il après un long silence. Je ne crois pas. Mais il y avait quelque chose entre nous, qui a marché un certain temps... parce que je n'exigeais rien d'elle. Je savais qu'elle n'avait rien à me donner.

Kincaid avait demandé à Doug d'envoyer la déposition du témoin ainsi qu'une requête pour une analyse ADN à un magistrat avec qui il avait souvent travaillé, qu'il appréciait et qui, selon lui, ne se laisserait pas intimider par les menaces d'Angus Craig.

De retour à Londres, il s'arrêta à la maison pour se changer – costume gris Paul Smith, chemise blanche et cravate bleu marine. Une armure de fortune.

Gemma et les enfants, à en croire le dernier bulletin familial textoté par Kit, étaient chez leur amie Erika Rosenthal. Ils confectionnaient des biscuits allemands au sucre brun pour l'anniversaire de Charlotte.

Il n'avait plus aucune excuse pour lambiner, d'autant qu'il devait s'entretenir avec le commissaire divisionnaire Childs avant qu'il ne parte en week-end.

Il se rendit en voiture au Yard, passa prendre le dossier Jenny Hart et une copie de la déposition d'Ashley Smith, et s'engouffra dans l'ascenseur.

La secrétaire de Childs le fit entrer tout de suite.

Comme d'habitude, il n'y avait absolument rien sur le bureau de Childs qui semblait toujours totalement désœuvré. Mais Childs étant le policier le plus efficace que Kincaid eût jamais connu, il se demandait parfois si son supérieur n'avait pas un ordinateur à la place du cerveau.

— Bonjour, monsieur, dit-il d'un ton guindé.

— Fichtre, rétorqua Childs, joignant les doigts en clocher. Vous êtes bien cérémonieux. Et ce costume, très élégant, très classique. J'en déduis que vous m'apportez des nouvelles qui, selon vous, vont me déplaire. Asseyez-vous donc, Duncan. Je préfère que vous n'arpentiez pas cette pièce, ça me donne le torticolis. Alors... qu'avez-vous là ?

Kincaid lui tendit les documents et s'assit. Puis il croisa les chevilles et noua ses mains sur ses cuisses. Une posture à la Childs, qui, chez ce dernier, indiquait un flegme à toute épreuve. Kincaid espérait donner la même impression.

Childs feuilleta rapidement le dossier Jenny Hart, et Kincaid eut le sentiment que ce n'était pas la première fois qu'il le lisait. Quand il eut terminé, il lança à son visiteur un coup d'œil qui se voulait surpris.

Puis il passa à la déposition d'Ashley Smith. Cette fois, il se figea.

— Cette femme est-elle crédible ? interrogea-t-il lorsqu'il eut achevé sa lecture.

— D'après Melody Talbot, oui. Or, j'ai une totale confiance dans son jugement.

Childs s'adossa à son fauteuil.

— Je sens là-dedans la patte de Gemma. Et la vôtre.

Pour quelle autre raison l'unité Sapphire reprendrait-elle subitement une affaire qui semblait dans une impasse ?

— L'unité Sapphire recherchait des cas similaires au viol présumé commis sur la personne de l'inspecteur principal Rebecca Meredith, admit Kincaid. À ma demande. Mais Mlle Talbot ne s'attendait certainement pas à trouver ceci, ajouta-t-il, désignant le dossier.

— Et y a-t-il d'autres cas similaires ?

— Oui, plusieurs. Un seul meurtre, cependant.

Childs posa sur son subordonné son regard fixe, indéchiffrable. Puis une lueur s'alluma tout au fond de ses yeux marron, que Kincaid reconnut aussitôt.

De la rage.

— Un résultat effectivement inattendu, dit Childs d'une voix sourde. Jenny Hart était un bon élément. Et une amie. Elle travaillait sous mes ordres lorsqu'elle était gardien de la paix. Vous avez requis une commission rogatoire pour une analyse ADN ? Et j'espère que vous ne vous êtes pas adressé à quelqu'un de cette bande, ajouta-t-il avec un regard méprisant à la photo du groupe d'hommes en smoking.

— J'ai effectivement demandé une commission rogatoire, je devrais l'avoir d'un instant à l'autre, répondit Kincaid, étonné par les paroles de Childs à propos de Jenny Hart, et par son commentaire sur Craig et ses acolytes.

— Mais vous êtes bien conscient que cela ne vous avance pas en ce qui concerne Rebecca Meredith. Ou l'attentat contre ce réparateur de bateaux. Comment s'appelle-t-il, déjà ? Connolly.

Et voilà pourquoi il n'y avait jamais le moindre bout de papier sur le bureau de Childs. Tout ce qui lui passait entre les mains se gravait dans sa mémoire.

Kincaid commençait aussi à penser que Denis Childs était au courant de sa visite à Craig – et même qu'il était au courant de toutes les initiatives de son subordonné depuis le début de l'enquête.

– J'en suis conscient. Mais si cette histoire – il pointa le doigt vers le dossier Hart – secoue les puces à Craig, peut-être que ses alibis pour Meredith et Connolly n'auront plus aussi bonne mine. Je n'ai besoin que d'une faille, un petit quelque chose qui me permette de fouiller sa voiture et ses affaires personnelles.

Kincaid se pencha vers la surface luisante du bureau.

– Craig se croyait intouchable. À mon avis, cela l'aura rendu imprudent. Vous êtes sur le coup depuis le début, n'est-ce pas ? lança-t-il en dévisageant son patron. Vous étiez informé des accusations de Becca Meredith, et quand on l'a retrouvée morte à un kilomètre du domicile de Craig, vous l'avez aussitôt soupçonné. Pourquoi ne m'en avez-vous pas parlé ?

– J'ai toujours eu une totale confiance en vous, Duncan. Vous ne l'ignorez pas.

Kincaid ressentit une bouffée de colère et d'adrénaline.

– Mais c'est moi qui me suis fait taper sur les doigts.

– Je comptais sur vous pour agir à ma place et ne pas vous laisser intimider par Craig.

Peut-être était-ce un compliment, mais Kincaid n'était pas d'humeur à le prendre de cette façon.

– Pourquoi m'avoir orienté vers Freddie Atterton, si vous suspectiez Craig ?

Childs haussa les épaules.

– Certaines personnes préfèrent toujours la solution la plus évidente. Je leur ai accordé cette satisfaction. J'étais sûr que cela vous inciterait à ne pas lâcher votre os.

Kincaid serrait si fort les dents qu'il en avait mal aux mâchoires.

– Excusez-moi, mais je n'aime pas être manipulé.

– Aurait-il fallu que je confie l'affaire à un imbécile quelconque qui se serait empressé d'arrêter Freddie Atterton ? rétorqua Childs avec une véhémence qui ne lui ressemblait pas. Vous ne voyez pas ce qui serait arrivé si je vous avais désigné Craig ? D'une façon ou d'une autre, on vous aurait mis des bâtons dans les roues. Et si vous aviez malgré tout réussi à lui coller le meurtre de Meredith sur le dos, on aurait compris que j'y étais pour quelque chose. L'avocat de Craig aurait sauté là-dessus.

« Tandis qu'en procédant à ma manière, vous avez fait votre boulot. Et, ajouta Childs en posant la main sur le dossier Hart, nous avons une conclusion inattendue.

Les yeux du divisionnaire étincelaient. À cet instant, un bip signala à Kincaid qu'il avait reçu un texto.

– Ah... ce doit être Cullen. Oui... nous avons la commission rogatoire, dit-il avec une jubilation qu'il ne put contenir. Je m'en vais dès ce soir en toucher un mot à ce fumier.

– Non, vous le ne ferez pas.

– Pardon ?

– Vous n'allez pas exécuter cette commission rogatoire. Pas encore.

Kincaid secoua la tête, éberlué. Après tout ce que Childs avait dit sur Craig, aurait-il soudain changé d'avis ?

– Ça alors, c'est un comble. Mais pourquoi, bon Dieu ?

Négligeant cette riposte insolente, Childs resserra son nœud de cravate, puis s'extirpa de son fauteuil. Il était si grand, si massif, que Kincaid eut l'impression d'être au pied d'une montagne.

– Parce que *je* vais rendre visite à M. Craig, directeur adjoint à la retraite.

Childs soupira, pinça les lèvres d'un air dégoûté.

– Je serai obligé, j'imagine, d'emmener le commissaire Gaskill. Ça ne lui fera pas plaisir. Mais de cette manière, ce lèche-botte saura qu'il est allé trop loin.

– Vous allez exécuter la commission rogatoire ? Un officier de votre rang ?

– Mais non, répondit patiemment Childs. En tant que cadre supérieur, je vais accorder à un autre cadre supérieur la possibilité de fournir volontairement au Yard un échantillon d'ADN. Pour régler cette déplaisante petite affaire.

Childs saisit le Burberry soigneusement accroché à la patère, derrière son bureau.

– Une politesse nécessaire, Duncan. Si je m'en abstenais, on me clouerait au pilori. Et puis...

Childs s'interrompit et, de nouveau, Kincaid perçut de l'émotion sous l'implacable masque du commissaire divisionnaire, comme un aileron de requin fendant la surface de l'eau.

– Et puis, reprit-il froidement, je veux voir la tête qu'il fera.

21

« Alice dit : « Accours ! ô peuple du Miroir !
Goûter au privilège de m'entendre et me voir !
Dîner, prendre le thé sont un honneur de choix,
Avec la Reine rouge, la Reine blanche et moi ! »

Lewis Carroll,
De l'autre côté du miroir

L E SAMEDI À MIDI, la fête d'anniversaire de Charlotte
battait son plein.

Les dieux de la météo devaient se balader dans le coin,
se disait Gemma, car aujourd'hui encore le soleil s'était
levé dans un ciel clair. Il y avait dans l'air un avant-goût
de feux de joie[1], et les citrouilles semblaient avoir poussé
en une nuit sur les perrons et dans les vitrines des boutiques de Notting Hill.

Vampires et gobelins n'assistaient cependant pas à la
fête, car les invités qui s'étaient donné la peine de se
costumer sortaient tout droit du conte de Lewis Carroll.

---

1. Allusion à la Bonfire Night commémorant la Conspiration des
poudres. En 1605, le catholique Guy Fawkes tenta de faire sauter le
Parlement en réaction contre la politique protestante du roi. Ses com-
plices et lui placèrent des tonneaux de poudre dans une cave. Mais
le 5 novembre, le complot fut découvert et Fawkes exécuté. Depuis,
on fête cette date par des feux d'artifices et des feux de joie où l'on
brûle des pantins de paille à l'effigie de Fawkes.

Hazel Cavendish[1], l'amie de Gemma et son ancienne propriétaire, avait choisi pour sa fille Holly, qui avait l'âge de Toby, un costume de lapin. Prévu en réalité pour Halloween, il ne convenait pas si mal au Lapin blanc d'Alice.

Wesley Howard avait déniché au marché aux puces de Portobello une vieille jaquette à longues basques et un haut-de-forme cabossé. Il les avait décorés de rubans colorés, et, avec ses dreadlocks tire-bouchonnant sous son chapeau, il faisait un superbe Chapelier fou.

Betty Howard avait fait la surprise à Gemma de lui confectionner un tablier à l'effigie de la Reine de cœur. Quant à Toby, il s'était évidemment déguisé en pirate. Comme Gemma lui objectait gentiment qu'il n'y avait pas de pirates dans *Alice au pays des merveilles*, Toby avait rétorqué : « Ben alors, il est idiot, ce livre. » Gemma craignait fort que son fils n'en fasse jamais qu'à sa tête.

Kit avait atteint cet âge où les ados s'estiment trop vieux pour se déguiser. N'empêche qu'il s'était trouvé un T-shirt à l'effigie de la Fausse Tortue, ce dont il était plutôt content.

Et Charlotte, dans sa jolie robe, avec son nœud dans les cheveux, était tellement silencieuse, les yeux écarquillés, que Gemma craignait qu'elle n'en tombe malade. Sur ce point, elle ressemblait beaucoup à Kit, et celui-ci la comprenait. Il l'avait entraînée dans la cuisine en lui demandant de l'aider. Au bout d'un moment, elle avait rejoint Toby et Holly pour jouer avec eux, mais elle était encore anormalement tranquille.

Il y avait beaucoup de grandes personnes à cette fête d'anniversaire, songea Gemma qui observait les invités depuis le seuil de la cuisine, mais Charlotte, à trois ans, était souvent plus à l'aise avec les adultes qu'avec les enfants. Gemma se félicitait de n'avoir convié que les membres de la famille et les amis proches.

Cyn s'était défilée, sous prétexte que Brendan et Tiffani avaient une fête d'Halloween qu'ils ne supporteraient pas

---

1. Cf. : *La Loi du sang, op. cit.*

de manquer. Gemma aurait sans doute dû se sentir offensée que l'anniversaire de Charlotte passe au second plan, mais en réalité elle était soulagée.

Ses parents, en revanche, étaient venus de Leyton. Vi avait dû déployer toute sa force de persuasion pour que son époux se résigne à laisser la boulangerie à une employée, surtout un samedi. Gemma les entourait donc d'attentions pour leur montrer combien leur présence la touchait.

Elle les avait installés dans la salle à manger, avec du thé et des assiettes chargées de petits sandwichs méticuleusement découpés par Kit en forme de cœurs et de piques. Lorsque Erika se joignit à eux, Gemma entendit son père marmonner qu'il s'estimait heureux d'échapper cette fois à « cette cuisine bizarroïde » – allusion au ragoût caribéen que Betty avait confectionné pour leur mariage en août.

Gemma soupira mais renonça à mettre son grain de sel. Peut-être devait-elle cesser de vouloir élargir l'horizon de son père. Elle était contente que ses parents aient l'air à l'aise, qu'ils bavardent avec Erika, et que sa mère semble avoir un meilleur moral que le week-end précédent, à Glastonbury.

Une semaine s'était-elle déjà écoulée depuis qu'ils s'étaient redit « oui » dans l'église de Winnie ?

Kincaid, qui venait de discuter avec Tim Cavendish, la rejoignit et lui posa la main sur l'épaule.

– J'ai bouclé les chiens dans le bureau pour qu'ils se calment un peu.

Toby et Holly courant partout en braillant, les chiens, qui avaient aussi envie de jouer, s'étaient mis à aboyer de façon hystérique.

– J'ai vu que la tension de ton père grimpait en flèche, ajouta-t-il à voix basse. Dis-moi, ça a l'air d'aller, non ?

– Je leur ai donné des sandwichs au pain blanc, exclusivement. C'est ça, le truc.

Il lui sourit. Depuis son retour du Yard, la veille, c'était la première fois qu'elle lui voyait un visage détendu.

312

Pendant qu'ils faisaient la vaisselle, après le dîner, il lui avait laconiquement relaté son entretien avec Denis Childs. La colère s'exhalait de lui par à-coups, comme de la fumée.

– Tu ne t'attendais quand même pas à ce qu'on mette illico au trou un ex-directeur adjoint de la police, lui avait-elle fait remarquer, avec circonspection. Et si on se trompait, tu imagines ? Le prix à payer serait exorbitant. Denis pourrait perdre sa place.

– Et si on a raison ? avait rétorqué Kincaid, plongeant une assiette dans l'eau savonneuse avec une telle rage que Gemma en avait frissonné.

– Craig prendra le meilleur avocat de la place. Il prétendra que Jenny Hart était consentante, évidemment, et qu'il ignore ce qui lui est arrivé ensuite. Mais le sang et les fragments de peau sous les ongles de Jenny pourraient bien lui causer un petit problème. Sans parler des cheveux, des fibres et des empreintes découverts dans l'appartement de la victime.

– Et si les preuves disparaissaient ? avait-il marmonné, le visage crispé.

– Tu deviens parano.

– Je n'aime pas ça, Gemma. J'ai un mauvais pressentiment.

Toby les avait interrompus – pour leur poser une énième question sur le gâteau d'anniversaire de Charlotte – et ils avaient changé de sujet de conversation. Mais durant toute la soirée, Kincaid s'était obstiné à vérifier toutes les cinq minutes que son portable fonctionnait, que personne ne l'avait appelé. Sa mine s'assombrissait à mesure que les heures passaient, sans nouvelles du commissaire divisionnaire Childs.

Lequel n'avait pas non plus téléphoné ce matin.

– Doug et Melody ne sont pas là, dit-il.

– Elle a appelé. Ils viennent ensemble. Elle a transporté dans sa voiture un tas de choses de l'appartement de Doug à la nouvelle maison.

Kincaid lui jeta un coup d'œil surpris.

313

– Tu parles d'une détente. Très intéressant...

– Ne t'avise pas de taquiner Doug. Moi, je suis contente qu'ils ne se regardent plus en chiens de faïence. Mais si tu te moques de lui, il va rentrer dans sa coquille. Tu sais comment il est.

À en juger par la lueur qui brillait dans les yeux de Kincaid, elle gaspillait sa salive. Mais, puisqu'il était moins renfrogné, elle avait autre chose à lui dire.

– Alia aussi a téléphoné pour s'excuser. Obligations familiales...

Gemma se doutait que le père d'Alia l'avait dissuadée d'assister à la fête. M. Hakim était un Bangladais ultra-conservateur, qui voyait d'un très mauvais œil leur famille recomposée et l'héritage métissé de Charlotte. Le père de Gemma et lui s'entendraient comme larrons en foire.

– Mais il faut que je la rappelle pour lundi, poursuivit-elle en touchant le bras de Kincaid afin de réclamer son attention. Duncan... il faut que je dise à Alia si elle doit ou non s'occuper de Charlotte.

Il resta un moment silencieux, explorant la maison du regard comme s'il dressait un inventaire. Dans la cuisine, Kit et Betty complotaient, penchés sur le bol à punch. Erika bavardait toujours avec la mère de Gemma, tandis que son père, sa tasse de thé posée sur les genoux, les écoutait. Plus loin, au salon, Hazel et Tim cornaquaient les petits qui jouaient à un jeu mystérieux. Charlotte était toute rouge, elle paraissait en nage.

– Je crois que la reine de la fête va tomber dans les pommes, dit-il. Wes est allé chercher le gâteau ?

De crainte que les enfants ne s'attaquent à la pâtisserie, si on le laissait dans la maison, Wesley l'avait mis à l'abri chez Otto, au café.

Gemma opina, perplexe. Avait-il entendu ou compris sa question ? Soudain il se tourna vers elle, plongeant ses yeux dans les siens.

– C'est à moi de prendre le quart.

– Et l'enquête ?

Il haussa les épaules.

– Je ne peux rien faire de plus en ce qui concerne Angus Craig. Ce n'est plus de mon ressort. Je n'ai aucun élément concret le reliant au meurtre de Becca Meredith. Et je n'ai pas d'autre suspect. On m'a signifié que le dossier Hart ne me concernait plus, et s'il y a du nouveau, je n'en serai probablement pas informé.

Il se tut, observant les enfants – Gemma devina qu'il s'efforçait de surmonter sa frustration.

– Mais quoi qu'il advienne, pour l'une ou l'autre affaire, je ne serai plus disponible à partir de lundi. Parce que j'ai une promesse à tenir, lui dit-il avec ce sourire qui éclairait son visage et qu'elle aimait tant. La promesse que je vous ai faite, à toi et à une certaine petite Alice.

À cet instant, la sonnette retentit. Kincaid jeta un coup d'œil aux panneaux vitrés qui flanquaient la porte d'entrée.

– Quand on parle du loup... Ou des loups, plutôt.

Melody et Doug étaient sur le perron, en jean et sweater, les joues rouges et le regard brillant. Ils n'avaient plus du tout l'air de flics.

– On a loupé le gâteau ? demanda Doug.

– J'ai besoin de réconfort, enchaîna Melody. J'ai transbahuté des cartons qui pesaient des tonnes.

– Il n'y avait que quelques CD, protesta Doug.

– Quelques CD, tiens, pardi ! S'il vous plaît, à boire. Franchement, je le mérite. On a laissé la voiture chez moi, comme ça je ne me ferai pas arrêter pour conduite en état d'ivresse.

– On fête l'anniversaire d'une enfant, fit remarquer Doug, faussement sévère.

– Certes, mais on n'a pas oublié les adultes, dit Kincaid en les poussant vers la cuisine. Il y a du vin chaud sur l'Aga.

Gemma entendit alors un coup de klaxon – le signal de Wesley. Le van blanc du café se rangeait effectivement devant la maison.

– Voilà le gâteau, chuchota-t-elle. Tout le monde en place !

Ce dernier était à la hauteur du chef-d'œuvre promis par Wesley. Génoises au citron – le péché mignon de Charlotte – superposées, nappage blanc sculpté. Et sur le dessus, une Alice en robe bleue, mais cette Alice-là avait la peau café au lait et d'épais cheveux frisés. À côté d'elle se trouvait le petit flacon pharmaceutique acheté par Gemma au marché aux puces.

– Oh, mon Dieu, murmura Gemma lorsque Wesley posa cette merveille sur la table de salle à manger. C'est magnifique. Wes, comment as-tu...

– J'ai fait le gâteau, et Otto l'a décoré. Vous savez qu'il a une formation de pâtissier.

– Et les bougies, je les mets où ? s'affola Gemma. Je ne veux pas l'abîmer, c'est une œuvre d'art.

– Je vous rappelle qu'on va le manger, s'esclaffa le jeune homme.

Il piqua habilement les trois bougies torsadées sur le bord du gâteau.

– Allumez-les, vite. J'ai l'appareil photo. Elle arrive !

Hazel et Tim poussaient devant eux les enfants et les chiens, qu'on avait libérés. Bientôt la pièce s'emplit d'aboiements et d'un chœur qui chantait – faux – *Joyeux anniversaire*.

Jamais Gemma n'oublierait l'expression émerveillée de Charlotte quand elle découvrit le gâteau. Encouragée par Kit, et aidée par Toby – à qui elle ne demandait pourtant rien –, Charlotte souffla ses trois bougies et fondit en larmes.

Kincaid fut plus rapide que Gemma. Il souleva la fillette dans ses bras et lui chuchota quelque chose à l'oreille. Blottie contre lui, elle hocha la tête en coulant un regard vers le gâteau.

Duncan saisit le petit flacon en verre ambré planté dans la crème, se lécha les doigts avec un « miam » glouton. Il le tendit à Charlotte, désigna l'étiquette fabriquée par Gemma.

– Qu'est-ce qui est écrit dessus ?

– « Buvez-moi », murmura-t-elle, serrant le flacon entre ses doigts.

– Tu es une grande fille, maintenant que tu as trois ans. Tu sais même lire ! dit-il en la reposant sur le sol. Alors on le goûte, ce gâteau ?

Wesley et Kit le découpèrent et servirent les invités, tandis que Betty et Hazel s'occupaient du thé et du vin chaud. Les rires et les exclamations fusaient.

Charlotte refusa de manger. Au lieu de ça, elle promena son petit flacon tout autour de la pièce, afin que chacun puisse l'admirer.

Avait-elle gardé le souvenir de son dernier anniversaire ? se demandait Gemma. Se rappelait-elle si ses parents lui avaient fait un gâteau, s'ils avaient chanté pour elle ? Impossible de le savoir, à moins que Sandra Gilles n'ait pris des photos classées dans son journal – l'héritage de Charlotte, qu'elle découvrirait quand elle serait en âge de l'apprécier.

Mais Charlotte avait désormais une nouvelle famille, se dit Gemma. Ils avaient leurs propres souvenirs à forger.

Hazel s'approcha et lui étreignit furtivement les épaules.

– Quelle belle fête.

Puis elle la fit pivoter, lui chuchotant à l'oreille :

– Tu vois ce que je vois ?

Charlotte était appuyée contre le genou du père de Gemma. Il lui tendait sa tasse afin qu'elle y verse le contenu imaginaire de son flacon. Il fit semblant de boire, et la fillette pouffa. Il se ratatina dans son fauteuil, comme s'il rapetissait, et Charlotte, cette fois, éclata de rire.

– Ça alors, murmura Gemma, bouche bée – son père n'avait jamais joué de cette façon avec elle ou Toby, pas plus qu'avec Cyn ou ses enfants. Qui l'eût cru ?

Elle chercha Duncan des yeux pour partager ce moment avec lui, mais il s'était replié dans la cuisine en compagnie de Doug et Melody.

Elle les rejoignit, saisit au vol des bribes de conversation.

– ... rien, disait Doug. Si un échantillon d'ADN a été versé au dossier, je n'en ai trouvé aucune trace ce matin quand je l'ai consulté.

Ils parlaient d'Angus Craig.

Gemma se figea sur le seuil de la pièce. Un instant, elle voulut chasser de sa maison l'image de cet homme, de ses forfaits. Elle voulut enfermer sa petite famille dans ce cocon lumineux, bien à l'abri, et se persuader qu'ainsi plus rien ne pouvait les atteindre.

Mais elle n'était pas dupe.

– Au fait, reprit Doug. Je sais ce qu'a fait Becca Meredith le vendredi après-midi. Ce matin, j'ai réussi à mettre la main sur Kelly Patterson, au poste de Dulwich.

« Elle ne voulait pas me parler, ce que je comprends. Mais quand je lui ai posé la question, elle m'a quand même dit que la femme de la brigade des mœurs qui est venue ce jour-là au poste de West London s'appelle Chris Abbott. Becca l'a présentée comme une vieille copine de fac. Je n'ai pas eu l'occasion de...

Doug s'interrompit car le téléphone de Kincaid sonnait.

– Excusez-moi, je dois répondre.

Il se détourna, le mobile vissé à l'oreille, se bouchant l'autre pour ne plus entendre le brouhaha. Sa conversation ne dura qu'un bref moment. Quand il eut raccroché, il demeura immobile un instant. Et lorsqu'il se retourna, il était blême.

– C'était Denis, dit-il en regardant Gemma. La maison d'Angus Craig a brûlé de fond en comble, ce matin à l'aube. Sa femme et lui auraient péri dans l'incendie.

22

« Ils s'étaient rencontrés un matin, quand leurs bateaux
avaient failli se heurter au beau milieu du fleuve. »

Daniel J. Boyne,
The Red Rose Crew :
A True Story of Women, Winning and the Water

MALGRÉ LES VITRES FERMÉES, Kincaid sentit l'odeur de
fumée sitôt que la voiture pénétra dans Hambleden.
Cullen et lui avaient fait le trajet dans un silence de
plomb. Doug avait le teint légèrement verdâtre, et Kincaid ne voulait même pas réfléchir avant de savoir exactement ce qui s'était passé.

– J'aurais dû éviter le vin chaud, marmonna Doug.

Kincaid hocha la tête ; lui aussi regretterait probablement la part de gâteau et le verre de punch qu'il venait
de terminer quand Childs avait téléphoné. Il ne cessait
de penser à Edie Craig, dont la grâce et la gentillesse
l'avaient profondément touché.

Ils auraient dû arrêter Craig, il l'avait toujours su, mais
pareil coup de théâtre... il ne s'y attendait pas.

Des voitures bloquaient les rues étroites du village, le
parking du pub était plein à craquer – il y avait beaucoup plus de monde qu'un samedi normal, le drame était
excellent pour les affaires.

Des badauds rôdaient même près de la maison, Kincaid

dut klaxonner pour qu'ils s'écartent. Baissant sa vitre, il montra sa carte au policier en uniforme qui barrait l'entrée de la propriété. Il s'engagea dans l'allée et se gara dans l'herbe. La puanteur l'assaillit comme une lame de fond. Y avait-il sous l'odeur âcre de la fumée des relents de chair carbonisée, ou son imagination lui jouait-elle des tours ?

Puis il vit la maison.

– Seigneur, murmura Doug à côté de lui.

La magnifique demeure en brique rose était calcinée, les fenêtres brisées, le toit crevé par endroits. À l'évidence, le feu s'était déchaîné avant l'arrivée des pompiers.

Deux d'entre eux étaient toujours dans l'allée, telles deux sentinelles rouges armées de tuyaux, et se faufilaient dans les décombres. Un groupe d'hommes en civil se tenait à l'écart des pompiers et des flics. La silhouette massive du commissaire divisionnaire Denis Childs était reconnaissable de loin. Dès que Kincaid et Cullen furent sortis de l'Astra, il vint à leur rencontre.

– Que s'est-il passé ? se borna à demander Kincaid.

– L'alarme a été donnée à deux heures du matin, mais toute la maison était en flammes quand les pompiers sont arrivés. Ils ont pénétré à l'intérieur il y a une demi-heure à peine.

Childs avait enfilé son Burberry sur un vieux pull et un pantalon en velours côtelé. Lui d'ordinaire si soigné ne s'était pas peigné, le vent ébouriffait ses cheveux.

Voir son chef ainsi échevelé accentua encore le sentiment d'irréalité qu'éprouvait Kincaid.

– C'est vrai que tous les deux sont morts ?

Childs opina, détournant les yeux.

– Comment ?

– D'après l'enquêteur – Childs désigna un homme en qui Kincaid reconnut le spécialiste des incendies criminels qui avait examiné le hangar de Kieran Connolly –, il s'agirait d'un meurtre doublé d'un suicide. Mme Craig aurait été tuée à bout portant. Il semblerait que Craig ait ensuite mis le feu avant de se suicider.

320

– Je veux voir ça, grommela Kincaid qui se dirigea vers la maison.

Mais Childs le retint par le bras.

– Vous ne pouvez pas entrer dans cette fournaise. Ce ne sera pas possible avant plusieurs heures, et à ce moment-là il faudra tout passer au peigne fin. Vous le savez bien.

Kincaid se dégagea brutalement.

– Je sais surtout que ça n'aurait pas dû se passer de cette façon. On aurait dû exécuter la commission rogatoire, le placer en garde à vue. À l'heure qu'il est, il serait dans une cellule, il attendrait son avocat, et Edie Craig serait vivante. Je veux savoir ce que vous avez dit exactement à Craig.

– Chef…, bredouilla Cullen, horrifié.

Kincaid ne lui prêta pas attention. Il ne se contrôlait plus.

– Vous lui avez suggéré de se faire sauter le caisson ? Il ne vous est pas venu à l'esprit qu'il risquait d'emmener sa femme avec lui ?

Denis Childs le regardait d'un air impassible ; il fallait le connaître très bien pour remarquer que ses yeux sombres s'étaient étrécis.

– Vous n'y êtes pas du tout, commissaire, articula-t-il. Je n'ai rien fait de tel. Je me suis borné à…

– Lui témoigner la « politesse nécessaire » due à un cadre supérieur de la police, acheva Kincaid d'un ton écœuré. Résultat, on a maintenant une autre victime, Edie Craig. Et les indices qui auraient permis d'établir le lien entre Craig et le meurtre de Rebecca Meredith sont vraisemblablement partis en fumée. Edie Craig ne comptait pas ? Becca Meredith ne comptait pas non plus ? Et les autres femmes dont il a détruit l'existence, ou qu'il a tuées ? Elles ne méritent pas qu'on leur rende justice ?

Kincaid s'interrompit une seconde, le temps de reprendre son souffle.

– Mais tout ça est bien pratique pour la police, n'est-ce pas ? *Un ancien officier, respecté de tous, meurt dans un tragique incendie.*

321

Denis Childs décocha à Cullen un regard signifiant clairement que, si jamais il répétait ne fût-ce qu'un seul mot de cette conversation, il s'en mordrait les doigts.

– Ne me parlez pas de justice, Duncan, dit-il de cette voix posée qui faisait trembler ses subalternes. Pensez-vous réellement qu'il aurait été préférable pour ces femmes, pour leur famille, pour leur carrière, qu'on ébruite ce qu'elles ont subi ? S'il s'était agi de Gemma, auriez-vous voulu ça ? Et elle, l'aurait-elle voulu ?

– Je...

– Quant à Jenny Hart, enchaîna Denis Childs, pointant vers lui un index gros comme une saucisse, je vous garantis que les analyses ADN seront faites, et leur résultat rendu public, quoi qu'il en coûte à la Metropolitan Police. Et si vous arrivez à me trouver un élément concret qui relie Craig à Rebecca Meredith, je ferai de mon mieux pour que ça se sache.

– Officieusement, c'est bien ça ?

– Si c'est le meilleur moyen, oui, répondit Childs. Il y a toujours une solution. Je crois que vous êtes proche d'une jeune femme qui a ses entrées dans un grand journal ?

Kincaid en resta bouche bée. Jamais il n'avait révélé le secret de Melody Talbot – son père était le fameux Ivan Talbot, propriétaire du *London Chronicle*. Certes, elle lui avait dit que Gemma et Doug étaient au courant, mais ces deux-là n'avaient certainement pas colporté la chose.

Satisfait d'avoir lâché sa petite bombe, Childs épousseta les revers de son Burberry, comme s'il portait un costume trois pièces et non un pull mangé aux mites.

– À présent, reprit-il, je vous suggère de laisser ces policiers travailler, et de rentrer chez vous. Ce que je vais moi aussi faire de ce pas.

– Sacrément malin, le bougre, murmura Doug lorsque Childs les eut quittés. Vous saviez qu'il était au courant pour Melody ?

– Non, et je me demande ce qu'il sait encore et qu'il ne nous dit pas.

– Vous ne comptez pas suivre sa suggestion, je suppose ?

– En effet.

C'eût pourtant été plus sage, Kincaid ne l'ignorait pas. S'il avait deux sous de bon sens, il rentrerait fêter l'anniversaire de sa petite fille en considérant que tout était bien qui finissait bien, du moins pour la police.

Mais on n'était pas encore lundi. Son congé parental ne commencerait que dans trente-six heures, et son enquête n'était pas bouclée.

– Je vais discuter un peu avec l'enquêteur. Un type sympa, si je me souviens bien ?

Doug sourit et remonta ses lunettes sur son nez.

– J'étais sûr que vous diriez ça.

Lorsque Gemma avait vu Kincaid hésiter, après le coup de fil, elle lui avait murmuré :

– Vas-y, dépêche-toi.

– Mais Charlotte... la fête...

– Tout ira bien, j'expliquerai la situation aux enfants. Appelle-moi dès que tu as du nouveau.

Il s'était éclipsé en hâte, avec Doug, heureusement avant que Charlotte ne se mette à pleurer.

Gemma l'avait bercée, consolée, et divertie grâce au petit flacon. Charlotte avait fait semblant de lui donner à boire, puis, le flacon serré sur sa poitrine, s'était blottie contre Gemma. Ses sanglots s'étaient apaisés.

Cesserait-elle un jour d'être malheureuse à la moindre contrariété ? se demandait Gemma en caressant le dos de la fillette. Et les garçons, ne souffraient-ils pas, eux aussi, que leurs parents soient constamment par monts et par vaux pour leur travail ?

Des deux, c'était Toby qui le supportait le mieux. Quand son père l'avait abandonné, il était trop petit pour comprendre et, depuis, il s'était bien protégé, comme une perle dans son huître – même si nul n'aurait eu l'idée de comparer Toby à une perle, songea-t-elle avec un sourire.

Kit, à l'instar de Charlotte, avait connu le deuil. Là-dessus, sa grand-mère et celui qu'il croyait être son père l'avaient trahi. Pourtant il paraissait s'en remettre peu à peu, mais serait-il un jour complètement guéri ?

Pour l'heure, néanmoins, il avait chipé à Toby son sabre de pirate et faisait tourner son frère en bourrique. Il ressemblait à n'importe quel ado de quatorze ans. C'était bon de le voir comme ça.

Charlotte, la crise passée, se mit à gigoter dans les bras de Gemma.

– Ze veux descendre, maman.

– Hein ? bredouilla Gemma, tellement stupéfaite qu'elle lâcha la fillette qui atterrit rudement sur ses pieds.

– Ze veux zouer avec Holly, décréta Charlotte.

Et elle s'en fut, légère dans sa robe bleue, sans se douter qu'elle venait de prononcer un mot capital.

Gemma pressa ses doigts sur ses lèvres tremblantes. Ça ne voulait rien dire, Charlotte entendait Toby l'appeler « maman » à longueur de temps, même Kit le disait pour la taquiner. Charlotte les imitait, voilà tout.

– Ça va, patron ? demanda Melody qui s'était approchée. Vous avez l'air un peu... sonnée.

– Oh, je..., balbutia Gemma. Ça va, oui. J'ai dû manger trop de gâteau.

Melody lui lança un regard sceptique – en réalité Gemma avait été trop occupée à servir les invités pour s'empiffrer – mais elle n'insista pas.

– Patron, reprit-elle d'un ton hésitant, je ne voudrais pas gâcher davantage la fête de Charlotte, mais... cette femme, celle de la brigade des mœurs que Becca Meredith a rencontrée lors de sa dernière journée de travail... Chris Abbott.

– Eh bien ? fit Gemma qui sentit son estomac se nouer, comme si son corps connaissait déjà la réponse.

– Je viens de comprendre pourquoi son nom me semblait familier. Il figurait dans les dossiers Sapphire.

– Commissaire Kincaid, dit Owen Morris, l'enquêteur de la brigade des incendies criminels. Inspecteur Cullen... Je ne vous serre pas la main, excusez-moi,

324

ajouta-t-il, levant ses mains gantées. Décidément, on n'arrête pas de se rencontrer.

Morris, en combinaison de protection, venait de sortir de la maison, et Kincaid avait aperçu son assistant, un rouquin, qui y retournait.

– On peut entrer, si on enfile une tenue ? demanda-t-il.

– Non, désolé. La température est encore trop élevée, et la charpente risque de s'effondrer. Le légiste et les collègues de la scientifique devront eux aussi patienter.

– Décrivez-nous la situation, dans ce cas, rétorqua Kincaid, frustré.

– Ce n'est pas joli, joli. Mais comme les victimes étaient au rez-de-chaussée, par terre, et que le feu est monté, les corps sont relativement intacts. Mme Craig – car pour le moment, nous présumons qu'il s'agit bien de l'épouse – était dans la cuisine. Apparemment, elle a reçu une balle dans la nuque.

Edie, pensa Kincaid. Pas Mme Craig. Ni *l'épouse*. *Edie*.

– Le directeur adjoint se trouvait dans son bureau.

– Vous êtes certain que c'est lui ?

– Je l'avais rencontré à plusieurs reprises, grimaça Morris. Le feu s'est déclenché dans le bureau. Il y avait un bidon d'essence près du corps. Il tenait encore son pistolet dans la main, mais l'arme est très abîmée. Un pistolet de petit calibre, suffisant pour faire l'affaire. Les gars de l'Identité judiciaire vous donneront plus de précisions.

– Comment les choses se sont-elles passées, selon vous ?

– Il a tué sa femme, ensuite il a répandu de l'essence au rez-de-chaussée tout en regagnant son bureau. Il a jeté un briquet ou une allumette dans le bidon. Je pense qu'il a attendu d'avoir la certitude que le feu prenait bien. Et il s'est tiré une balle dans la tempe.

Ils contemplèrent tous la maison, comme hypnotisés. Comment un être pouvait-il faire ce qu'avait fait Angus Craig ? se demandait Kincaid.

Un klaxon retentit. Une petite Ford citron vert franchissait la grille. Imogen Bell en jaillit, beaucoup plus pimpante et reposée que la veille. Elle n'avait manifestement pas jugé utile de passer la nuit dans sa voiture, à surveiller l'appartement de Freddie Atterton.

– Commissaire, dit-elle tout en saluant d'un hochement de tête Cullen et Owen Morris. C'est l'inspecteur Singla qui m'envoie. Il m'a chargée de vous prévenir que le légiste et les techniciens de la scientifique sont en route. Nous avons obtenu du renfort pour interdire l'accès à la propriété. Les journalistes ne tarderont pas à envahir les lieux.

Elle jeta un coup d'œil à la maison.

– C'est vraiment le directeur adjoint Craig ?

– *A priori*, oui, mais le légiste devra procéder à une identification en bonne et due forme. Pourquoi, vous le connaissiez ? questionna Kincaid, soudain inquiet.

– Je l'avais vu dans Henley. Il m'a parlé une fois ou deux. Il avait l'air gentil.

Kincaid ferma brièvement les yeux, remerciant le ciel d'avoir épargné à Imogen Bell de faire plus ample connaissance avec Angus Craig.

– Au fait, commissaire. Il y a un homme, là-bas, qui veut parler à un responsable. C'est un voisin. Il dit qu'il a le chien de Mme Craig, et il aimerait savoir ce qu'il doit en faire.

– En réalité, fit remarquer Gemma, on ne sait toujours pas pourquoi Angus Craig aurait tué Becca Meredith. Et que Becca ait rencontré une des victimes présumées de Craig, le jour même où elle a commencé à se comporter bizarrement... ce n'est pas une coïncidence, je n'y crois pas. Surtout si cette femme était effectivement une vieille amie.

Pensive, Gemma se mordilla la lèvre.

– Il nous faut parler à cette femme.

– Maintenant ? rétorqua Melody. Et les enfants ?

– Je vais demander à Betty ou Hazel de les surveiller un moment.

La bulle enchantée avait éclaté plus tôt qu'elle ne l'escomptait. Elle n'avait aucune envie d'abandonner les enfants et les invités, mais elle se devait de creuser cette piste.

– Si on a loupé un truc important, il faut en informer Duncan et Doug le plus vite possible.

– Cette Chris Abbott habite Barnes. Je me rappelle l'avoir lu dans son dossier. Je peux vérifier l'adresse.

– Faites donc ça. Quelque chose cloche, je le sens.

Gemma pensait à Duncan et Doug, à Henley. Elle n'était pas tranquille. Elle était même si anxieuse qu'elle en piaffait d'impatience.

Mais avant tout, elle devait expliquer la situation à ses parents. Elle passa donc dans la salle à manger et s'accroupit près de son père et sa mère.

– Maman, papa... Je suis désolée, mais j'ai un imprévu. Melody et moi devons partir.

– Avec toi, il y a toujours des imprévus, maugréa son père.

Vi James fit les gros yeux à son mari.

– C'est aussi ça qui a obligé Duncan à partir ?

– Ça pourrait avoir un rapport, oui.

Voyant qu'une ride d'inquiétude s'imprimait sur le front de sa mère, Gemma se hâta de la rassurer.

– C'est un simple interrogatoire, maman. Mais ça ne peut pas attendre.

Vi tourna les yeux vers le salon, où les trois plus jeunes enfants s'étaient calmés et jouaient par terre avec les voitures de Toby.

– Et Charlotte ? Tout de même, c'est son anniversaire.

– Je sais, maman. Mais je ne m'absente pas longtemps. Je demanderai à Hazel ou Betty de...

– On peut rester, déclara son père. Pas vrai, Vi ?

Gemma regarda son père comme s'il venait brusquement de s'exprimer dans une langue étrangère. Vi eut aussi l'air médusée, mais elle se ressaisit aussitôt.

– Excellente idée, Ern. Si Gemma est d'accord, évidemment.

– Rien ne pourrait me faire plus de plaisir.

Gemma leur planta un baiser sur la joue, et il lui sembla bien que son père esquissait un sourire.

– Ça ira, vous en êtes sûrs ? Vous savez à quel point Toby...

– Cesse donc de te tracasser. Nous sommes ses grands-parents, je te le rappelle. On le garde depuis qu'il est tout petit. Pense plutôt à...

– Patron ! lança Melody depuis le vestibule, son portable à la main. Pardon de vous interrompre, mais j'ai quelque chose à vous montrer.

Gemma la rejoignit et regarda la photo que Melody avait affichée sur l'écran de son mobile. Une jeune femme blonde, en tenue d'aviron, souriait à l'objectif. CHRISTINE HUNT, ST CATHARINE'S COLLEGE, lisait-on en légende.

– Chris Abbott, née Hunt, dit Melody. J'aurais dû me douter qu'il y avait un lien avec l'aviron.

– Pourquoi ?

– Parce que c'est mon boulot. J'aurais dû vérifier si Becca Meredith n'avait pas été en relation avec les femmes figurant dans les dossiers Sapphire. Je me suis laissé distraire par l'affaire Hart. Je pensais qu'on avait trouvé le filon.

– On l'a tous pensé. Et on ne sait pas si cette Chris Abbott a un rapport quelconque avec la mort de Becca Meredith.

– Vous comptez dire à Duncan qu'on va la voir ? demanda Melody à voix basse.

Gemma n'hésita qu'une fraction de seconde.

– Non. Il nous l'interdirait.

Kieran avait passé l'après-midi dans le hangar, armé de contreplaqué pour boucher les fenêtres cassées, d'un balai et de sacs-poubelle industriels.

Sa conversation de la veille avec Freddie Atterton lui avait curieusement redonné du courage. Il pouvait au moins essayer de dégager les décombres. Il lui serait ensuite plus facile d'estimer l'étendue des dégâts. Et peut-être, avec un peu de chance, réussirait-il à remettre sa petite entreprise à flot.

En attendant, il craignait de devenir épouvantablement pantouflard. Tavie avait travaillé toute la nuit, obligée *in extremis* de remplacer un collègue malade. Elle n'était rentrée qu'en début de matinée, éreintée et empestant la fumée. Elle avait dû se rendre sur les lieux d'un incendie à Hambleden – la maison d'un ancien directeur adjoint de la police, rien que ça –, hélas trop tard pour que les secouristes interviennent.

– Heureusement que tu étais ici, Kieran, avait-elle dit en s'effondrant sur une chaise, tandis que Tosh s'évertuait à lécher sa figure maculée de suie. Sinon il aurait fallu que je téléphone à tous les gens qui me doivent un service pour trouver quelqu'un qui accepte de s'occuper de Tosh.

Kieran savait que Tavie, quand elle était absente la journée, demandait à un adolescent du voisinage de sortir Tosh. Mais pour la nuit, et surtout à la dernière minute, elle n'avait personne.

– C'est bien agréable de trouver à son retour un visage amical, ajouta-t-elle en souriant. Pas de récriminations...

– Pourquoi y aurait-il des récriminations ? rétorqua-t-il, dérouté.

– Il ne voit même pas de quoi je parle, s'émerveilla-t-elle. Toi au moins, tu n'as pas l'air de penser qu'une femme devrait rester à sa place.

– Sans toi, Tavie, je serais...

– Oh, la ferme, coupa-t-elle. Tu sais faire la cuisine, j'espère ? Des œufs, des toasts et du thé ?

– Oui, mais je ne garantis pas que ce soit bon.

– Je m'en fiche, prépare-moi un petit-déjeuner et tu m'auras remboursé ta dette. Je vais prendre un bain.

Elle monta d'un pas lourd à l'étage, lui s'attela à sa tâche. Il se mit même à siffloter – faux – en se félicitant d'avoir déjà repéré où étaient les choses dans la cuisine si bien rangée, et d'avoir fait les courses.

Les chiens, couchés flanc contre flanc sur le seuil de la cuisine, contemplaient les assiettes avec un intérêt passionné.

– Pas question, leur dit-il.

Prudent, il préféra néanmoins mettre le petit-déjeuner au chaud dans le four. Tosh n'y toucherait pas, mais Finn...

Il appela Tavie. Comme elle ne répondait pas, il grimpa l'escalier quatre à quatre, pensant qu'elle ne l'entendait pas à cause du bruit de l'eau ou du sèche-cheveux.

Il était sur le palier, lorsque Tavie sortit de la salle de bains, nue, une serviette mollement nouée autour de la taille. Ses cheveux blonds, mouillés, étaient hérissés sur son crâne.

– Je... excuse-moi, bafouilla-t-il. Je ne... Le petit-déjeuner est prêt.

– Je descends.

– D'accord, très bien.

Il tourna les talons si précipitamment qu'il faillit dégringoler les marches. Il eut cependant le temps de voir une vive rougeur colorer le visage de Tavie, puis son cou et la naissance de ses petits seins.

Elle le rejoignit au rez-de-chaussée un instant après, vêtue d'un sweat-shirt et d'un pantalon de survêtement. Ils mangèrent, et si Tavie se sentait embarrassée, elle n'en laissa rien paraître. Kieran, lui, regardait fixement son assiette en s'efforçant de ne pas penser au corps souple de la jeune femme, que dissimulaient ses vêtements informes.

– J'emmènerai les chiens courir, si tu es d'accord? dit-il quand ils eurent terminé.

Tavie qui en était à sa deuxième tasse de thé, après avoir nettoyé son assiette à une vitesse étonnante, hocha la tête.

– Bonne idée.

– Toi, tu te couches.

Il se serait giflé. Quel imbécile !

– Je veux dire... tu te reposes. Je vais aller au hangar, voir ce que je peux faire. Je prendrai les chiens.

Tavie leva vers lui ses yeux bleus ensommeillés.

– Rentre avant la nuit. N'oublie pas ce qu'a dit le commissaire.

– Bien, chef.

– Oh, la ferme, répéta-t-elle, souriante, avant de se traîner jusqu'à sa chambre.

L'image de Tavie, de la serviette nouée autour de sa taille, ne l'avait pas quitté de tout l'après-midi. Il s'était senti coupable d'en être troublé, comme s'il trahissait Becca. Et puis, c'était bizarre de fantasmer sur Tavie.

Elle n'avait pas paru contrariée qu'il la surprenne en petite tenue – à vrai dire, elle aurait pu enfiler un peignoir avant de sortir de la salle de bains. Elle ne s'était quand même pas débrouillée pour qu'il...? Non, mais non. Il était complètement idiot.

Quant à Becca... il ne devait pas y penser, pas encore. Ses souvenirs d'elle – quand elle était couchée près de lui, qu'il la touchait – étaient inextricablement mêlés à l'image de son visage dans l'eau, en contrebas de la berge. Quand il essayait de les dissocier, il était pris de vertige.

Se secouant, il acheva de remplir la grande poubelle placée dans la partie atelier du hangar. Elle était miraculeusement intacte.

Il avait nettoyé le plus gros et bouché les fenêtres, afin que ses outils soient à l'abri. Maintenant il fallait rentrer, il ne voulait pas que Tavie s'inquiète.

Il s'assura d'un coup d'œil que les chiens étaient bien là – couchés dans un creux du terrain, ils l'attendaient patiemment, tout en observant les allées et venues sur la Tamise.

La lumière déclinait incroyablement vite, mangée par les nuages qui s'amassaient à l'ouest. L'orage se rapprochait.

Un frisson d'appréhension le parcourut. Pourtant il n'avait pas la tête lourde, cela le rassurait un peu. Peut-être que, cette fois, il couperait à la crise.

Il retraversa le fleuve avec les chiens, amarra le canot et s'éloigna sur le sentier, remontant son col pour se protéger du vent.

331

Les chiens vibrionnaient autour de lui, tellement excités par le froid que, quand il atteignit Mill Meadows, il sortit deux balles de tennis de la poche de son anorak. Il détacha Tosh et Finn, le temps d'une joyeuse partie de baballe.

Il n'avait pas osé demander à Tavie si elle comptait toujours le virer du SRS. Cela lui manquerait beaucoup, il ne s'en apercevait que maintenant. Et Finn… comme Tosh, il était fait pour travailler, l'en priver serait cruel – un argument susceptible d'émouvoir Tavie.

Il remit les chiens en laisse, allongea le pas. Tavie était-elle levée ? Il était soudain pressé de retrouver la petite maison biscornue.

Au bout de Thames Side, des piétons en le voyant traversèrent la rue pour éviter les chiens. Cela l'amusa – malgré leur taille, Tosh et Finn étaient des agneaux, mais à l'époque où il n'avait pas encore Finn, il aurait peut-être eu la même réaction.

Il arrivait sur la place du marché, lorsqu'il vit Freddie Atterton qui sortait du Red Lion. Il se dirigea vers lui. Il voulait lui parler, lui dire qu'il s'était attelé au nettoyage du hangar.

Mais Freddie n'était pas seul. Il était avec un homme. Tous deux semblaient se quereller, ou du moins avoir une discussion très animée.

Sans doute valait-il mieux ne pas les déranger, décida Kieran. Malheureusement, il lui fallait passer tout près d'eux.

Soudain, Finn bondit, si brutalement que Kieran faillit lâcher la laisse, et se mit à aboyer comme un forcené.

23

«Je n'y vois plus. L'obscurité m'enveloppe, puis je sens vaguement la coque sombre à côté de nous.

C'est la ligne d'arrivée.

Ensuite plus rien. Un noir d'encre. Mes yeux sont enfoncés dans mon crâne. Ma poitrine se soulève, enfourne frénétiquement de l'oxygène dans ma bouche grande ouverte, mais je suis hagard, je m'écroule, je n'ai plus conscience de ce qui m'entoure. » (James Livingston)

David & James Livingston,
Blood over Water

– QUELS RENSEIGNEMENTS avez-vous sur Chris Abbott ? demanda Gemma à Melody, alors qu'elles traversaient la Tamise par le Hammersmith Bridge.

Il leur avait fallu plus d'une demi-heure pour partir de la maison. Gemma avait prié les invités de rester aussi longtemps qu'ils le désiraient, et donné à ses parents des instructions plus que détaillées.

Tandis qu'elle occupait le front domestique, Melody avait fait des recherches sur Internet et passé quelques coups de fil. Gemma s'était bien gardée de lui demander quelles étaient ses sources.

À présent, elles roulaient vers Barnes dans l'Escort de Gemma. Des nuages lourds assombrissaient cette belle journée, la Tamise était d'un gris d'ardoise. Lorsque le conducteur, devant elles, ralentit et faillit leur faire louper le feu vert, Gemma klaxonna furieusement.

Melody lui lança un regard surpris, mais répondit :

– Chris Abbott, inspecteur principal, brigade des mœurs. Rattachée au commissariat du West End. Un flic chevronné. Sortie d'Oxford, comme Becca Meredith. Des tronches, toutes les deux. Un mari qui travaille dans la banque d'investissement. Deux enfants, deux garçons scolarisés à Eton.

– Eton avec un salaire de flic ? J'espère pour elle que son mari est mieux payé. Quand a-t-elle porté plainte pour viol ?

– Il y a un peu plus de cinq ans. À l'époque, elle n'était pas encore inspecteur, elle a eu deux promotions en très peu de temps. L'aurait-on récompensée pour son silence ?

Cinq ans plus tôt, Gemma en était professionnellement au même point que Chris Abbott. Si elle avait eu moins de chance, la nuit où Angus Craig l'avait raccompagnée chez elle, qu'aurait-elle fait ? Aurait-elle risqué sa carrière et le bien-être de son enfant pour poursuivre le directeur adjoint en justice ?

– Elle a donné des détails particuliers dans sa déposition ?

Si Abbott avait à la maison un mari et des enfants, la tactique habituelle de Craig – proposer courtoisement à sa victime de la reconduire chez elle – avait dû, comme avec Gemma, échouer.

– Ça s'est passé après un séminaire de travail qui se déroulait dans un hôtel du West End. Abbott a déclaré qu'elle allait prendre le métro et que son agresseur l'a entraînée dans une ruelle.

Gemma fronça les sourcils.

– Moi, je parierais que Craig avait une chambre dans cet hôtel. Il l'a persuadée de monter boire un verre, pendant que les autres discutaient. Mais en ce qui concerne les promotions, je me demande...

Gemma s'interrompit et s'engagea sur un rond-point

marquant l'entrée de Barnes, une banlieue cossue de Londres.

– ... je me demande si c'était une récompense ou si Abbott n'aurait pas plutôt décidé de se livrer à un petit chantage pour tirer profit de sa mésaventure. Un prêté pour un rendu.

– Et si Craig était coincé, il a peut-être soulagé sa frustration en choisissant ses victimes parmi des collègues de plus en plus influentes au sein de la police. Des substituts de Chris Abbott, en quelque sorte. Un jeu dangereux.

– Fatal, au bout du compte, même s'il ne pensait probablement pas que ça finirait comme ça.

Elles longeaient à présent le fleuve et dépassèrent le pont de chemin de fer – le dernier point de repère notable sur le parcours de la Boat Race. Abbott avait-elle élu domicile dans cette petite ville parce qu'elle pratiquait l'aviron ?

– Elle habite White Hart Lane, dit Melody. À gauche, presque au bout de la rue.

Une rue étroite, bordée de boutiques de luxe et de jolies maisons. De voitures aussi, plus exactement de 4×4 surdimensionnés.

– On est chez les bobos, à ce que je vois, bougonna Gemma qui cherchait une place.

Soudain, elle vit une voiture déboîter. Mettant illico le clignotant, elle manœuvra pour se garer.

– Bravo pour le créneau !

Melody plaisantait, mais ne cessait de glisser une mèche de ses cheveux derrière son oreille et de vérifier le contenu de son sac – elle était tendue.

– On a une idée de ce qu'on va raconter ? dit-elle.

– On improvisera. À vous de jouer.

Quelques minutes plus tard, Gemma sonnait à la porte. À une fenêtre du rez-de-chaussée, le store vénitien en bois bougea. Puis une femme blonde et mince ouvrit la porte. Elle portait un jean slim de marque, un superbe corsage. Mais son air stressé et son regard hostile gâtaient son élégance.

– C'est à quel sujet ? dit-elle d'un ton sec.

– Inspecteur principal Abbott ? fit Melody en exhibant sa carte. Officier de police Talbot, commissariat de Notting Hill. Et voici l'inspecteur James. Pourrions-nous vous parler un instant ?

Son maquillage soigné ne parvint pas à camoufler la terreur qui se répandit sur le visage de Chris Abbott.

– Qu'est-ce qui s'est passé ? Mes fils... ils vont bien ? Mon mari... Oh, mon Dieu, Ross...

– Vos fils vont très bien, la rassura Melody. De même que votre époux. Mais nous devons vraiment vous parler. Pouvons-nous entrer ?

Abbott se voûta et, d'une main aux ongles manucurés, se retint au chambranle de la porte, comme si le soulagement lui coupait les jambes.

Puis elle baissa les mains, et braqua sur elles un regard suspicieux. Le flic en elle refaisait surface et remarquait leur mise décontractée, indiquant qu'il ne s'agissait pas d'une démarche officielle. Elle devait aussi se dire qu'elle était plus gradée que ses visiteuses, pensa Gemma.

Le coup d'œil intrigué que leur lança un voisin qui partait faire son jogging parut la décider.

– Je vous accorde cinq minutes, ensuite je dois aller chercher mes fils. C'est pour ça que je me suis inquiétée. Ils sont chez des amis, on ne sait jamais ce qui peut arriver.

Elle se justifiait, ce qui, surtout chez un inspecteur principal, était signe de nervosité.

À contrecœur, elle les invita à entrer. La maison, bien située, se vendrait à prix d'or malgré la crise. Les pièces n'étaient pourtant pas grandes. On avait l'impression de ne plus pouvoir circuler entre le canapé et les fauteuils en cuir du salon, la table basse de la taille d'un dolmen, le meuble hi-fi et l'écran plat qui occupaient tout un mur.

Des DVD s'entassaient sur les étagères. Mais pas un seul livre en vue, ni aucun de ces objets que, chez Gemma et Duncan, les enfants laissaient traîner partout. Elle crut cependant apercevoir, sur l'étagère du bas, une corbeille à jouets.

Cette pièce n'en semblait pas moins stérile, comme si on n'y vivait pas au quotidien.

On ne trouvait trace des enfants que sur le mur opposé au meuble hi-fi. Des photos encadrées de la petite famille. Maman, papa et les deux garçons, tous impeccables, arborant un sourire figé à en avoir mal aux mâchoires.

Sur la plupart de ces clichés, Chris Abbott paraissait tendue, elle posait la main sur l'épaule de ses fils comme pour les empêcher de bouger. Son mari, un homme grand aux cheveux clairsemés, dont les traits lourds manquaient de charme, entourait sa femme de son bras, dans un geste plus possessif que protecteur.

Quant aux enfants, l'aîné était brun et ressemblait à son père, le cadet était roux.

Au-dessus de ces photos était accroché un aviron à la pelle bleu foncé, couleur d'Oxford. Il semblait gigantesque, prêt à écraser les membres de la famille.

Melody, qui ne se laissait pas intimider par le statut social, l'argent ou un mobilier prétentieux, esquissa un sourire.

– Vous avez une charmante petite famille. Et je vois que votre mari était un Blue d'Oxford. Vous devez en être très fière. On s'assoit, si ça ne vous ennuie pas ?

– Si, ça m'ennuie. Je n'ai pas beaucoup de temps, je vous le répète. Si vous me disiez ce que vous me voulez ?

– Je crois comprendre que votre mari n'est pas là ? dit Melody.

– Non, il a dû sortir. Mais ça ne vous regarde pas. Ne seriez-vous pas hors de votre juridiction, mesdames ? Un samedi après-midi, de surcroît ?

Elle essayait de prendre le dessus. Deuxième erreur, pensa Gemma, un autre signe de nervosité.

– Ça ne pouvait pas attendre, répondit Melody.

De nouveau, Abbott coula un regard anxieux vers la porte. Attendait-elle son mari et, si tel était le cas, cela l'angoissait-elle, autant que leur présence ?

Abbott posa les yeux sur Gemma.

– Vous êtes donc la muette du tandem, inspecteur... James, c'est bien ça ?

Abbott se souvenait parfaitement du nom, Gemma n'eut pas le moindre doute là-dessus. Elle allait à la pêche aux informations et se demandait ce qu'un inspecteur faisait chez elle. Troisième erreur.

– Je travaille pour l'unité Sapphire, inspecteur Abbott, déclara Melody. Votre nom est apparu au cours de nos investigations. Et l'inspecteur James explore une piste parallèle.

– Sapphire ? répéta Abbott qui ne put dissimuler un nouvel accès de panique. Je ne travaille sur aucune affaire en rapport avec l'unité Sapphire.

Melody adressa un imperceptible signe de tête à Gemma qui entra aussitôt dans la danse.

– Je crois, inspecteur Abbott, que vous étiez une vieille amie de Rebecca Meredith ?

– Becca ? Oui, en effet. On était ensemble à l'université puis à l'académie de police. Je ne me fais pas à l'idée qu'elle est morte.

Ces regrets sonnaient faux, comme si Abbott avait répété sa réplique. Et elle omettait de dire qu'elle avait vu Becca Meredith quelques jours à peine avant sa mort – ce que n'importe qui aurait spontanément répondu.

Gemma plaqua sur son visage sa plus convaincante expression de sollicitude.

– Heureusement que vous l'aviez vue très peu de temps auparavant, cela doit vous réconforter.

Abbott tressaillit, elle ne s'attendait pas à ce que ses visiteuses soient au courant.

– Je... Oui, en effet.

Puis, comme on se jette à l'eau :

– Oui, oui. Vendredi dernier. Becca m'a téléphoné et demandé de passer à son bureau. Elle était tombée sur des informations qui pouvaient être utiles à la brigade des mœurs.

– Mais ce n'était qu'un prétexte, n'est-ce pas ? rétorqua Melody.

Elle prit des documents dans son sac et parcourut une page, comme si elle avait besoin de se rafraîchir la mémoire. Une tactique qui avait fait ses preuves.

– Inspecteur Abbott, il y a cinq ans de cela, vous avez porté plainte pour viol. Vous avez été agressée après une réunion professionnelle dans le West End. Vous n'avez pas donné le nom de votre agresseur, mais vous avez subi un examen médical dont les conclusions figurent au dossier.

« Voici un an, Becca Meredith a vécu la même épreuve. Elle a alors pensé qu'il y avait peut-être d'autres victimes parmi les officiers de police, et elle a cherché dans les archives. Elle a découvert que plusieurs collègues avaient porté plainte contre X. Elle n'en connaissait qu'une seule. Vous.

Melody s'interrompit un bref instant, le temps que ses paroles fassent leur effet.

– Elle savait que, comme elle, vous connaissiez votre agresseur.

– Vous délirez. J'ignore de quoi vous parlez. Il vaudrait mieux que vous...

– Inspecteur Abbott, coupa Gemma, s'il vous plaît, ne nous prenez pas pour des idiotes. C'était Angus Craig. Becca Meredith et vous avez été violées par le directeur adjoint Craig, qui vous a ensuite menacées et contraintes à garder le silence. Inutile de nier.

– Vous ne pouvez pas le prouver. De toute façon, il est mort. J'ai appris qu'il était mort.

Abbott n'avait pas nié. Elles ne s'étaient pas trompées.

– Ça reste encore à confirmer, dit Gemma, dissimulant sa jubilation. Mais nous avons son empreinte génétique, qui correspondra au prélèvement de sperme effectué sur vous, sur Becca Meredith, et sur l'inspecteur Jenny Hart.

Elle s'avançait un peu, mais ils auraient bientôt l'ADN de Craig, et elle voulait des réponses tout de suite.

– Jenny ? souffla Abbott. Qu'est-ce que vous racontez ? Jenny a été assassinée... Oh, mon Dieu. Il n'a quand même pas tué Jenny ?

– Becca n'avait pas découvert le lien entre Craig et Jenny Hart, n'est-ce pas ? Le dossier était archivé dans les meurtres non élucidés, et non dans les viols. Si elle avait su, pour Jenny Hart, elle n'aurait pas eu besoin de vous.

Gemma se pencha vers Abbott, tentant d'atteindre cette femme qui semblait avoir bâti autour de ses émotions, hormis peut-être la peur, un rempart inexpugnable.

– Car elle voulait que vous portiez plainte contre Angus Craig, n'est-ce pas ?

Abbott les dévisagea, longuement, et capitula.

– OK, d'accord... Les informations que Becca avait à me communiquer ne valaient pas un clou. Alors elle m'a proposé d'aller boire un pot. Les vieilles copines en goguette, ce n'était pas son style. Mais que Becca l'abstinente ait envie de picoler, ça c'était du jamais-vu. J'ai accepté juste pour savoir ce qu'elle mijotait.

« Elle m'a emmenée dans un pub de Holland Park Avenue. Pas au bout du monde, mais pas dans les parages du commissariat. Elle a attendu qu'on ait bu quelques verres pour me cracher le morceau.

Abbott porta une main à sa bouche, mordilla les cuticules d'un ongle rongé.

– La garce. Je lui ai dit d'aller se faire voir. Je lui ai dit que ça remontait à cinq ans, que j'avais continué à avancer. J'ai travaillé dur pour arriver là où j'en suis aujourd'hui.

Les mots jaillissaient, elle semblait impuissante à en endiguer le flot.

– On a deux gamins à l'école, et je compte bien obtenir une nouvelle promotion. J'aurais bousillé tout ça pour que, dans le meilleur des cas, Craig se fasse taper sur les doigts ? Vous savez comment ça fonctionne. Vous savez pertinemment que ça n'aurait servi à rien !

Vidée de sa colère, tout à coup, Abbott frissonna. Elle frictionna ses bras nus et se posa sur l'accoudoir du canapé.

– Mais je ne... Pour Jenny, je ne savais pas.

– Vous la connaissiez bien ? demanda Melody.

– Il y a quelques années, on a suivi la même formation à Bramshill. Je l'aimais bien. On se voyait de temps en temps pour boire un verre. Elle était drôle, maligne, jamais condescendante. Et elle appréciait son célibat. Parfois, je lui enviais sa vie, ajouta Chris avec un rire étranglé.

– Vous ne lui avez jamais parlé de ce que vous a infligé Angus Craig ?

– Surtout pas ! répondit Chris, véhémente. Je n'en ai jamais parlé à personne. J'ai fait une déposition, ce soir-là, parce qu'une jeune collègue m'a trouvée en larmes, et en sang, devant l'hôtel. Il fallait bien que je dise quelque chose. Je n'avais pas d'autre solution. Et je...

Elle s'interrompit soudain, bouche bée.

– Oh, mon Dieu... Si je l'avais dit à Jenny, elle ne l'aurait pas invité à... C'est bien ce qui s'est passé ? Je sais qu'elle a été tuée dans son appartement. Est-ce que... Elle l'a invité à boire un verre ?

– Et Becca ? lança Gemma. Vous étiez des amies de fac. Elle ne comptait pas pour vous ? Si vous lui en aviez parlé, jamais elle n'aurait accepté que Craig la reconduise chez elle la nuit où il l'a violée. Maintenant, elle aussi est morte.

– Pourquoi je lui en aurais parlé ? Elle n'était pas vraiment du genre à vous prêter son épaule pour pleurer. Et puis je n'imaginais pas qu'elle serait aussi conne que moi. Elle contrôlait toujours tout, Becca.

Gemma se demanda ce qui avait provoqué chez cette femme une telle amertume, si dévastatrice qu'elle n'avait pas un mot gentil pour son amie assassinée.

341

– Revenons à vendredi dernier... Comment a réagi Becca lorsque vous lui avez signifié que vous ne l'aideriez pas ?

– Elle était verte. Becca considérait toujours que ses désirs étaient des ordres.

Gemma eut brusquement une intuition. Comme le pêcheur jette son appât dans l'eau, elle dit :

– Est-ce pour cette raison qu'elle est revenue le samedi ? Pour essayer encore de vous convaincre ?

Abbott se ferma soudain comme une huître.

– Je ne vous suis plus du tout.

– Allons, Chris, rétorqua Gemma – elle avait vu juste et ne lâcherait pas prise. Vous voulez qu'on interroge les voisins ? Les gens n'ont pas de secrets, dans une petite rue comme la vôtre. Le vendredi soir après votre rendez-vous, Becca a laissé sa voiture à Londres. Elle est allée la récupérer le samedi après-midi, et elle est venue ici. N'est-ce pas ?

Gemma regarda par la fenêtre, comme si elle jaugeait le voisinage.

– Combien de personnes, selon vous, se souviendront de la voiture ? Et de Becca ? Ce n'était pas une femme qui passait inaperçue. Vous vous êtes disputées devant la porte ?

Chris Abbott demeura immobile un long moment, puis elle haussa nonchalamment les épaules. Elle préférait éviter l'enquête de voisinage qui la ferait passer pour une menteuse, songea Gemma.

– Et alors ? Elle nous a enquiquinés, si vous voulez tout savoir. Ross lui a dit de foutre le camp. Elle ne l'avait pas volé, elle a toujours été vache avec lui.

Abbott parut alors se rendre compte qu'elle suait la haine. Elle se frotta la figure.

– Écoutez... ne croyez pas que la mort de Becca me laisse de marbre. Quand je l'ai appris, ça m'a secouée. Ross et moi, on était atterrés. Mais on n'a rien à voir là-dedans, et je ne comprends pas pourquoi vous êtes venues ici. Maintenant que Craig est mort, tout ça n'a plus aucune importance.

Ces mots parurent la revigorer. Elle se leva.

– Comme je vous le disais, je dois aller chercher les enfants. La discussion est close.

Gemma regarda Melody ; toutes deux, à l'évidence, pensaient la même chose.

– Inspecteur Abbott, dit-elle, comment avez-vous su que Craig était mort ?

– Le chien de Mme Craig ? dit Kincaid à Imogen Bell. Nom d'une pipe. Je l'avais oublié, celui-là. Il a dû réussir à sortir pendant l'incendie.

Bell le regarda d'un air dérouté.

– Le voisin dit avoir trouvé le chien – un petit whippet – vers minuit, dans la rue. Il a voulu le ramener à Mme Craig, mais il n'y avait pas une seule lumière allumée dans la maison. Il n'a pas osé sonner. Il a décidé de garder le chien. Il comptait téléphoner à Mme Craig en début de matinée. Les pompiers l'ont réveillé au milieu de la nuit, et il n'a plus pensé à...

– Barney, coupa Kincaid. Le chien s'appelle Barney, c'est un mâle.

Il était soulagé, sans s'expliquer pourquoi, que le chien d'Edie Craig ait survécu. Mais que faisait-il dehors, deux heures avant l'incendie ?

– Minuit ? Le voisin a bien dit minuit ?

– Oui, commissaire. J'en suis sûre.

Kincaid se tourna vers Owen Morris.

– Si Craig a allumé l'incendie avant minuit, il aurait fallu deux heures pour que toute la maison soit en flammes ? C'est possible, selon vous ?

– C'est très peu probable. Il y a eu un embrasement éclair au départ de feu et, vu la quantité d'essence répandue dans la maison, je dirais que le feu s'est propagé très vite aux pièces voisines. Mais le feu est une créature imprévisible qui vous joue de drôles de tours. Il a peut-être couvé un moment, ce n'est pas impossible. On le saura quand la température aura baissé et qu'on pourra inspecter les lieux.

– Mais...

Kincaid n'en dit pas plus, incapable d'expliquer à haute voix le terrible scénario qui germait dans sa tête. Et si Edie Craig avait flairé qu'un mauvais coup se tramait ? Angus Craig détestait le chien et ne s'en cachait pas – peut-être avait-elle craint qu'il ne s'en prenne à Barney. Mais si elle avait compris qu'il allait commettre un acte effroyable, ne se serait-elle pas enfuie, elle aussi ?

Cette femme avait certainement passé la majeure partie de sa vie d'épouse à tenter de réparer les dégâts causés par son mari. Mais, avant la visite de Denis Childs la veille, savait-elle combien d'existences il avait détruites ? Et si elle l'avait découvert, aurait-elle pu vivre avec cette vérité ?

Edie Craig était une femme douce qui possédait une grâce étonnante. Kincaid espérait qu'elle n'avait pas deviné ce qui l'attendait.

– Le voisin, commissaire..., dit Bell. Il attend toujours, à la grille. Est-ce que je...

Kincaid s'ébroua, revenant brutalement au présent.

– Notez son nom et son adresse. Demandez-lui s'il accepterait de garder le chien jusqu'à ce qu'on ait contacté des amis ou des parents de Mme Craig. Quand les techniciens de la scientifique arriveront, je veux qu'ils examinent la voiture de Craig, qu'ils cherchent des indices correspondant à ceux trouvés sur les lieux où Rebecca Meredith a été tuée. Et s'il reste dans la maison des vêtements d'extérieur intacts, je veux qu'on les analyse.

– Vous ne pensez quand même pas que..., bafouilla Bell, médusée. Euh... à vos ordres, commissaire. Je vais parler à M. Wilson... le voisin.

Elle s'éloigna, non sans jeter par-dessus son épaule un regard confus.

Mais Kincaid avait d'autres préoccupations.

– Pouvez-vous dire si on a utilisé ici le même accélérant que dans le hangar de Kieran Connolly ? demanda-t-il à Owen Morris.

344

– Dans les deux cas, c'était apparemment de l'essence ordinaire. Même si la scientifique parvient à identifier la raffinerie, ça ne vous mènera sans doute pas très loin. Vous pensez que Craig a quelque chose à voir avec le meurtre de Rebecca Meredith et l'incendie du hangar ?

Une question purement rhétorique, car Morris, contemplant pensivement les décombres fumants, ajouta :

– Ça expliquerait pourquoi il a décidé de finir en fanfare.

En réalité, cela n'expliquait rien, se dit Kincaid. Car ils n'avaient pas encore la preuve que Craig était impliqué dans le meurtre de Becca Meredith et l'attentat contre Kieran.

– On ne peut pas le...

Il n'acheva pas sa phrase. Son téléphone sonnait.

Lorsque Kieran eut réussi à maîtriser les chiens, sur la place du marché, et à les ramener chez Tavie, celle-ci était partie. Elle lui avait écrit sur l'ardoise de la cuisine qu'elle allait faire des courses et achèterait de quoi dîner.

– Couchés, vous deux ! ordonna-t-il aux chiens.

Ils obéirent sagement, mais Finn haletait et frémissait toujours. Kieran, lui, était encore effrayé par le déchaînement subit de son chien d'ordinaire si placide. Quand il prit son téléphone pour appeler le commissaire Kincaid, il s'aperçut que ses mains tremblaient, comme en Iraq après une escarmouche.

Fermant les yeux, il respira à fond et s'efforça, quand il eut Kincaid en ligne, de lui relater clairement l'incident.

– Ce n'était pas à cause de Freddie, ajouta-t-il. Les chiens ont passé un long moment avec lui hier, sans problème. Non, c'était à cause de l'autre type. Je n'ai jamais vu Finn dans cet état. J'ai cru qu'il allait le bouffer.

– Vous ne connaissez pas cet homme, vous en êtes sûr ? demanda Kincaid.

– Je ne l'avais jamais vu.

À présent, cependant, surgissaient dans son esprit des bribes de souvenir qui glissaient tels des fantômes à la lisière de sa conscience.

Il secoua la tête, ce qui lui donna le tournis.

Du thé. Un bon thé lui ferait du bien. Mais au lieu de mettre la bouilloire sur le feu, il se surprit à ouvrir la boîte à biscuits. Luttant contre le vertige, il revint au salon et s'accroupit à côté des chiens pour les complimenter et leur donner leur récompense. Il avait grondé Finn, alors que son chien ne cherchait qu'à...

Kieran s'assit sur ses talons, si brutalement que la pièce tangua. Le protéger. Finn voulait le protéger.

Mais pourquoi aurait-il... ? Minute. Kieran posa la main sur la fourrure noire du labrador, que la chaleur du feu faisait crépiter, comme si ce contact pouvait lui apporter une réponse.

Une impression de déjà-vu... une image floue, qui brusquement se précisa...

L'homme sur la berge, dans la pénombre du crépuscule, et celui qui accompagnait Freddie ne faisaient-ils qu'une seule et même personne ? Finn n'aurait pas reconnu, et identifié comme une menace, un type entrevu de loin...

Soudain, il comprit.

– Oh, bon Dieu...

C'était son odeur que Finn avait reconnue. Qui l'avait rendu fou.

Lorsqu'il avait découvert avec son maître l'endroit où on avait tué Becca, l'homme était là, assez près pour que Finn le sente.

Ensuite, quand l'homme s'était approché du hangar avec sa bombe incendiaire, Finn avait levé la tête, la truffe palpitante – Kieran s'en souvenait très bien – un instant à peine avant que le cocktail Molotov n'explose.

Ce n'était pas un bruit qui avait alerté Finn. Le vent d'amont soufflait, cette nuit-là. Le chien avait flairé l'odeur de ce fumier.

Et ce soir... Finn avait associé cette odeur à l'angoisse de Kieran, sur la berge, et au feu terrifiant.

Kieran saisit son téléphone, tremblant de plus belle. Tout à coup, il se figea. Il y avait autre chose.

Il ferma les yeux et essaya de se remémorer le visage de cet homme, tel qu'il l'avait vu à l'instant où il sortait du Red Lion avec Freddie.

Mais ce que Kieran voyait, dans le noir de ses paupières, ce n'était pas cette scène devant le Red Lion. Il voyait une photographie sur une étagère de la bibliothèque, chez Becca. Et sur cette photographie, ce visage en plus jeune, parmi d'autres...

La photo d'un équipage de la Boat Race.

– Il est un peu timbré, non ? commenta Cullen, quand Kincaid l'eut informé du coup de fil de Kieran.

– Peut-être pas autant qu'on pourrait le penser.

Kincaid composait déjà le numéro de Freddie Atterton. Il tomba sur la boîte vocale, grommela un juron, et ne laissa pas de message.

– On va chez lui, décida-t-il.

Il prévint Owen Morris et Imogen Bell, puis Cullen et lui regagnèrent Henley.

– Donc on creuse la piste toutou ? ironisa Doug.

Mais Kincaid n'était pas d'humeur à plaisanter.

– On ne saura peut-être jamais pourquoi le chien d'Edie Craig a été lâché dans la rue deux heures avant l'incendie. Mais si Kieran Connolly dit que son chien est devenu fou, je le crois. Je crois aussi qu'on a essayé de tuer Connolly, et je ne suis pas persuadé que le coupable soit Angus Craig.

– Si son alibi, c'était Peter Gaskill et ses copains, mon opinion est faite. D'autant que, manifestement, Craig avait l'âme d'un pyromane.

– Ah oui ? N'importe qui peut acheter un bidon d'essence. Et je parierais que Craig ignorait tout de l'attentat contre Kieran. Ce salopard était trop narcissique pour être bon comédien.

– Et Becca Meredith ?

– Je ne suis toujours pas sûr qu'on puisse lui coller

ça sur le dos. Le barman de Hambleden nous a dit à quelle heure Craig est arrivé au pub. Il n'avait aucune raison de mentir. De plus, le mobile de Craig ne me paraît pas clair, sauf si Becca avait découvert le pot aux roses en ce qui concerne Jenny Hart, ce que je ne pense pas.

– Mais alors...

– Alors, je n'en sais foutre rien. Mais je me sentirais beaucoup mieux si j'avais Freddie Atterton devant moi.

Lorsque Freddie ouvrit la porte de son appartement, le soulagement de Kincaid se mua aussitôt en colère.

– Où étiez-vous ? tonna-t-il en s'engouffrant dans le vestibule, avant même que Freddie les y ait invités. Pourquoi vous ne répondez pas au téléphone, bon sang ?

– Je n'ai pas entendu mon portable, se justifia Freddie, déconcerté. J'étais en ligne avec la mère de Becca, je dois aller la chercher à l'aéroport et...

– D'accord, coupa Kincaid avec un geste impatient. Et avant ça... vous étiez au Red Lion avec un homme. Qui est-ce ?

– Quoi ? Mais comment vous...

– Kieran Connolly m'a appelé.

– Ah, Kieran... Je l'ai vu, effectivement. Son superbe labrador noir est devenu fou. J'ai cru qu'il allait déchiqueter Ross. Pareil pour l'autre, le berger allemand. Je pensais que c'étaient des chiens de recherche, pas des chiens d'attaque.

– Ce sont des chiens de recherche, et ils sont très bien dressés. Que Finn s'en soit pris à votre ami... c'est bizarre. Cet homme... Ross... parlez-moi de lui.

– Je vous en ai déjà parlé, souvenez-vous. C'est lui qui m'a emmené à la morgue. C'est un vieil ami, on était à Oxford ensemble.

Effectivement, Freddie avait mentionné ce copain de fac qui l'avait accompagné le jour où il avait dû identifier Becca.

– D'après Kieran, vous vous disputiez quand il vous a aperçus. C'est vrai ?

– Ross n'arrêtait pas de me poser des questions sur Angus Craig. Je lui ai répondu que, l'autre jour, j'avais rendez-vous avec lui et que ce connard m'avait posé un lapin. Mais Ross avait pas mal bu, il en a fait une tinette. Il a dit qu'il n'en revenait pas que Becca ne m'ait jamais parlé de Craig. Il a dit...

Freddie s'interrompit. Une vive rougeur colora son visage.

– ... qu'il ne m'aurait pas cru aussi aveugle et stupide. Ross a toujours été un peu minable. Pour être franc, j'ai souvent pensé qu'il ne méritait pas de faire partie des Blue d'Oxford. Mais me sortir un truc pareil... Insinuer que Becca *couchait* avec Craig...

– Et vous, que lui avez-vous dit ? questionna Kincaid qui réfléchissait à toute allure.

– Rien. Kieran s'est pointé juste à ce moment-là, et les chiens se sont déchaînés. Ensuite Ross a déguerpi comme s'il avait le diable aux trousses. Je le comprends, notez, mais...

– Pourquoi votre ami s'intéressait-il tant à Angus Craig ?

– Je n'en ai pas la moindre idée. Je ne savais même pas qu'il le connaissait. Mais Chris devait le connaître, je suppose.

– Chris ?

– La femme de Ross. Elle est inspecteur à la Met, comme Becca, mais pas dans la même division.

– Chris ? dit soudain Doug dont la voix grimpa dans les aigus. Quel est son nom ?

– Abbott. Mais... qu'est-ce qu'il y a ?

– C'est elle que Becca a rencontrée l'autre jour, dit Doug à Kincaid. À l'anniversaire de Charlotte, rappelez-vous, je vous ai dit que Patterson m'avait donné son nom. La vieille amie de Becca qui est passée au commissariat... c'était Chris Abbott.

Kincaid le regarda fixement. Une femme officier de police, qui connaissait Angus Craig.

Il se souvenait à présent que Freddie, après sa visite à la morgue, avait dit que la femme de son copain était flic. Bon Dieu de bois. Il s'était tellement focalisé sur Angus Craig, pour prouver à Denis Childs qu'il se trompait à propos de Freddie, qu'il s'était égaré sur un champ de mines sans même s'en apercevoir. C'était lui, l'aveugle, l'imbécile.

— Cette Chris Abbott fait forcément partie des victimes, marmonna-t-il. Becca l'a-t-elle découvert ce jour-là ou bien le savait-elle déjà ? Il s'est passé quel...

— Les victimes ? l'interrompit Freddie. Qu'est-ce que vous racontez ? Victimes de quoi ?

Il dévisagea tour à tour Cullen et Kincaid, qui opta pour la franchise. Il n'était plus nécessaire de protéger Freddie contre Craig et vice versa. Il faudrait bien qu'il apprenne la vérité, tôt ou tard.

— Si on s'asseyait ?

— J'en ai marre qu'on me dise de m'asseoir, répliqua Freddie.

Il dardait sur Kincaid un regard de défi, se balançait sur ses talons ; il était énervé, beaucoup moins vulnérable qu'auparavant.

— Dites ce que vous avez à dire.

— Très bien, fit Kincaid avec réticence. Il y a un an, Becca a porté plainte pour agression sexuelle. Elle n'a pas nommé son agresseur, néanmoins elle a raconté à son supérieur, Peter Gaskill, ce qui s'était passé. À la fin d'une soirée professionnelle à Londres, le directeur adjoint Craig a proposé de la reconduire chez elle. Il est entré dans le cottage sous prétexte d'aller aux toilettes. Et il l'a violée. Ensuite il l'a menacée. Si elle s'avisait d'en parler à quiconque, il détruirait sa carrière et sa réputation.

Les doutes que Kincaid pouvait encore avoir s'envolèrent aussitôt.

Car le visage de Freddie se creusa soudain, on aurait dit que la chair avait subitement fondu sur les os. Puis la rage afflua, rappelant à Kincaid que cet homme avait

naguère eu la force physique et la détermination nécessaires pour mériter les avirons accrochés au mur du salon.

De même que son copain de fac, pensa-t-il tout à coup,
effaré. L'assassin de Becca savait comment noyer une
rameuse, et était assez costaud pour le faire. Par ailleurs,
l'agresseur de Kieran avait traversé le fleuve à la rame,
s'était approché de la berge, assez près pour lancer sa
bombe incendiaire par la fenêtre ouverte, puis avait disparu – une prouesse exigeant de la rapidité et de la pré-
cision dans le maniement d'un bateau.

– Je vais le tuer, cracha Freddie. Ce salaud de Craig.
Elle ne se serait pas laissé intimider, pas Becca. Il l'a
assassinée, n'est-ce pas, pour la faire taire. Et vous... Il se
tourna vers Kincaid, les poings serrés : Vous saviez tout
ça depuis le début. N'est-ce pas ? Vous le protégiez. Vous
êtes aussi pourri que...

– Taisez-vous, Freddie, et écoutez-moi, déclara Kincaid
qui avait une envie dévorante de le secouer comme un
prunier. Je n'ai pas protégé Craig. Au contraire, je me
suis évertué à trouver la preuve qu'il avait tué Becca et
attaqué Kieran Connolly. Mais je crois que ce n'était pas
lui. Et maintenant il est mort. Il s'est suicidé cette nuit,
après avoir tué sa femme.

– Quoi ? bredouilla Freddie, les poings toujours levés,
comme un boxeur qui vient d'encaisser un méchant
coup. Mais qu'est-ce que...

– On a découvert autre chose sur Craig. Une histoire
sans rapport avec Becca, et qu'il n'aurait pas pu étouffer.

– Alors si ce n'était pas Craig... qui a tué Becca ? bredouilla Freddie, ravalant un sanglot. Pourquoi quelqu'un
d'autre l'aurait tuée ?

Kincaid pensa à l'homme que Kieran avait aperçu au
bord du fleuve, à Finn, cette bonne pâte, devenant sou-
dainement enragé.

Et il en revint à l'ami de Freddie, Ross Abbott, le
rameur, le Blue d'Oxford, dont la femme connaissait
Becca et Angus Craig. Mais pourquoi, si Craig avait violé
Chris Abbott, le mari de cette dernière aurait-il tué Becca

et non Craig ? Et pourquoi Ross Abbott avait-il demandé à Freddie, avec une telle insistance, ce qu'il savait sur Craig ? Kincaid secoua la tête. Il n'avait pas encore assemblé toutes les pièces du puzzle, mais il sentait ses poils se hérisser. Le drame couvait. Ce n'était pas terminé.

Si Ross Abbott était bien leur assassin, il s'en était déjà pris à Kieran. Après leur malencontreuse rencontre d'aujourd'hui, il serait encore plus convaincu que Kieran représentait pour lui un danger.

– Votre copain Abbott... où est-il ?

24

« Gagner à tout prix est condamnable, tout simplement. Il existe des règles fondamentales, universelles, qu'il faut respecter pour être un véritable champion. Si on ne les respecte pas, il y a de lourdes conséquences physiques... ou psychologiques. Des conséquences dévastatrices. »

Brad Alan Lewis,
Wanted : Rowing Coach

Elle ment, dit Gemma, lorsque Melody et elle eurent regagné l'Escort.

– Oui, mais sur quel point ? La façon dont s'est terminée son entrevue avec Becca ? Ou comment elle a su que Craig s'était suicidé ?

– Elle pourrait l'avoir appris au boulot. Ça se conçoit.

C'était en tout cas ce qu'avait sèchement répondu Abbott à la dernière question de Gemma. Ensuite, elle avait bien failli les flanquer à la porte, *manu militari*, et elles avaient dû s'en aller le plus dignement possible.

– Il s'est écoulé plus de douze heures depuis qu'on a donné l'alarme, pour Craig, poursuivit Gemma, sans songer à mettre le contact. La rumeur, ça galope. Donc... c'est plausible. Mais en ce qui concerne Becca, Abbott avait des réponses toutes prêtes, et elle m'a paru au bord de la panique. Je pense qu'elle n'est pas étrangère à la mort de Becca Meredith.

Chris Abbott craignait-elle que la vérité ne ruine sa carrière et sa réputation, au point de tuer pour les préserver ?

– Becca lui avait peut-être dit à quel moment elle s'entraînait, rétorqua Melody, pensive. Mais quand même... Abbott aurait eu besoin de temps pour épier Becca, trouver le bon endroit pour tendre son embuscade. Entre le travail et les enfants... elle doit jongler. D'un autre côté, elle a fait de l'aviron, elle était capable de retourner le bateau et maintenir Becca sous...

– Les enfants, coupa Gemma. Bon Dieu... L'âge de ses enfants figure-t-il dans le dossier ?

Melody reprit le document dans son sac et le feuilleta.

– Ah voilà... L'aîné, Landon, a neuf ans. Logan, le cadet, a quatre ans.

– Quatre ans ? répéta Gemma dont l'estomac se noua. Merde... Il a quatre ans, Melody. Et nous, on est des cruches.

Les yeux de Melody s'arrondirent.

– Bon sang... Le petit. C'est l'enfant de Craig, n'est-ce pas ? Un violeur n'utilise pas de préservatifs. Mais pourquoi elle n'a pas avorté... ?

– Elle est peut-être dans le déni. Ou alors elle désirait un autre enfant, et comme elle ne savait pas vraiment de qui il était...

– Ou encore elle ne voulait pas dire à son mari ce qui s'était passé, du moins pas toute la vérité. Elle s'en est peut-être tenue à l'histoire qu'on a là, dans sa déposition, pour ne pas avouer qu'elle était montée dans la chambre de Craig. Même si elle l'a fait innocemment, ça pouvait semer le doute dans l'esprit d'un mari jaloux.

Gemma se remémora les photos, le bras possessif de Ross Abbott sur les épaules de sa femme. Cet homme-là n'accepterait jamais que son petit garçon soit l'enfant d'un autre. En aucun cas, et surtout pas dans les circonstances qui avaient présidé à la conception de cet enfant.

– Après la visite de Becca le samedi, Ross Abbott a découvert la vérité. Et Chris lui a dit ce qu'elle savait de l'emploi du temps de Becca...

Un mouvement dans le rétroviseur attira soudain l'attention de Gemma.

Chris Abbott était sortie de chez elle et courait en fouillant dans son sac vers une Mercedes blanche. Elle ouvrit la portière, s'engouffra dans la voiture dont les feux de position s'allumèrent. Le jour tombait déjà.

– Patron ? dit Melody.

– Qu'est-ce qu'elle fabrique ? marmonna Gemma. Il s'est passé quelque chose.

Elle mit le contact, les yeux rivés sur le rétroviseur.

– Patron..., répéta Melody.

Mais Chris Abbott démarrait sur les chapeaux de roues. Gemma déboîta, faillit emboutir la Lexus garée devant elle et, dans un hurlement de pneus, s'arrêta en travers de la chaussée.

Chris Abbott pila et jaillit de la Mercedes.

– Qu'est-ce que vous foutez, bordel ? vociféra-t-elle. Bougez votre poubelle de là, espèce de...

Elle reconnut alors Gemma.

– C'est vous, dit-elle d'une voix rauque.

– Où allez-vous, Chris ? demanda Gemma, retenant Melody qui s'apprêtait à sortir de l'Escort.

– Ça ne vous regarde pas. Laissez-moi passer, dit Abbott dont la bouche ne formait plus qu'un mince trait livide.

– Je ne bouge pas, et vous non plus, à moins que vous reculiez, ce qui sera difficile.

Une voiture arrivait dans la rue, ralentissait. Un autre automobiliste en colère se mettrait bientôt de la partie, pensa Gemma.

– Appelez les renforts, murmura-t-elle à Melody.

Abbott jeta un coup d'œil par-dessus son épaule, vit la voiture.

– Sortez-vous de là, cracha-t-elle, ou je vous garantis que votre carrière ne vaudra pas tripette !

– Ça ne marche pas avec moi, répliqua calmement Gemma. Vous êtes un flic, Chris. Quoi que vous ayez fait, la seule solution pour vous, c'est de parler. Maintenant.

– Mais je n'ai rien fait ! cria Chris Abbott. Vous dites n'importe quoi. Si vous ne me laissez pas partir, vous le regretterez. Moi, je ne serai pas responsable.

– Responsable de quoi, Chris ?

– Les renforts arrivent, chuchota Melody, reposant le téléphone qu'elle dissimulait au creux de sa main.

– Je ne sais pas ! répondit Chris Abbott avec désespoir, brusquement vidée de sa rage. Mais je... Mon arme a disparu.

– Votre arme ?

Affolée, Gemma pensa à Duncan. Où était-il à cet instant ? Mais pourquoi ne l'avait-elle pas appelé pour lui exposer ses soupçons ?

– N'ayez pas l'air aussi surprise. À la brigade des mœurs, on connaît des gens qui savent où se procurer... tout ce que vous voulez. Après ce salaud de Craig, je me suis juré qu'une chose pareille ne m'arrivait plus jamais. Vous auriez fait comme moi.

– Sûrement, acquiesça Gemma. Surtout si je m'étais dit qu'il me faudrait peut-être protéger mes enfants.

Elle vit son interlocutrice se détendre. Même si Abbott avait elle-même utilisé cette tactique des centaines de fois, son corps n'en réagissait pas moins à la voix douce de Gemma.

– Où est votre arme, Chris ? poursuivit-elle, comme si elle s'adressait à une vieille amie. Pensez à vos enfants. Ils ont besoin de vous, alors vous devez prendre la bonne décision.

L'automobiliste, un barbu, fit un appel de phares, klaxonna. Gemma le traita mentalement de tous les noms d'oiseau. Il ne manquerait plus qu'il cherche la bagarre.

Baissant sa vitre, il claironna :

– Fin du spectacle, mesdames ! On n'est pas au Globe[1] !

---

1. Théâtre londonien célèbre pour avoir abrité les pièces de William Shakespeare.

Une sirène hulula au loin. Chris Abbott tourna la tête en tous sens. Pas d'issue. Elle lâcha prise d'un coup, son dos ploya, la peur creusa son visage mince.

– Je cache mon arme dans l'armoire de la chambre, sur l'étagère du haut, pour que les enfants ne la trouvent pas. Elle n'y est plus. C'est Ross qui l'a prise.

– J'ignore où est Ross, dit Freddie. Il est parti très vite, je vous l'ai dit.

– Il habite Henley ? demanda Kincaid.

Il était en proie à un sentiment d'urgence si violent qu'il en avait les mains moites. Or, il devait aider Freddie à garder son calme, l'empêcher de penser à ce que Craig avait fait à Becca, sinon il n'y aurait plus rien à en tirer.

– Non, il vit à Barnes, répondit Freddie, dérouté. Mais il est membre du club d'aviron de Henley. Pourquoi ?

– Il n'est pas membre du Leander ? s'étonna Doug. Un ancien Blue d'Oxford...

Freddie s'écarta, se retourna, puis s'approcha de la table de salle à manger et tira une chaise sur laquelle il ne s'assit pas.

– À vrai dire, certains membres du club ne l'apprécient pas. Ross aime bien se vanter, il fait un peu trop étalage de ses richesses, de ses relations. Il n'est pas le seul, notez. Mais à l'entendre, ajouta Freddie avec un petit rire amer, on croirait qu'il a gagné la Boat Race. Enfin bref, sa demande d'adhésion a été... refusée.

– Et vous êtes encore amis ?

– On est restés en contact. En fait, c'est lui qui reste en contact. Quoique je n'avais pas eu de nouvelles depuis un certain temps avant que Becca... Son coup de fil m'a surpris. J'avais entendu dire qu'il avait fait pour sa société des investissements hasardeux. Mais le jour où il m'a accompagné à la morgue, il m'a affirmé que tout allait bien. Super bien, même. Il m'a chanté les louanges de sa nouvelle bagnole, je me rappelle avoir pensé que c'était du Ross tout craché.

– Que vous a-t-il dit d'autre, ce jour-là ?

357

– Que Chris avait appris la mort de Becca par les collègues. Que, tous les deux, ils étaient... désolés. Mais...

Freddie s'interrompit, le regard dans le vide, la jointure de l'index pressée contre ses lèvres.

– ... pendant qu'on buvait un verre, il m'a demandé avec insistance où en était l'enquête sur la mort de Becca. Il m'a fait remarquer qu'on pouvait me suspecter. Qu'on puisse me soupçonner de l'avoir tuée... Ça ne m'avait même pas effleuré.

Kincaid capta le coup d'œil que lui lançait Doug – ils étaient sur la même longueur d'onde. Tout en glanant des renseignements, Ross Abbott avait essayé de faire peur à Freddie, peut-être dans l'espoir qu'il commette un impair et que la police porte ses soupçons sur lui. Ça sentait la préméditation à plein nez. Et le sadisme.

– Mais pourquoi vous me posez des questions sur Ross ? Et pourquoi le chien de Kieran l'a-t-il attaqué de cette façon ?

Pourquoi, en effet ? songea Kincaid. Finn avait-il reconnu l'odeur de Ross parce qu'il l'avait déjà flairée sur la scène de crime ? Le labrador aurait-il eu peur parce qu'il associait cette odeur avec la douleur de Kieran, quand il avait découvert le corps ? Une hypothèse quelque peu tirée par les cheveux...

Kincaid sursauta. Le feu, bien sûr. La terreur du chien et de son maître. Si Ross Abbott avait incendié le hangar, Finn avait une bonne raison de devenir agressif.

À l'heure qu'il était, Kieran avait dû aboutir à la même conclusion.

Mais il restait encore un détail incompréhensible.

– Vous dites avoir vu Kieran hier. Où donc ?

Freddie hésita. Il paraissait gêné et se cramponna au dossier de la chaise, comme s'il avait besoin d'un bouclier.

– Ça n'a aucune importance.

– S'il vous plaît, Freddie. C'est très important. Où étiez-vous ?

– Je suis allé voir le hangar. Pour voir où il vivait. Où Becca et lui... C'était débile. J'étais planté là, comme un imbécile, quand Kieran est arrivé avec les chiens. Il a dû me trouver bizarre, mais je lui ai expliqué que je venais le remercier. J'ai traversé le fleuve avec lui. On a discuté. C'était... bien, dit Freddie, comme si cela le surprenait encore. Il m'a l'air d'un type bien. Dommage pour son atelier, mais peut-être qu'il pourra remettre tout ça d'aplomb. Et puis...

Freddie se décida à regarder Kincaid dans les yeux.

– ... j'ai vu le bateau qu'il construisait pour Becca. C'est une...

Il n'acheva pas sa phrase, les mots lui manquaient.

– Avez-vous aperçu Ross dans les parages ?

– Ross ? Non... J'étais ici quand il m'a téléphoné. Il m'a donné rendez-vous au Red Lion. Et c'est là qu'il a commencé à me bombarder de questions sur Craig.

– Lui avez-vous parlé de Kieran ? Lui avez-vous dit où il logeait ?

– Mais non ! répliqua Freddie, outré. Je vous le répète, Ross est parti tout de suite après qu'on a rencontré Kieran dans la rue. Et pourquoi diable voudrait-il connaître son adresse ?

Kincaid ne répondit pas. Il se représentait la scène. La place du marché au crépuscule, Kieran qui s'efforçait de maîtriser les chiens, puis s'éloignait.

Ross avait vu quelle direction il prenait. Peut-être l'avait-il suivi, et même s'il était trop loin pour repérer dans quelle maison entrait Kieran, il avait pu faire le pied de grue en espérant le voir reparaître.

Ross Abbott était patient.

En proie à une appréhension grandissante, Kincaid composa le numéro de portable de Kieran.

Deux sonneries, trois, puis une voix féminine, un « allô ? » hésitant.

– Pardon de vous déranger, mais je cherche à joindre Kieran...

– Commissaire ? C'est Tavie. Il a oublié son téléphone dans ma cuisine, ça m'étonne, je...

– Savez-vous où il est ?

– Il a laissé un mot, il dit qu'il va au cottage. Le cottage de... Becca Meredith ? Mais pourquoi maintenant ? ajouta Tavie, et Kincaid sentit qu'elle était un peu blessée.

– Il ne le dit pas ?

– Non.

– Il est parti depuis longtemps ?

– Il n'était pas rentré quand je suis allée faire les courses, il y a une heure. Donc ça fait moins d'une heure qu'il est là-bas.

– Il a emmené Finn ? demanda Kincaid, car soudain il lui semblait capital que Kieran ne soit pas seul.

– Oui, mais il n'a pas pris Tosh. Commissaire, je...

– Restez où vous êtes, Tavie. Je vous expliquerai plus tard. Si Kieran revient, qu'il m'appelle tout de suite. Surtout qu'il ne ressorte pas, et n'ouvrez la porte à personne.

Il raccrocha avant qu'elle ait pu lui poser d'autres questions.

Freddie le regardait d'un air ahuri, mais Doug avait saisi la situation.

– Où est-il ?

– Chez Becca. Freddie, avez-vous la clé du...

La sonnerie de son portable l'interrompit. Croyant que c'était Kieran, Kincaid poussa un soupir de soulagement.

– Dieu merci, vous voilà.

– Duncan ?

– Gemma ? Excuse-moi, ma chérie, mais je ne peux pas te parler, je...

– J'ai quelque chose à te dire, coupa-t-elle. J'aurais dû te prévenir plus tôt. C'est à propos d'un dénommé Ross Abbott...

– Je sais qui est ce Ross Abbott. Mais comment as-tu... Peu importe. Qu'y a-t-il ?

– Je pense qu'il avait peut-être une bonne raison de tuer Becca Meredith. Il est armé, et je ne sais pas trop ce qu'il a l'intention de faire...

– Moi, je le sais.

360

Kieran prit la clé cachée sous un pot de fleurs, à l'angle de la maison. Le tonnerre grondait, une rafale de vent fouettait la pluie.

L'orage éclaterait bientôt, Kieran le sentait. Il avait la tête lourde, sur le point d'exploser. Finn gémissait sourdement, il connaissait les signes avant-coureurs aussi bien que son maître.

Un autre coup de tonnerre, plus violent. Kieran se redressa, vacilla.

– Ça va aller, mon grand.

Le mauvais temps ne l'empêcherait pas de faire ce qu'il avait à faire.

L'obscurité enveloppait le perron. À tâtons, il introduisit la clé dans la serrure, regrettant d'avoir laissé sa torche électrique dans le Land Rover.

Se garer juste devant le cottage lui avait fait une drôle d'impression. Avant, il s'arrêtait toujours près de l'église, pour ne pas donner aux voisins matière à cancaner, comme disait Becca. À présent il se demandait si elle ne voulait pas aussi ménager Freddie.

Il poussa la porte, pénétra dans le vestibule, Finn sur ses talons, et actionna l'interrupteur.

Une chaude lumière inonda le salon familier. Une bouffée de souvenirs lui serra le cœur. Il n'avait pas imaginé à quoi ressemblerait le cottage en l'absence de Becca.

– Elle n'est pas absente. Elle est morte, dit-il à voix haute.

La photo était sur l'étagère de la bibliothèque, sa mémoire ne l'avait pas trompé. Il s'en saisit et s'assit sur le canapé, à côté de la lampe. Finn se coucha à ses pieds.

Il examina le cliché. Il reconnut Freddie, incroyablement jeune, qui fixait l'objectif d'un regard intense, insolent.

Et près de Freddie, l'homme qu'il avait vu devant le Red Lion. Plus jeune, plus mince, la mâchoire plus ferme. Mais c'était bien lui.

Il se remémora alors ce que Becca lui avait raconté, lorsqu'elle lui avait montré cette photo, dans ce salon, sur ce canapé, à la lumière de cette même lampe. C'était un soir à la fin de l'été, ils avaient fait l'amour par terre puis, blottis sous un plaid, parlé d'aviron. En réalité, l'aviron était leur unique sujet de conversation.

– C'est très facile de droguer un rameur avant une course. Tu le savais ? avait-elle dit.

– Il paraît que ça se pratique parfois. Mais je n'en ai jamais été témoin.

– Moi si.

Elle s'était levée, toute nue, pour aller prendre la photo dans la bibliothèque. Il avait admiré son dos svelte et musclé. Elle était revenue se lover contre lui sur le canapé.

Elle avait effleuré le visage de cet homme. Il était toujours frappé par la finesse de ses mains, rare chez une femme de cette taille – si l'on omettait, bien sûr, ses paumes rendues calleuses par le maniement des avirons.

– Ce type, là, n'avait même pas le niveau pour l'équipage de remplaçants. Mais il estimait mériter beaucoup mieux, il était convaincu d'avoir l'étoffe d'un Blue. Il a râlé et pleurniché pendant des semaines, jusqu'à ce que Freddie lui dise de la boucler et de bosser. Ensuite il s'est tenu tranquille, et je n'y ai plus pensé. Quand ça m'est revenu à l'esprit, c'était trop tard.

– Que s'est-il passé ?

– En principe, avant la course, l'équipage était littéralement séquestré. Mais la veille, les épouses et les petites copines ont été invitées à la conférence de presse et au cocktail. Les Blue n'avaient pas le droit de boire de l'alcool, ils étaient tous à la limonade, comme il convient à des sportifs de haut niveau. On leur avait quand même, pour compenser, servi quelques délicieux canapés.

« Mais les autres buvaient de l'alcool. Et quand je l'ai vu – elle avait tapoté le visage sur la photo – échanger son verre avec le verre de son homologue des Blue, j'ai cru que c'était juste une farce. Une larme de vodka dans du jus de fruits, un truc comme ça.

Elle avait regardé Kieran, et dans ses yeux noisette brûlait une colère que le temps n'avait pas apaisée.

– Mais le lendemain, quand je l'ai vu dans le bateau des Blue... je n'en suis pas revenue. J'avais réussi à embarquer sur un des canots à moteur qui suivaient la course. Pourtant, ce jour-là, il faisait froid, un temps de chien. Ce n'était pas très agréable, mais je voulais voir Freddie gagner. C'était tellement important pour lui, pour tout l'équipage. Ils avaient travaillé dur, et ils étaient tous des amis.

– Qu'était-il arrivé au gars des Blue ?

– Il était malade, à ce qu'on disait. Une intoxication alimentaire, peut-être à cause des canapés aux huîtres du cocktail. Plus tard, j'ai appris qu'il avait fallu l'hospitaliser parce qu'il était complètement déshydraté. Quelle aubaine pour son remplaçant ! Sauf que son remplaçant ne valait pas un clou. Il n'était pas assez affûté, pas assez bon. À mi-course, c'était déjà un poids mort. Oxford n'avait plus la moindre chance de vaincre. Mais lui, il avait son putain de maillot des Blue.

– Et ensuite ? Tu as signalé ce que tu avais vu ?

– Non, et je ne me le suis jamais pardonné. Mais, tu comprends, sa fiancée était une de mes meilleures amies. On s'entraînait ensemble, on avait prévu d'entrer ensemble à l'académie de police, après la fac. Quand je lui ai raconté ce qui s'était passé, elle a dit que je devais me tromper. Elle m'a supplié de ne pas en parler, de lui rendre ce service. De toute façon, je n'avais aucune preuve. Je n'en aurais pas eu besoin, note bien. La rumeur aurait suffi à le mettre définitivement au ban de la sacro-sainte communauté des Blue.

– Alors, tu n'as rien dit ? Pas même à Freddie ?

– Non, puisque j'avais fait une promesse à mon amie. Mais ça n'a rien changé. Notre amitié était foutue, ce secret l'a rongée comme un cancer. Elle avait une dette envers moi, et elle s'est mise à me haïr. Si je l'avais trahie, ça n'aurait pas été pire. Au contraire, on aurait peut-être pu surmonter une trahison.

– Et pourquoi tu m'en parles à moi ? avait-il demandé en écartant doucement une mèche qui lui tombait sur la figure.

Elle avait haussé les épaules.

– Parce que... tu ne les connais pas. Tu n'appartiens pas à ce petit monde. Tant mieux...

Elle lui avait caressé la joue puis avait promené son doigt sur son bras nu, jusqu'à ce qu'il frissonne. Mais elle avait les yeux dans le vague.

– Et je te l'ai dit aussi, avait-elle murmuré, pour me rappeler que le secret, c'est une gangrène.

L'image de Becca, un instant si vivace, s'estompa. Kieran se retrouva seul dans le cottage glacé, une photo entre les mains.

La photo d'un homme qui avait assassiné Becca et voulait le tuer, il en était à présent certain. Mais si ce type projetait d'éliminer Becca afin qu'elle ne divulgue pas son secret, pourquoi avait-il attendu si longtemps ? Qu'est-ce qui l'avait brusquement poussé à agir ?

Le tonnerre gronda, la pluie mitrailla les vitres du cottage. Kieran sursauta, laissant échapper la photo qui tomba sur le tapis aux teintes fanées.

Il crut entendre un autre bruit, sous le crépitement de la pluie, mais ne put le localiser. Ses oreilles bourdonnaient, il avait les mains moites, un épouvantable mal de tête. L'orage provoquait en lui cette brutale poussée d'adrénaline qu'il apprenait si laborieusement à contrôler.

Finn leva la tête, aux aguets. Je ne suis peut-être pas dingue, pensa Kieran. Lui aussi a entendu quelque chose.

Comme un claquement de portière, ou un autre bruit de ce genre, banal. Un voisin qui rentrait chez lui, quelqu'un qui appelait son chat en vadrouille sous la pluie. Il ne s'agissait pas d'un tir d'obus. Pas ici.

Il n'avait plus qu'à se calmer, ne pas oublier que son esprit pouvait commander son corps. Tout irait bien si...

Finn se redressa si brutalement qu'il heurta les genoux de son maître. Ses poils se hérissèrent le long de son échine.

Il se mit à grogner.

364

Tavie avait trimé pour se bâtir une nouvelle vie, elle appréciait énormément son célibat, pourtant la maison sans Kieran, si grand et parfois si empoté, lui paraissait étrangement et désagréablement vide.

Pourquoi était-il allé au cottage de Becca Meredith ? Parce qu'il était triste ? Dans ce cas, à en juger par les mots griffonnés sur l'ardoise de la cuisine, la tristesse lui était subitement tombée dessus. Et il était parti en toute hâte, puisqu'il avait oublié son téléphone.

Quant au commissaire Kincaid, il s'était montré brusque avec elle. Pas impoli, mais abrupt – un ton qu'elle connaissait bien, celui d'un homme aux commandes confronté à une situation pressante. Il n'avait cependant pas dit où il était, ni combien de temps il lui faudrait pour retrouver Kieran.

Qui était seul dans cette maison de Remenham, face à un danger indéfini... Soudain, sa décision fut prise. Elle empocha le téléphone de Kieran, au cas où le commissaire rappellerait, et se précipita dans le vestibule.

Un aboiement l'arrêta. Tosh, qui dansait sur place, mordilla la laisse pendue à la patère.

– Tu as envie de venir, ma belle.

Tavie hésitait. À chaque mission, elle faisait courir un risque à Tosh, mais c'était le boulot de la chienne et celui de sa maîtresse, qui en connaissait les règles et les écueils. Mais là... elle ignorait à quoi elle s'exposait.

S'inquiéter pour Kieran suffisait amplement, elle ne mettrait pas Tosh dans une situation peut-être périlleuse.

Elle s'accroupit, ferma sa main sur le museau de la chienne.

– Non, ma belle. Ce soir, tu restes ici.

Elle embrassa du regard son nid douillet, fourra distraitement la laisse dans sa poche, et ébouriffa la fourrure de Tosh.

– Tu gardes la maison.

Ils avaient pris l'Astra, malgré les protestations de Freddie – sa BMW était plus rapide et, soi-disant, il ferait le trajet les yeux fermés. Mais Kincaid refusait de laisser un civil conduire. Accepter de l'emmener était une concession amplement suffisante, pour ne pas dire déraisonnable.

Il avait accepté uniquement parce que Freddie connaissait bien Ross Abbott. Peut-être réussirait-il à convaincre son ami de ne pas commettre de folie.

S'il n'était pas trop tard.

Il tombait des hallebardes, à présent, les essuie-glaces s'activaient en vain, et Kincaid avait du mal à voir la route. Il ne savait pas du tout à quelle distance ils étaient du cottage.

– On y est, dit soudain Freddie. Éteignez les phares.

– Je n'y vois déjà rien, grommela Kincaid qui pourtant s'exécuta.

Le paysage alentour se mua en image négative, tout en noir et argent.

– Maintenant vous coupez le moteur. Garez-vous sur le bas-côté. On est tout près.

Freddie rêvait-il en secret de jouer les généraux menant une opération tactique ? Dans l'immédiat, Kincaid préférait cependant se fier à son jugement.

La pluie se referma sur eux comme un rideau, martelant le toit de la voiture.

Puis le déluge s'apaisa quelque peu, et Kincaid aperçut la silhouette sombre d'une autre automobile garée un peu plus loin.

– La bagnole de Ross, dit sobrement Freddie.

Les pires craintes de Kincaid se réalisaient. Doug avait demandé des renforts, mais dans combien de temps seraient-ils là ?

– Vous ne voulez pas que je les rappelle, patron ? dit Doug d'une voix crispée.

– On n'a pas le temps. Il faut y aller, répondit Kincaid.

Prenait-il la bonne décision ? De toute façon, il ne pouvait pas rester là à attendre, en sachant que la vie de Kieran était en danger.

– Eh ben, on va être trempés comme des soupes, commenta Doug avec une nonchalance qui sonnait faux.

– Donnez-moi vos clés, Freddie. Vous restez derrière nous, sauf contrordre. D'accord ?

Kincaid ne se retourna pas pour vérifier que Freddie acquiesçait.

– On y va. Sans bruit.

Mais personne ne risquait de les entendre fermer les portières. Sitôt sorti de la voiture, Kincaid fut mouillé jusqu'aux os. L'eau collait ses cheveux à son crâne, ruisselait sur sa figure. Doug ôta ses lunettes et les glissa dans la poche intérieure de sa veste. De toute façon, avec ou sans, il n'y verrait pas mieux. Quel trio de choc, pensa Kincaid.

Pour couronner le tout, Freddie dut passer le premier pour les guider. Ils longèrent le bas-côté, la voiture de Ross mal garée près du portillon du jardin. On voyait de la lumière dans l'entrebâillement des rideaux du salon.

Kincaid, qui maintenant se repérait, fit signe à Doug et Freddie de reculer. Un filet de lumière filtrait aussi par la porte entrouverte.

Il se faufila jusqu'au perron. Il eut l'impression fugitive d'être aussi ridicule qu'un flic de série américaine. Au cours de sa carrière, il avait rarement regretté de ne pas avoir d'arme, mais là c'était le cas.

Il lui sembla entendre un grognement sourd.

Il se glissa dans le petit vestibule, vit Kieran assis par terre, appuyé contre le canapé du salon, les bras noués autour de Finn. Le labrador montrait les dents, toute son attention concentrée sur l'homme campé entre Kieran et Kincaid, à qui il tournait le dos.

Ross Abbott, supposa Kincaid.

Abbott lut dans les yeux de Kieran que quelqu'un était entré.

Il pivota d'un bloc. Il tenait un pistolet de petit calibre, qui avait l'air d'un joujou dans sa grosse main, mais pouvait assurément causer des dommages irréparables. L'arme tressauta quand Abbott recula, essayant d'avoir Kincaid et Kieran dans sa ligne de mire. À l'évidence, il n'était pas un as de la gâchette, ce que Kincaid ne jugea pas vraiment rassurant.

– Reculez, ordonna Abbott.

Kincaid leva les mains, paumes ouvertes, et s'avança dans la pièce.

– Vous êtes Ross, n'est-ce pas ? Posez donc ce pistolet. Tout cela n'est qu'un malentendu, j'en suis persuadé. Au fait, je m'appelle Duncan, ajouta-t-il en avançant encore.

– Vous êtes un putain de flic. Me prenez pas pour un con. Vous croyez que je ne reconnais pas un flic, quand j'en vois un ?

Abbott paraissait au bord de l'hystérie, mais instinctivement il s'était rapproché de la porte, ce qui laissait à Kincaid plus de place pour manœuvrer.

– Votre femme s'inquiète pour vous.

Gemma lui avait rapporté tout ce qu'elle avait appris de Chris Abbott. À lui, maintenant, de définir ce qu'il devait dire au mari.

– Vous avez parlé à ma femme ? Espèce de salopard, cracha Abbott en braquant le pistolet sur Kincaid.

Le grognement de Finn se mua en grondement féroce. Du coin de l'œil, Kincaid vit les bras de Kieran se resserrer autour du labrador.

– Votre femme s'est confiée à l'une de mes collègues. Nous savons ce qu'Angus Craig lui a fait subir. Vous avez de bonnes raisons d'être furieux. Mais Craig est mort, les secrets sont désormais inutiles.

– Ouais… Et moi, je suis le père Noël ! Lui… – Il pointa son arme vers Kieran. – Il m'a vu. Au bord de l'eau. Lui, il ne sortira pas d'ici. Et vous non plus.

– Et moi, Ross ? dit alors Freddie. Tu vas aussi descendre ton vieux copain ?

Doug se tenait à présent derrière Freddie et avait remis ses lunettes. Kincaid ravala un juron. Il fallait à présent tenter de limiter les dégâts. Avant que l'un d'eux réussisse à désarmer Abbott, combien celui-ci pouvait-il faire de victimes ?

Il n'était plus temps de recourir à des subterfuges. Mais il pouvait essayer de parlementer.

– Ne faites pas l'imbécile, mon vieux. Votre femme sait tout, et nous aussi. Si vous blessez quelqu'un, ça ne fera qu'aggraver les choses pour vous et votre famille.

Abbott ne l'écoutait pas, il se focalisait sur Freddie.

– Tu n'es qu'une merde, Atterton. Tu m'as toujours bassiné avec ton baratin sur l'esprit d'équipe. Des conneries. Ça t'allait bien de dire ça, tu étais meilleur que nous. Tu me regardais de haut, et tu crois que je m'en rendais pas compte ?

Ses lèvres se retroussèrent dans un affreux rictus.

– Pendant ces quinze dernières années, j'ai eu envie de te buter, et maintenant je vais le faire. Quel pied !

Kincaid banda ses muscles, calculant la distance qu'il avait à franchir pour atteindre Abbott, priant pour que Freddie retienne son attention encore un instant.

Mais ce fut Kieran qui prit la parole :

– Qu'est-ce que Craig et la femme de ce salaud viennent faire là-dedans ? Il a tué Becca parce qu'elle connaissait la vérité.

Ross se tourna vers lui d'un bond, le menaçant de son arme, mais Kieran ne parut pas s'en soucier.

– Il a triché le jour de la Boat Race. Becca me l'a raconté. Il a drogué un rameur pour prendre sa place. Et à cause de lui, Oxford a perdu. Mais sa femme était l'amie de Becca, et Becca lui a promis de se taire.

– Cette garce ! s'écria Abbott. Vous mentez, vous...

Freddie s'approcha de lui.

– C'était donc ça, dit-il avec un mépris cinglant. Tu lui as fait ingurgiter des laxatifs ? Je m'en suis toujours douté, figure-toi. Cette intoxication alimentaire, c'était vraiment trop commode. Seulement voilà, je ne pouvais pas accuser un coéquipier. N'est-ce pas ? Ça n'aurait pas été fair-play, et on n'avait pas besoin de ça. Mais Becca... elle savait tout. Elle s'en est servie contre toi. N'est-ce pas ? Quand Chris a refusé de l'aider à faire tomber Craig, elle a menacé de tout révéler. Tu ne t'en serais pas relevé. N'est-ce pas, Ross, mon ami ? Tu as trahi ton équipe. Si les gens l'avaient su, plus personne ne t'aurait adressé la parole. Tu aurais été blacklisté jusqu'à la fin de tes jours. Pendant quinze ans tu as vécu sur ce fonds de commerce, tu as fourgué ta camelote à tous ceux qui étaient éblouis d'avoir affaire à un ancien Blue. Et Becca allait te prendre tout ça. Alors, tu l'as assassinée, espèce de minable...

— La ferme ! hurla Abbott. Boucle-la !

Mais Freddie s'approcha encore.

— Tu avais désespérément besoin de fric. N'est-ce pas, Ross ? Tout s'écroulait. C'est toi qui te noyais.

Si Freddie escomptait pousser Abbott à capituler, sa stratégie était un échec total. Kincaid le lut sur le visage d'Abbott. Et derrière Freddie, il vit Doug pâlir.

Il fallait arrêter ça, coûte que coûte.

— Ross, on peut..., commença-t-il.

Mais Freddie semblait résolu à jeter de l'huile sur le feu.

— Tu ne crois quand même pas que tu vas tous nous descendre et t'en sortir ? Après ce que tu as fait ?

— Tu vas voir, dit Abbott, pointant le pistolet vers la poitrine de Freddie.

Il y eut un mouvement brusque. Une masse noire. Finn avait réussi à se libérer et bondissait sur Ross. Celui-ci se retourna et fit feu, par réflexe.

Le chien s'effondra en gémissant. Abbott tituba jusqu'à la porte, comme ébranlé par le recul de l'arme. Kieran sauta sur ses pieds avec un cri de rage et d'effroi.

Kincaid plongea, visant le bras droit de Ross. À cette seconde, une silhouette franchit en trombe le seuil de la pièce, armée d'un long bâton.

Une femme. Tavie. Et ce n'était pas un bâton qu'elle brandissait, mais un aviron qui s'abattit sur l'épaule d'Abbott. Le pistolet tomba, rebondit sur le sol et glissa sous la table.

Kincaid fonça sur Abbott et l'entendit grogner de douleur quand il s'écroula. Il le plaqua au sol, Freddie et

Doug lui bloquèrent bras et jambes pour l'empêcher de se débattre. Freddie l'attrapa par les cheveux et lui cogna le crâne contre le plancher.

– Stop ! ordonna Kincaid. Ça suffit. Contentez-vous de le maintenir !

Mais Freddie, ivre de fureur, continua.

Tavie, tel un frêle ninja, brandissait l'aviron, prête à frapper encore.

– Ne le lâchez pas, marmonna Kincaid en tripotant maladroitement sa ceinture.

Abbott était à plat ventre, et Kincaid ne voulait pas qu'il change de position. Les menottes... pourquoi ces fichues menottes n'étaient-elles jamais à leur place quand il en avait besoin ?

– Tenez, dit Tavie, c'est la laisse de Tosh, je l'ai emportée machinalement.

Kincaid enroula la souple lanière de cuir autour des poignets d'Abbott et serra de toutes ses forces.

– Mais c'est la pelle de Becca, celle du temps d'Oxford, dit Freddie à Tavie. Vous l'avez trouvée où ?

– À côté de la porte, j'ai pris la première chose qui m'est tombée sous la main. Mais je... Oh, mon Dieu ! s'exclama-t-elle soudain. Finn !

Kincaid s'aperçut alors que Kieran n'avait pas bougé. Il était par terre, au milieu du salon, il tenait Finn dans ses bras.

Il n'y avait pas de sang sur le plancher, mais le chien était pantelant, on voyait le blanc de ses yeux. Et quand Tavie s'accroupit auprès de Finn et de son maître, celui-ci lui montra ses doigts, tout rouges.

– Non, murmura-t-il en dardant sur Tavie un regard suppliant. Pitié, non. Je ne... je ne sais pas si c'est grave.

Tandis que Tavie palpait le labrador de ses petites mains habiles en lui parlant doucement, Kincaid s'écarta d'Abbott. Freddie lui maintenait les épaules au sol. Doug, à califourchon sur ses jambes, criait dans son téléphone qu'il leur fallait des renforts, une ambulance, et *un véto, bon Dieu !*

Abbott jurait comme un charretier, Freddie lui répétait obstinément de la boucler, sinon il l'assommait.

Eh bien, songea Kincaid, en proie à une stupeur rétrospective, on est tous sains et saufs.

À l'exception de Finn.

Finn qui avait identifié l'assassin de Becca. Qui avait fait tout son possible pour les protéger. Kincaid ne supportait pas l'idée que Kieran, qui avait déjà perdu tant de choses, perde aussi son compagnon.

Il ramassa le pistolet sous la table. Puis, sans cesser de surveiller Abbott et ses deux gardes-chiourme, il s'approcha de Tavie et de Kieran.

Elle avait confectionné une compresse avec le sweat-shirt de Kieran, la laine écrue était déjà tout imbibée de sang. Apparemment, Finn était blessé à l'épaule, et non à la tête ou au poitrail.

– Votre diagnostic ? demanda Kincaid.

Tavie leva les yeux, repoussant les cheveux qui lui balayaient le front ; ses doigts laissèrent sur sa peau une traînée rougeâtre.

– Je ne sais pas trop, en principe je soigne les humains, mais je ne pense pas que ce soit trop grave. Je vois les orifices d'entrée et de sortie de la balle, dans l'épaule. Les os et les organes semblent intacts.

– Tu es un bon chien, murmura Kieran.

Finn remua la queue. Son maître avait la voix rauque, mais ses mains ne tremblaient pas.

– Ça va aller, dit-il, plus fort, comme pour se rassurer lui-même.

S'il s'adressait à Finn, ce fut le regard de Tavie qu'il chercha.

– Tout va s'arranger.

25

« Qu'y a-t-il au monde de plus fascinant qu'une eau vive et la faculté de glisser à sa surface ? Quelle meilleure image de l'existence et d'un possible triomphe ? »

George Santayana,
The Lost Pilgrim

L E DIMANCHE, à l'heure du déjeuner, Kincaid était dans son bureau du Yard, il mettait la dernière main à ses rapports. En milieu de matinée, il avait renvoyé chez lui, avec une certaine brusquerie, Doug qui s'attardait, s'inventait du travail et semblait de plus en plus angoissé et morose.

– Allez donc déballer vos cartons, lui avait-il ordonné.

– Il faudra bien que je vous corrige ça, avait protesté Doug, montrant le document affiché sur l'écran de l'ordinateur.

– Je suis quand même capable de rédiger tout seul un rapport à peu près correct.

Kincaid savait ce qu'éprouvait Doug, et le pousser à en parler n'arrangerait pas les choses.

– La semaine prochaine, on ira boire une bière, dit-il. Et dès que vous serez installé, on viendra dîner. Si vous avez le courage de nous inviter, bien sûr.

– Ouais, rétorqua Doug qui fourra les mains dans ses

poches et fit tinter ses clés. Je testerai les traiteurs de Putney.

– Ça vous occupera, si votre nouveau chef ne vous donne pas assez de boulot.

Doug salua cette boutade par un sourire crispé – ça ne méritait pas mieux.

Il y avait eu un long silence gêné, entre ces deux hommes qui ne parvenaient pas à se séparer dignement.

– Je reviendrai, avait finalement dit Kincaid. Vous vous en sortirez très bien.

Doug avait acquiescé, remonté ses lunettes sur son nez.

– Ouais… Merci. Bon, eh bien alors, à bientôt.

Tête basse, Doug s'en était allé.

Son départ laissa Kincaid face à la réalité. Il resterait absent deux mois, sauf s'il s'avérait que Charlotte était prête à entrer à la maternelle. Sa vie allait changer d'une manière qu'il n'imaginait pas encore, et il ne savait pas trop qu'en penser.

Il lambina, contemplant le décor familier de son bureau, songeant à son métier, le socle de son identité depuis tant d'années, se demandant quel homme il serait sans cela.

Songeant aussi à ce qui était arrivé la veille, à la tragédie évitée de justesse.

Il avait passé la majeure partie de la soirée à interroger Ross Abbott. Celui-ci, une fois maté et placé en garde à vue, s'était enfermé dans le mutisme. Il ne parlerait qu'en présence de son avocat, avait-il dit.

Kincaid avait vu le sale type aux abois disparaître sous le masque du banquier, calme, respectable et blessé dans son honneur. Mais le calcul se lisait dans son regard, et sa version des faits, lorsque son avocat stupéfait avait enfin débarqué, était un chef-d'œuvre d'invention.

Il s'était fait, prétendait-il, un sang d'encre pour son ami endeuillé, vu le comportement irrationnel de Freddie lors de leur rencontre au Red Lion. Ne le trouvant pas chez lui, il s'était rendu au cottage, à tout hasard.

Là, comme une voiture inconnue était garée à proximité et que la porte d'entrée était entrouverte, il avait craint qu'un cambrioleur ne se soit introduit dans la maison. Il s'était senti obligé d'aller voir. Kieran et son chien féroce l'avaient agressé, contraint à se défendre.

Le pistolet ? Justement, en cherchant une arme quelconque pour se protéger contre le dingue au chien, il avait trouvé le pistolet dans le tiroir du buffet de Rebecca Meredith.

– À ce moment, vous et votre copain – il avait pointé l'index vers Kincaid et Doug –, vous avez déboulé et vous avez omis de dire que vous étiez flics. J'ai cru que vous faisiez partie du gang.

– Le gang ?

Kincaid avait baissé les yeux sur ses vêtements dans un état lamentable – pantalon crotté de boue, chemise et pull trempés, sans parler de sa veste en cuir. Doug, pour sa part, avait tordu une branche de ses lunettes. Ses cheveux, en séchant, s'étaient dressés sur son crâne, ce qui lui donnait l'air d'un écolier au saut du lit.

– Le gang, vous dites ?

Abbott n'était pas le seul à savoir jouer la comédie. L'avocat n'avait pu réprimer un sourire.

– Vous devriez peut-être consulter un ophtalmo, monsieur Abbott.

Mais, de fait, ils ne s'étaient pas présentés comme des policiers, mieux valait donc, sur ce point, la mettre en sourdine.

– Quant au pistolet, votre femme a reconnu l'avoir acheté au marché noir. Elle a également déclaré à nos collègues que vous l'aviez pris sans l'en avertir. Ce qui, pour moi, est de la préméditation.

Ensuite Kincaid répéta, pour l'enregistrement, ce qu'on savait de la visite, le samedi précédent, de Rebecca Meredith au domicile des Abbott, et des raisons qui avaient incité Ross à l'assassiner.

– Des foutaises, ce sont des foutaises ! Et vous n'avez pas l'ombre d'une preuve.

– Ah, je crois bien que si. Des techniciens de la police scientifique examinent votre voiture et les vêtements trouvés chez vous. Je sais que vous vous croyez très intelligent, monsieur Abbott, mais vous aurez forcément laissé des traces, des fibres sur la scène de crime. De plus, Kieran Connolly vous a vu à l'endroit où Rebecca Meredith a été tuée. Quant à ce qui s'est passé au cottage, quatre personnes dignes de foi se feront une joie de témoigner contre vous.

Kincaid parlait avec une assurance qu'il était loin d'éprouver. Un bon avocat de la défense ne ferait qu'une bouchée d'éventuelles traces ou fibres. Il leur faudrait de l'ADN – les jurés raffolaient de l'ADN. De plus, Gemma lui avait dit que Chris Abbott était d'ores et déjà revenue sur ses déclarations, notamment ses aveux concernant le pistolet.

Élaborer un dossier qui tienne la route serait long et fastidieux, mais au moins Abbott serait hors d'état de nuire.

Les secouristes, à leur arrivée au cottage avec les renforts de police, avaient découvert avec stupéfaction que le blessé était un chien. Mais comme ils étaient des collègues de Tavie, ils avaient volontiers embarqué dans leur ambulance Finn, son maître et Tavie, laquelle avait demandé au vétérinaire attaché au SRS de les rejoindre à la clinique.

Imogen Bell avait aimablement proposé de raccompagner Freddie chez lui – même si, de l'avis de Kincaid, ce dernier n'avait plus vraiment besoin d'une nounou.

Leur taux d'adrénaline était monté si haut qu'après l'arrestation de Ross Abbott, il leur avait fallu plusieurs heures pour retrouver leur calme. Même à présent, Kincaid était plus ébranlé qu'il ne l'admettait. Il ne cessait de se demander s'il n'aurait pas dû gérer différemment la situation. Sa fureur, après la mort des Craig, n'avait-elle pas affecté son jugement ? Il avait mis en danger son coéquipier et trois civils. Pourtant, s'il avait attendu les renforts, Kieran Connolly et Finn seraient probablement morts.

Alors pourquoi se sentait-il si mal ?

Soudain, une ombre s'étira sur le sol. Surpris, Kincaid leva les yeux et vit Childs immobile sur le seuil. Malgré sa corpulence, il se déplaçait toujours sans le moindre bruit.

Aujourd'hui, le commissaire divisionnaire arborait son habituel costume sur mesure avec à la boutonnière, pareil à une goutte de sang, le petit coquelicot du jour de l'Armistice.

– Monsieur, dit Kincaid en se levant.

– Non, restez assis. Et moi, si ça ne vous ennuie pas, je resterai debout.

Les fauteuils réservés aux visiteurs n'étaient effectivement pas conçus pour des colosses.

– Que faites-vous ici un dimanche ?

– J'avais rendez-vous avec le directeur. Pour l'affaire Meredith, tout est bien qui finit bien. Excellent résultat.

Mais Kincaid n'était pas d'humeur.

– Sans Angus Craig, Ross Abbott n'aurait eu aucune raison de tuer Becca Meredith.

– J'étais sûr que vous répondriez ça, je l'ai même dit au directeur, soupira Childs. Il estime néanmoins que divulguer les épreuves subies par certaines femmes de la police serait pire que le mal. En admettant que ces femmes acceptent, ce qui me semble peu probable.

Kincaid le dévisagea.

– Vous ne comptez quand même pas mettre aussi le meurtre de Jenny Hart sous le tapis ?

– L'ADN prélevé sur la scène de crime sera comparé avec celui de Craig, éluda Childs.

Kincaid comprit que les résultats de cette analyse risquaient fort de ne pas être rendus publics.

– Et l'analyse ADN du plus jeune fils de Chris Abbott ?

– Je doute que la mère donne son autorisation. Comme je serais surpris qu'un magistrat aille contre sa volonté et délivre une commission rogatoire. À quoi bon, d'ailleurs ? Même s'il s'avérait que l'inspecteur Abbott ignorait tout des crimes de son mari, ne pensez-vous pas que sa vie sera désormais suffisamment pénible sans que, par-dessus le marché, on mette en doute la légitimité de son enfant ? Et je préfère ne pas songer à ce que subirait cet enfant. Laissez tomber, Duncan. Profitez de votre famille et, quand vous reviendrez, tout cela vous paraîtra beaucoup plus simple.

Sous-entendu, arrêtez de nous enquiquiner. Un instant, Kincaid se demanda si, à son retour, il retrouverait sa place et son bureau.

Il se leva, regarda Childs droit dans les yeux.

– Bien, monsieur.

– Parfait, rétorqua le divisionnaire en époussetant le revers de sa veste. Il faut que je file. Diane m'attend pour le déjeuner dominical. Ah, au fait... j'ai appris ce matin que l'inspecteur qui dirige la criminelle du district de Lambeth a eu une crise cardiaque. Pauvre bougre, on ne sait pas trop s'il va s'en sortir. Toujours est-il qu'il faut le remplacer. Le nom de Gemma est venu dans la discussion. Cela l'intéresserait, selon vous ?

Une promotion, même temporaire ? Gemma à la tête d'une équipe de la criminelle ?

Voilà qu'on essayait de le soudoyer...

Mais Gemma avait la compétence requise pour ce poste, qu'elle méritait amplement. Il n'avait pas le droit de l'en priver, ni celui de lui dire que cette proposition n'était qu'une façon de bâillonner son mari.

– Ce sera à elle de décider, monsieur.

Dans le salon de sa nouvelle maison, à Putney, Doug Cullen contemplait avec consternation les cartons que Melody et lui avaient apportés la veille. Jamais il n'aurait cru posséder autant de choses, les objets s'étaient pour ainsi dire multipliés, et maintenant il ne savait qu'en faire.

Il avait prévu de prendre une demi-journée, le lendemain, pour transporter le reste de son bazar. Cela ne lui attirerait pas les bonnes grâces de son nouveau chef, mais il devait rendre les clés de l'appartement et n'avait plus le choix.

378

Quand il aurait ses meubles, ça irait peut-être mieux. Encore qu'il avait juste besoin d'un endroit pour dormir et manger, en attendant de s'atteler aux travaux.

Il s'assit sur un gros carton, le menton dans les mains. Il se demandait si cette maison n'était pas une abominable erreur, quand on frappa à la porte.

Il se redressa d'un bond, comme si on l'avait surpris en plein laisser-aller, et se reprocha aussitôt cette réaction. Il n'attendait personne, et de toute façon il était chez lui, il pouvait rester les fesses sur un carton s'il en avait envie.

Quand il ouvrit la porte, il fut étonné et ravi. C'était Melody, un cabas à la main.

– Il faudra que tu répares cette sonnette, dit-elle. Elle ne marche pas.

– Et si tu entrais ? rétorqua-t-il, montant illico sur ses ergots.

Imperturbable, Melody le suivit au salon, jaugea d'un coup d'œil l'étendue du désastre.

– Tu es un peu découragé, pas vrai ? Je me doutais qu'un coup de main ne serait pas du luxe.

– Excuse-moi, dit-il, confus. Tu as raison, je ne sais pas par où commencer.

– J'ai quelque chose qui devrait nous aider.

Melody prit dans le cabas une bouteille de champagne. Bien frais et ruineux.

– J'ai pensé que, peut-être, tu n'avais pas encore tes verres, ajouta-t-elle en sortant deux flûtes soigneusement enveloppées dans une serviette.

Pas encore, tu parles, maugréa Doug. Elle apportait un champagne qu'il n'aurait jamais les moyens de s'offrir, mais, pour ménager sa susceptibilité, feignait d'ignorer qu'il ne possédait pas de flûtes à champagne.

– Je propose de boire aux « recommencements », dit-elle plus timidement. Nouvelle maison, nouveau patron...

– Merci.

Grâce à son ex-petite amie, il savait au moins déboucher une bouteille de champagne. Il ôta le muselet, dégagea habilement le bouchon et versa le vin doré dans les flûtes.

– Tu as loupé ta vocation, plaisanta Melody.

– Maître d'hôtel ? C'est une idée. Je serais probablement mieux payé.

– Tchin-tchin ! Je porte un toast au héros, puisqu'il paraît que tu as été héroïque, hier.

– Moi ?

– L'arrestation, tout ça. J'aurais aimé être là.

– Ne dis pas n'importe quoi, rétorqua-t-il, plus durement qu'il ne le voulait.

Impossible de lui avouer combien il avait honte. Il était resté planté comme un crétin, sans lever le petit doigt, pendant que Ross Abbott les menaçait de son arme. Il aurait dû l'attraper par le colback au lieu de laisser le patron risquer sa peau.

Il ne supportait pas d'y repenser.

– Excuse-moi, répéta-t-il. Tchin.

Il vida d'un coup la moitié de son verre, crachota quand les bulles lui montèrent au nez.

– Vas-y doucement, le taquina Melody, mais il perçut dans sa voix une note d'inquiétude. Tu veux que je te dise ? Les cartons peuvent attendre. Allons faire un tour dans le jardin. Ensuite, inspecteur Cullen, je crois que vous me devez un déjeuner, avec l'Eton mess que je n'ai pas eu la dernière fois. On fera un singe-chaussette.

– Pardon ?

– Au Jolly Gardeners. Il était écrit dans le menu que le dimanche midi, on peut fabriquer des singes-chaussettes. Ils fournissent même les chaussettes. Où est passé ton esprit d'aventure, Dougie ?

Excellente question. Qu'avait-il à perdre ?

– Tu as raison, les cartons attendront. En avant pour les singes-chaussettes !

Freddie avait nettoyé le parquet taché de boue et de sang. Il avait aéré, puis allumé le chauffage pour combattre l'humidité glaciale qui semblait imprégner les murs du cottage depuis la mort de Becca.

Il fit du ménage et du rangement, et, quand il trouva la photo tombée sur le tapis, la contempla longuement avant de la mettre dans un tiroir. Il ne voulait plus penser à Ross Abbott, du moins jusqu'au procès.

Hier soir, il avait pris sa revanche. Vite et bien, et il n'éprouvait aucun remords. Il avait téléphoné à tous les membres de l'équipe qui avait disputé la Boat Race, cette année-là. Le monde de l'aviron veillerait à détruire définitivement la réputation de Ross ainsi que sa carrière, en supposant qu'elle réchappe à un procès pour meurtre.

Une vengeance symbolique – Becca avait perdu la vie, il fallait que Ross Abbott perde ce qui comptait le plus pour lui.

Freddie, pour sa part, ne savait plus ce qui lui était essentiel. Mais en déambulant dans le cottage, il songea qu'il aimait cet endroit, qu'il s'y sentait chez lui, ce qu'il n'avait jamais éprouvé dans son appartement du Malthouse. Dès que la succession serait réglée, pourquoi ne pas se réinstaller ici ? Il vendrait l'appartement. Et, avec les meubles, il ferait un feu de joie pour fêter la Guy Fawkes Night, ironisa-t-il.

Pourrait-il partager cette maison avec le fantôme de Becca ? Malgré leurs erreurs, leurs faiblesses, ils s'étaient aimés. Il en était à présent persuadé et, étrangement, cela l'aidait à supporter son chagrin. Vivre ici lui ferait du bien.

Grâce à la générosité de Becca, il allait retrouver une stabilité financière. Mais il était lassé de l'immobilier et n'avait plus envie d'évoluer dans ces sphères où on ne se satisfaisait jamais de ce qu'on avait.

Alors quoi ? Il avait passé sa vie à persuader les gens d'investir leur argent dans tel ou tel projet. Il n'avait aucun talent véritable ou utile.

À cet instant, il entendit un véhicule s'arrêter sur le bas-côté. Le Land Rover cabossé de Kieran. Sur la galerie reposait la silhouette effilée, reconnaissable entre mille malgré la bâche qui la protégeait, du skiff en bois.

Il sortit accueillir Kieran qui lui sourit – c'était la première fois qu'il le voyait sourire, cela le métamorphosait, et Freddie eut l'impression de découvrir l'homme qu'avait connu Becca.

– Je pensais bien que vous seriez là.

– Comment allez-vous ? Et Finn ?

– Recousu, bandé, un peu assommé par les antalgiques. Mais le véto dit qu'il se remettra. On doit juste l'empêcher de se fatiguer. Tavie le surveille comme le lait sur le feu.

À l'évidence, Kieran ne retournerait pas de sitôt vivre dans son hangar à bateaux. Freddie fut content pour lui, malgré une pointe d'envie.

– J'ai nettoyé mon atelier, et je me suis dit que, puisque ce bateau a miraculeusement survécu, il était temps de l'essayer.

Il enleva la bâche. L'acajou de la coque étincela au soleil. Freddie sentit sa gorge se nouer.

– Vous m'aidez à le descendre ? Je suppose que les voisins de Becca ne verront pas d'inconvénient à ce qu'on utilise leur ponton ?

Kieran prit une paire d'avirons à l'arrière du véhicule. Ensemble, ils soulevèrent le skiff et le portèrent jusqu'au ponton. La coque était légère, le bois chaud et doux comme la peau d'une femme.

Avec d'infinies précautions, ils mirent le skiff à l'eau. Kieran plaça un aviron en travers de la coque.

– Vous feriez mieux d'enlever vos chaussures. J'ai fixé les miennes à la planche de pied. Elles devraient vous aller.

Freddie le dévisagea avec stupéfaction.

– Vous voulez que, *moi*, je l'essaie ?

– Qui d'autre ? J'aimerais avoir votre opinion. Si je me suis complètement planté, je veux le savoir.

– Mais je n'ai pas ramé depuis…

– Ça ne s'oublie pas, ne vous inquiétez pas.

Freddie regarda le bateau, puis la Tamise pareille à un lac où le soleil se reflétait.

Sans un mot, il se déchaussa, s'installa et glissa les pieds dans les chaussures de Kieran, qui effectivement lui allaient bien. Il fixa les pelles sur les portants, fit coulisser le siège d'avant en arrière pour tester les roulettes.

Puis Kieran le poussa, et il se retrouva dans le courant qui l'emportait vers l'aval. Ses mains se moulèrent sur les manches des avirons, et quand les pelles mordirent l'eau, il sentit le bateau s'élancer.

Sa mémoire musculaire prenait les commandes. Propulsion, retour, propulsion, retour. Il ne faisait plus qu'un avec le bateau qui chantait sur le fleuve.

Des gouttes d'eau lui mouillaient la figure, et cette aspersion était comme une bénédiction. Une bulle de joie éclata dans son cœur, il songea qu'il n'avait jamais ramé pour le seul plaisir de ramer depuis qu'il était petit garçon.

Alors il comprit que c'était là son talent, et qu'il pouvait le mettre à profit. Il possédait cette vieille grange au bord de la Tamise qu'il projetait de transformer en résidence de luxe. Mais elle ferait un atelier parfait pour un constructeur de bateaux.

Il avait passé des années à séduire des investisseurs. Pourquoi ne serait-il pas capable de persuader des passionnés d'aviron de miser sur de magnifiques bateaux, des modèles uniques. Et sur l'homme qui les construisait.

Si Kieran voulait bien de lui comme associé.

Le dimanche en début de soirée, une grande animation régnait à Notting Hill.

Les vacances étaient finies, et, à l'idée de reprendre l'école le lendemain, les garçons étaient sur les nerfs. Toby filait d'un côté à l'autre telle une balle de ping-pong humaine ; pour un peu, il aurait rebondi contre les murs.

Kit, muet depuis leur retour de Glastonbury, était soudain volubile. Il ronchonnait à cause d'un exposé de biologie qu'il n'avait pas terminé, il avait étalé bouquins et feuilles de papier sur la table de la cuisine, mais Kincaid ne voyait pas le travail avancer.

Quant à Gemma, depuis qu'il était revenu du Yard, elle tournait dans la maison comme un derviche, rangeant, classant et griffonnant des listes longues comme le bras sur des post-it qu'elle collait un peu partout.

Charlotte, perturbée par ce remue-ménage, s'accrochait à Gemma sitôt qu'elle passait à sa portée, et fondait en larmes à tout bout de champ. Ils l'avaient prévenue – aussi tranquillement que possible – que les choses allaient changer : Duncan s'occuperait d'elle et uniquement d'elle, pendant que Gemma serait au commissariat et les garçons à l'école.

– Tu te souviendras qu'elle n'aime pas la Marmite[1] ? dit Gemma en fixant une nouvelle liste sur la porte du réfrigérateur, à l'aide d'un magnet représentant le balai volant de Harry Potter.

Charlotte, comprenant qu'on parlait d'elle, s'enroula autour de sa jambe en pleurnichant.

– Le matin, c'est juste un toast beurré. Du jus d'orange. Pas de Marmite.

– Bonté divine, Gemma ! Tu ne pars pas traverser l'Atlantique. Et ce n'est quand même pas sorcier. On se débrouillera très bien.

Gemma lui lança un regard surpris puis, subitement, eut l'air si atterrée qu'il craignit une catastrophe.

– Le dîner, souffla-t-elle. Avec tout ça, je n'y ai plus pensé. On n'a rien pour dîner.

– Pizza ! claironna Toby.

– Oh ! non, grogna Kit. Encore de la pizza. Non, pitié.

– Je n'aurais pas cru entendre ça un jour, plaisanta Kincaid. Le soleil va se lever à l'ouest.

Et moi, il est temps que je m'y mette, se dit-il. Il ouvrit le placard et en inspecta le contenu.

– On a des spaghettis, de la sauce tomate. Kit, si tu veux bien lever le nez de ton exposé, il faut sortir les

_____
1. Pâte à tartiner anglaise.

chiens. Tu en profiteras pour aller au Tesco Express acheter une salade et de la saucisse italienne.

– D'accord, pas de problème.

– Spag bol, spag bol, chantonna Toby.

– Ce n'est pas appétissant, ton spag bol, grimaça Gemma, soulagée de n'avoir plus à se soucier du repas. Dis-le correctement, à l'italienne. *Spaghetti bolognese...*

– Avec des saucisses toutes rouges, renchérit Kit. Miam...

– Z'en veux pas, chouina Charlotte.

Mais les garçons se poursuivaient déjà dans la cuisine, avec force onomatopées. Pour ne pas être en reste, les chiens se mirent à aboyer.

– Stop ! ordonna Kincaid.

Le tapage s'arrêta aussitôt, pourtant il n'avait même pas crié.

– OK, p'pa, dit Kit, tendant la main. Aboule la monnaie, s'te plaît.

Kincaid leva les yeux au ciel, mais extirpa un billet de son portefeuille.

– Je veux des bonbons, décréta Toby. Je veux aller avec lui.

– Non, et non. Toi, tu vas mettre tes livres dans ton cartable, pour demain.

Kit siffla les chiens. Lorsque Kincaid entendit leurs griffes cliqueter sur le sol, il se remémora soudain le chien d'Edie Craig, Barney, qu'il avait totalement oublié.

Il se précipita dans le vestibule, fouilla les poches de sa veste à la recherche du bout de papier sur lequel il avait noté le nom du voisin des Craig. Il faudrait faire quelque chose pour Barney, or les Craig n'avaient pas de proches parents.

Il irait à Hambleden avec Charlotte. Il parlerait au prêtre, au barman du pub, et si personne au village ne voulait de Barney, il demanderait conseil à Tavie. Elle connaîtrait peut-être quelqu'un à qui confier le whippet.

Il devait bien ça à Edie Craig, qu'il lui semblait avoir abandonnée à son triste sort.

- Papa ? murmura Kit qui l'observait. Ça va ?
- Très bien.

Kincaid lui sourit, replia le papier et le remit à sa place.

- Dépêche-toi, dit-il, sinon on risque d'avoir une mutinerie à bord.

Il ouvrit la porte à son fils qui s'en fut avec les chiens, puis retourna à la cuisine en essayant de se rappeler où il avait vu l'ail et les oignons pour la sauce bolognaise. Il avait besoin de se roder.

- Le saladier jaune à droite de l'évier, dit malicieusement Gemma.

- Comment tu as deviné que...

Il fut interrompu par le téléphone de Gemma. Avant même qu'elle ne prenne la communication, il sut pourquoi on l'appelait.

- Prends tes Jammie Dodgers[1] et ouste ! dit-il à Toby. Tu peux prendre ceux en forme de tête de mort, c'est Halloween.

Il souleva Charlotte, cramponnée à la jambe de Gemma, et la cala sur sa hanche.

- Si tu es très, très gentille, lui chuchota-t-il à l'oreille, après le dîner on fera l'avion. Ou avant, rectifia-t-il, songeant qu'il n'était peut-être pas indiqué de faire voler et tournoyer une enfant après une platée de spaghettis à la bolognaise.

- Avant, décréta la fillette.

Il entendit Gemma dire :

- Oh, bonsoir, Mark. Comment allez-vous ?

Mark Lamb, le patron de Gemma et le vieux copain de Kincaid. Ils avaient donc choisi Lamb comme émissaire.

- D'accord, murmura-t-il à Charlotte. Après le dîner, je te lirai une histoire.

- Alice ?

- Alice, encore et toujours. Alice pour l'éternité.

Pouffant de rire, Charlotte nicha sa frimousse au creux de son épaule.

---

1. Biscuits britanniques : sablés fourrés à la confiture.

– Ah…, fit Gemma. Je suis désolée pour lui, vraiment. Oui… mais bien sûr, je vous rendrai ce service avec plaisir. Lambeth, d'accord. Demain matin. À la première heure. Merci, patron. À bientôt.

Gemma raccrocha et resta immobile, éberluée.

Puis elle regarda Kincaid. Un sourire radieux illumina son visage.

– J'ai un nouveau job !

« SPÉCIAL SUSPENSE »

Impression CPI Bussière, octobre 2013
à Saint-Amand-Montrond (Cher).
N° d'impression : 2005359.
Dépôt légal : novembre 2013.
ISBN : 978-2-286-10576-1
Imprimé en France.